ditado por Lucius

Nada é por acaso

Zibia Gasparetto

Direção de Arte: Luiz Gasparetto
Revisão e Editoração Eletrônica: João Carlos de Pinho
e Fernanda Rizzo Sanchez
Capa: Luiz Antonio Gasparetto e Kátia Cabello

1ª edição – 46ª impressão
10.000 exemplares – dezembro 2011

Dados Internacionais de Catalogação na Publicação (CIP)
(Câmara Brasileira do Livro, SP, Brasil)

Lucius (Espírito)
Nada é por acaso: ventre de aluguel, canal de união da mãe estéril: um filho do coração / ditado por Lucius; [psicografado por] Zibia Gasparetto. São Paulo: Centro de Estudos Vida & Consciência Editora.

ISBN 978-85-7722-002-1

1. Espiritismo 2. Psicografia 3. Romance espírita I. Gasparetto, Zibia. II. Título.

08-08769 CDD-133-93

Índices para catálogo sistemático:
1. Romances espíritas psicografados: Espiritismo 133.93

Editora Vida & Consciência
Rua Agostinho Gomes, 2.312 – São Paulo – SP – Brasil
CEP 04206-001
editora@vidaeconsciencia.com.br
www.vidaeconsciencia.com.br

1

Marina estugou o passo, esbarrando nos transeuntes para abrir passagem. Estava atrasada. Ainda tinha de passar em dois bancos antes que fechassem e entregar aqueles documentos no escritório do dr. Moura. Eram sigilosos e fora-lhe recomendado o máximo cuidado com eles, devendo ser entregues diretamente a ele.

Consultou o relógio de pulso e suspirou cansada. Por que tinha de ser tudo ela? No escritório de advocacia em que trabalhava, havia outros funcionários, mas o dr. Olavo, seu chefe, parecia só ter olhos para ela. Sempre que havia algum documento importante ou transação mais complicada no banco, era ela quem ia.

— Você vai — determinava ele. — Sei que fará tudo certo.

Ela ia. Começara a trabalhar naquele escritório logo que entrara na faculdade de Direito. Havia lutado muito para pagar seus estudos. Sua família morava em Sorocaba, interior de São Paulo. Ofélia, sua mãe, era costureira, e seu irmão menor, Cícero, estava cursando o ensino fundamental II. Seu pai deixara a família quando Ofélia ainda estava grávida de Cícero, e nunca mais os procurara.

Quando Marina decidiu fazer faculdade em São Paulo, Ofélia foi contra:

— Somos apenas nós três — disse, triste. — O que faremos se você também for embora?

— Eu não vou embora — respondera Marina com voz firme. — Estou precisando ganhar mais para pagar os estudos.

— Você podia continuar trabalhando na farmácia do *seu* José e estudar outra coisa.

— Eu quero progredir na vida, mamãe. Ser alguém. Não quero ficar atrás de um balcão a vida inteira. Vou continuar os estudos e me formar.

— Bobagem! Você já está com vinte anos. Logo vai se casar e deixar os estudos de lado.

Marina apertou os lábios e disse com raiva:

— Não eu! Vou cuidar de minha vida e não vou arranjar ninguém que venha atrapalhar. Pense bem, mãe: vou fazer carreira, ganhar muito dinheiro e levar vocês para São Paulo. O Cícero também vai precisar continuar os estudos.

— Eu ganho o suficiente para viver. Para que mais?

— Você faz o que pode. Mas tem nos sustentado toda a vida. Chegou a hora em que eu posso ajudar a manter a casa.

Ofélia sorriu.

— Boa intenção você tem. Mas, até que possa colaborar com as despesas, vai demorar. Quanto acha que pode ganhar em São Paulo? Depois, terá que se sustentar. Não vai ser fácil.

— Eu me arranjo. A Bete me escreveu. Ela está morando em uma pensão, e não é cara. Vou trabalhar na farmácia até receber o pagamento e depois irei para a pensão. As aulas só vão começar no mês que vem. Enquanto isso, procuro um bom emprego.

— Não me agrada você ficar lá sozinha. Não conhece ninguém.

— Posso tomar conta de mim.

Não houve argumentos que a fizessem mudar de idéia. Recebeu o salário e instalou-se na mesma pensão onde vivia sua amiga Bete. Interessada em fazer carreira na advocacia, procurou emprego e conseguiu ser contratada pelo escritório do dr. Olavo Augusto Resende. Ele liderava um grupo de advogados que trabalhava na área civil.

Marina começara modestamente como auxiliar. Desejando progredir, esforçava-se, procurando aprender o que podia, interessando-se pelos negócios do grupo e fazendo mais do que lhe pediam. Educada, inteligente e, principalmente, arguta, Marina sabia como lidar com as pessoas. Os advogados do escritório logo perceberam que podiam contar com ela e a encarregavam dos mais complicados assuntos, felizes por se livrarem de atendê-los pessoalmente e seguros de que ela agiria a contento.

À medida que Marina ia avançando nos estudos, suas despesas iam aumentando, tornando sua situação difícil. Esse problema, porém, era amenizado pelos aumentos salariais que ela recebia como incentivo para completar o curso.

Fazia seis meses que Marina havia se bacharelado, e ela desejava mais. Olavo prometera-lhe algumas pequenas causas, para que ela pudesse ir conquistando a confiança dos clientes. Dissera-lhe:

— Em nossa profissão, é preciso paciência. O nome é importante. Você é boa, tem aprendido muito nestes anos aqui, mas ninguém a conhece. Precisa fazer nome.

Ela continuava trabalhando como antes, e as causas não apareciam. No escritório, era ela quem tomava a maior parte das providências jurídicas, redigindo petições, acompanhando o andamento dos processos, analisando-os, sugerindo providências, comparecendo às audiências, conversando com os advogados da parte contrária ou com os clientes e seus adversários.

Trabalhava agora mais do que antes. Havendo terminado os estudos, ficava até mais tarde. Muitas vezes levava processos para ler nos fins de semana.

Vendo-a assoberbada de trabalho, Bete meneava a cabeça contrariada:

— Estão abusando de você. Além de ficar lá até tarde todos os dias, ainda traz trabalho para o fim de semana? Não acha que é demais?

— Preciso adquirir experiência. A vantagem é minha.

— Enquanto isso eles lhe pagam pouco e ganham dinheiro à sua custa.

— Não seja mercenária! Eu gosto de trabalhar. Faço isso por mim, não por eles. Um dia ainda terei tudo quanto desejo.

— Se não se acabar antes. Hoje tem um baile no clube em que o Carlos é sócio. Ele nos convidou. Vamos?

— Vá você. Prefiro ficar aqui.

— Você não tem jeito mesmo. O Marcelo está louco por você. Ele costuma ir a esse clube.

— Não estou interessada.

— Ele é um pedaço! Se fosse comigo, não ia perder a vez.

— Fique com ele.

— Não entendo você. Não namora, não sai, só trabalha. Desse jeito vai ficar para titia.

— Pouco me importa. Casamento não está em meus planos.

— Que horror! Não diga isso nem brincando. Eu, quando aparecer alguém de quem eu goste, caso mesmo. Não vejo a hora de ter família, de ser feliz.

— Pois eu não. Casamento não dá futuro. Eu quero mais é cuidar da minha vida.

***

Marina chegou ao banco e olhou desanimada para a imensa fila do caixa. Foi falar com o gerente. Sorriu, conversou, contou uma história que inventou na hora e conseguiu que ele a atendesse rapidamente. Estava habituada a essas gentilezas. Sabia que era bonita, elegante e bem-feita. Seus cabelos castanho-dourados, seus olhos verdes e profundos, sua pele morena e delicada, seus dentes alvos e bem distribuídos, as duas covinhas que se formavam quando sorria e principalmente seu irresistível magnetismo garantiam-lhe bom atendimento onde aparecesse.

Fez o outro banco e foi ao escritório do dr. Moura. Ele não estava e ela não queria entregar aquele documento à secretária. Era um contrato muito importante. Fora por insistência dela que o dr. Olavo começara a atender casos na área empresarial.

Marina pensava que os grandes negócios aconteciam a todo momento nas empresas. Participar deles era obter mais lucro em menos tempo. Espólios, heranças e problemas familiares, além de serem causas muito demoradas e trabalhosas, eram menos rentáveis. A princípio, dr. Olavo não se interessara muito, mas depois acabou aceitando algumas causas nessa área.

Sentada no sofá macio na penumbra da tarde que ia se findando, Marina sentiu o prazer de usufruir daqueles momentos de descanso. Olhava satisfeita para os magníficos quadros nas paredes, para o vaso de cristal cheio de flores frescas, perfumadas e arrumadas artisticamente, para os móveis finos, de bom gosto, e podia sentir a maciez do tapete sob seus pés.

— O dr. Moura vai demorar um pouco. Tem certeza de que é só com ele?

A secretária estava em pé na sua frente.

— Tenho. Foi um pedido do dr. Olavo. Ele vai vir?

— Vai. Mas não tem hora.

— Se ele vem, vou esperá-lo.

— Aceita um café ou um refrigerante?

— Um café, obrigada.

Marina tomou o café e colocou a xícara de porcelana revestida de prata na bandeja sobre a mesinha. Dispondo algumas revistas ao alcance dela, a secretária disse:

— Fique à vontade — e retirou-se para a outra sala.

Seja por estar cansada, seja pela maciez do sofá ou pela penumbra do ambiente, Marina recostou-se e sem perceber adormeceu. Sonhou que estava em um campo muito verde, cheio de flores e de pássaros que cantavam alegres. Andava pelas campinas verdes com prazer e alegria, aspirando gostosamente o perfume agradável que vinha das flores. De repente, parou. Uma mulher se aproximava. Seu rosto bonito e jovem a atraía. De onde a conhecia?

— Como vai, Marina? — perguntou ela.

— Bem. De onde nos conhecemos?

— Já faz muito tempo. Você não se lembra.

— Lembro que a conheço, mas de onde?

— De outras vidas.

— Outras vidas? O que quer dizer?

— Esqueceu que já viveu na Terra antes? Precisa se lembrar da reencarnação.

— Não acredito que exista.

— Vai se lembrar quando chegar a hora. Vim vê-la porque preciso da sua ajuda. Você me prometeu, e espero que cumpra.

— Eu? Ajuda? O que posso fazer?

— Em breve, muitas coisas mudarão em sua vida. Está tudo certo. Lembre-se: não há nada errado. Não existe erro.

Marina acordou ouvindo ainda a voz dela repetindo essa frase e sobressaltou-se ao perceber que a secretária estava na sua frente dizendo:

— O dr. Moura telefonou e avisou que não vai mais voltar ao escritório hoje.

— Desculpe. Acho que cochilei... Aqui está tão agradável, que não resisti. A que horas ele estará aqui amanhã?

— Depois das dez. Tem um encontro com um cliente importante às dez e meia.

— Estarei aqui às dez. Obrigada.

Marina saiu. Já havia escurecido, e o movimento das ruas continuava intenso. Sentiu fome. Decidiu comer alguma coisa e voltar para casa. Passava das sete, não iria mais ao escritório. Estava cansada.

Entrou em uma lanchonete lotada. Encontrou uma mesa, sentou-se, pediu um sanduíche e um guaraná. Enquanto comia, pensava no que fazer para melhorar suas finanças. O dinheiro que ganhava permitiu-lhe sair da pensão e alugar um pequeno apartamento no Largo do Arouche, que mobiliou devagar, porém com bom gosto. Era o seu canto. Lá sentia-se dona da própria vida. Tudo fora conseguido com seu próprio dinheiro, e essa pequena vitória dava-lhe a certeza de que poderia conseguir muito mais. Ela só precisava descobrir como.

Imersa em seus pensamentos íntimos, Marina nem sequer percebia os olhares interessados dos rapazes que a observavam. Não que ela fosse indiferente ao assédio masculino. Ao contrário: gostava de trocar olhares, flertar, conversar quando conhecia alguém interessante, mas nada além disso.

Essa sua atitude despertava mais interesse, e ela era constantemente assediada, recebendo inúmeros convites, que aceitava quando sentia vontade de espairecer um pouco.

Bete não se conformava. Se fosse com ela! Tantos convites, rapazes bonitos, homens inteligentes, e Marina indiferente, como se não fosse nada. Não entendia como ela, agindo dessa forma, fazia tanto sucesso.

Marina pagou a conta e saiu, e enquanto se dirigia para casa continuava pensando em como conseguir o que queria. Começava a desconfiar que estava perdendo tempo no escritório do dr. Olavo. Aprendera muito com eles, mas agora começava a pensar de outra forma e a achar que eles poderiam progredir muito mais se modificassem alguns conceitos que ela achava antiquados.

Nos últimos tempos eles haviam se acomodado e não pretendiam crescer, abrir outras áreas de atividade. Estavam cansados, velhos, limitados. Para eles, bastava o que tinham. Não se motivavam a maiores esforços.

"Se eu continuar lá, ficarei limitada também", pensou ela.

Cogitou procurar emprego no departamento jurídico de uma grande empresa. Dessa forma, poderia progredir até que tivesse dinheiro e fama para abrir seu próprio escritório.

Chegou em casa, passou os olhos pelo pequeno apartamento e decidiu:

— Amanhã mesmo vou procurar outro emprego. Tenho conhecimento suficiente para obter algo melhor. E estou certa de que vou encontrar.

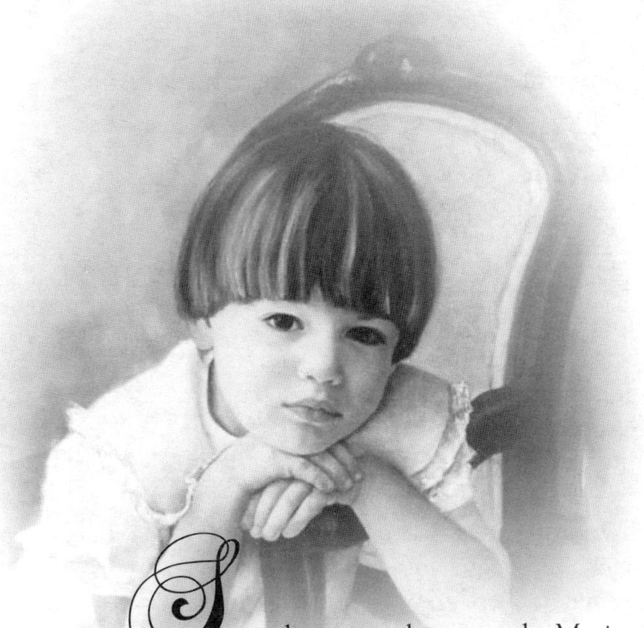

2

Sentada em uma luxuosa sala, Marina esperava. Havia se preparado para a ocasião. Comprara roupa elegante, fora ao cabeleireiro, sentia-se muito bem percebendo os olhares de admiração das pessoas onde passava. Ia ser entrevistada novamente para conseguir um novo emprego.

Fazia mais de um mês que ela começara a procura. Fora a diversas entrevistas, conversara com gerentes, preenchera cadastros. Pedia um alto salário. Precisava valorizar-se. Não pretendia deixar o dr. Olavo se não fosse por um salário compensador e um lugar em que pudesse progredir.

Estava em conversações com um grupo formado por uma cadeia de empresas. Fora entrevistada duas vezes e agora a chamaram para uma conversa na sala da presidência. Antes, eles quiseram saber tudo sobre sua vida: família, saúde, aspirações. Ela forneceu as informações, admirada com os detalhes que lhe pediam. Mas o fez de bom grado. Estava muito interessada em conseguir aquele emprego. Percebera que lá poderia chegar aonde pretendia.

— Senhorita Marina, queira entrar, por favor.

Ela levantou-se e acompanhou a elegante secretária. Entrou em uma sala grande e luxuosa, decorada com extremo bom gosto. Curiosa, olhou para a escrivaninha, atrás da qual estava sentada uma mulher elegantemente vestida, cujo rosto não lhe era estranho. Onde a teria visto?

— Queira sentar-se, senhorita — disse ela.

Marina procurou refazer-se da surpresa. Não esperava encontrar uma mulher. Acomodou-se e esperou.

— Meu nome é Adele — disse ela, voz grave e educada. — Estive lendo sua ficha e tenho uma proposta a lhe fazer.

— Sim, senhora.

— Antes preciso dizer que o que vamos conversar é estritamente confidencial. Prometa-me que, aconteça o que acontecer, seja qual for sua resposta, você guardará segredo absoluto.

— Sou uma pessoa discreta. Pode confiar. Não direi nada a ninguém.

— Eu a escolhi porque me pareceu que tem todas as qualidades que procuro para a tarefa que vamos iniciar. Todavia, preciso da sua promessa, sem a qual encerramos nosso assunto agora.

— Muito bem. A senhora tem minha palavra. Prometo que não contarei a ninguém o que se passar aqui.

Adele suspirou, levantou-se e começou a andar pela sala lentamente, pensativa, escolhendo as palavras para o que ia dizer. Marina sentiu aguçar sua curiosidade. O que ela iria propor-lhe? Seria algum negócio escuso? As informações que tinha sobre aquele grupo eram as melhores. Tratava-se de pessoas muito respeitadas no mercado. Agora ela já se recordara de onde conhecia Adele. Era das revistas sociais, onde ela brilhava sempre e era tida como uma das mulheres mais importantes.

— Preciso de sua ajuda para resolver um delicado problema pessoal. Sei que pretende um emprego. Posso conseguir isso e muito mais. Sei também que é ambiciosa e não se conforma em levar uma vida modesta. Se aceitar o que vou lhe propor, receberá uma quantia que a tornará independente. Poderá viver confortavelmente pelo resto da vida.

Marina não perdia nenhuma palavra. Adele continuou:

— Meu marido morreu no começo do ano passado. Metade das suas ações em nossas empresas são minhas e de minha única filha. A outra metade seria do filho varão. Como não tive um filho, e minha filha também não, decorrido o prazo de três anos após o falecimento de meu marido, os bens irão para o meu cunhado.

Ele faz parte do grupo. Com essas ações, vai se tornar majoritário e terei de deixar a presidência.

Marina ouvia com interesse. Adele calou-se durante alguns instantes, depois prosseguiu:

— Isso seria uma desgraça, porque ele, além de não ter nenhuma competência, não é confiável, tendo sido mantido aqui apenas em consideração ao avô, que foi o fundador da empresa e deixou em testamento essas determinações, pensando com isso impedir que nossos negócios caíssem nas mãos de estranhos.

Adele fez ligeira pausa e, notando que Marina ouvia atentamente, continuou:

— Minha filha é casada há cinco anos e não tem filhos. Como eu disse, faz um ano e meio que meu marido morreu. Se ela viesse a ter um menino, tudo estaria resolvido.

— Mas ela ainda poderá ter.

Adele abanou a cabeça e disse com tristeza:

— Maria Eugênia é estéril. Nunca poderá ter filhos. Há dois meses tive essa certeza. Para tentar resolver esse problema, fiz um plano. A princípio ela recusou, mas agora, diante dos fatos, acabou concordando. É a única chance de preservarmos nossos negócios, como sempre fizemos. É para isso que precisamos da sua ajuda. Temos um ano e meio para resolver isso.

— Não estou entendendo. O que posso fazer?

— Tenho tudo planejado. Você deixará seu emprego e se mudará para um lugar que só nós conhecemos. Lá, meu genro irá ter com você. Quero que tenha esse filho por Maria Eugênia.

Marina levantou-se como que movida por uma mola.

— Como?! Eu?!

— Sim. Você é uma moça saudável, inteligente, culta, de boa índole, bonita, inteligente e ambiciosa. Será a mãe ideal para o meu neto.

— A senhora está se excedendo. Isso nunca dará certo. Não posso fazer uma coisa dessas. Por que faria?

— Não se precipite. Teria um isolamento de nove meses, mas depois estaria livre para fazer o que quisesse e teria minha ajuda e proteção. Além disso, eu lhe darei um milhão de dólares.

Marina deixou-se cair na poltrona, assustada. Um milhão de dólares! Quando recobrou o fôlego, objetou:

— Isso nunca vai dar certo. E se for uma menina?

— Pensei nisso. Mas é a única alternativa; temos que tentar e correr o risco. Espero que seja um menino.

— A senhora não precisa fazer isso. Pode adotar um bebê recém-nascido e registrá-lo como de sua filha. Ninguém descobrirá. Há mães solteiras que não têm como criar os filhos e que cederiam a vocês.

— Pensei nisso. Esse menino vai herdar todas as ações nossas. O futuro dos nossos negócios estará em suas mãos. Não posso arriscar adotando uma criança de pais desconhecidos. Meu genro é homem inteligente e cheio de qualidades, saudável, lúcido. Por isso selecionei uma mulher como você. Tenho certeza de que vão gerar um ser capaz de arcar com essa responsabilidade.

Marina levantou-se preocupada:

— Mesmo assim, penso que não dará certo. Não tenho como fazer isso. É contra meus princípios.

— Você é diferente das moças que entrevistamos. Não tem o sonho de se casar e largar tudo pelo marido, como a maioria delas. Fará um sacrifício durante alguns meses e depois terá tudo quanto deseja pelo resto da vida. Eu lhe darei um milhão de dólares seja qual for o resultado do nosso contrato. É um bom negócio para você, e estaria nos ajudando muito.

— Disse que sua filha concordou. E seu genro? Ele sabe?

— Sim. Ele relutou, mas por fim aceitou cooperar.

— Ainda assim, me parece impossível.

— Não precisa me responder agora. Vá para casa, pense com calma. Dou-lhe dois dias para decidir. Durante o tempo em que ficar de recesso, enquanto espera o nascimento da criança, estará em uma linda casa, com todo o conforto, terá polpuda mesada para gastar no que quiser. Você dirige automóvel?

— Tenho carta, mas não tenho carro.

— Terá um em seu nome assim que concordar.

Adele aproximou-se de Marina e segurou-a firme nos braços. Olhando em seus olhos, disse com voz emocionada:

— Por favor! É um obséquio pessoal pelo qual lhe serei grata pelo resto da vida. Prometa que vai olhar meu problema com simpatia.

Marina sentiu o corpo estremecer. O magnetismo daquela mulher era quase irresistível. Começava a entender por que ela ocupava aquele cargo e era tão famosa.

— Certamente. Sua proposta é tentadora, mas preciso pensar. Não creio que eu esteja à altura do que me pede. Como pensa fazer para que acreditem que é filho legítimo de sua filha?

— É fácil. Ela usará uma barriga postiça. À medida que o tempo for passando, ela irá aumentando a barriga. Ninguém vai desconfiar. Quando se aproximar a hora, ela irá para onde você estiver. Quando o bebê nascer, ela o apanhará e voltará com ele. Quanto aos médicos, é fácil inventar uma viagem para o exterior, a consulta a algum especialista. Quanto a isso não se preocupe, será fácil. Tenho tudo planejado. Sua tarefa será ir para o lugar combinado, relacionar-se com Henrique e ficar lá até o nascimento do bebê. Depois estará livre para retomar sua vida.

— Isso me parece loucura. Nunca dará certo! Não posso fazer uma coisa dessas.

— Não se precipite. Embora envolva sua vida pessoal, trata-se de um negócio, findo o qual, cumpridas as partes, tudo voltará ao normal. Se recusar, vai ficar arrependida, tenho certeza.

Marina sentia-se atordoada. Precisava respirar. Resolveu ir embora e tornou:

— Está bem. Vou pensar.

— Lembre-se: você prometeu. Nenhuma palavra a ninguém.

— Pode confiar. Essa é uma história que minha família nunca poderá saber. Passar bem, senhora.

— Até daqui a dois dias. Estarei esperando.

Marina saiu rapidamente. Uma vez na rua, respirou fundo. Aquilo não podia ser verdade. Parecia uma história de filme. Adele estava louca. Ela nunca concordaria. Relacionar-se com um homem casado, com consentimento da esposa, para gerar um filho dele, era coisa de gente psicologicamente doente. Ela nem precisaria esperar pelos dois dias para recusar.

Resolveu ir para casa. Não estava com cabeça para trabalhar. As palavras de Adele, seu perfume delicado, seu olhar emocionado, não lhe saíam da lembrança.

Apesar do inusitado, a proposta era tentadora. Um milhão de dólares! Mesmo que conseguisse um ótimo emprego, se esforçasse muito, seria impossível conseguir tanto em tão pouco tempo.

Ela não desejava casar-se. Um filho! Como se sentiria? Deu de ombros. Ele não seria seu. Teria outra família, mas certamente seria muito rico. Viveria uma vida boa, talvez melhor do que ela pudesse oferecer-lhe, caso ele fosse realmente seu.

Adele deixara claro que tudo era apenas um bom negócio, com o qual todos ganhariam. Dissera também que lhe seria grata pelo resto da vida.

Adele era uma mulher forte, sabia o que queria. No mundo dos negócios era preciso ousar, e aquele plano era uma ousadia. Podia não ser um menino, mas, ainda assim, ela queria tentar.

Adele era tão determinada, tão segura de si, que Marina começou a pensar que havia probabilidades de o plano dar certo. Se fosse um menino, ela teria resolvido seus problemas. Havia cinqüenta por cento de chances.

Fazia dois meses que Adele estava procurando com muito cuidado a mulher para gerar seu neto. Se ela recusasse, certamente outra aceitaria. Era muito dinheiro em jogo.

Marina lembrou-se das entrevistas minuciosas que fizera. Haver sido escolhida para essa parceria a envaidecia. Era um caso de confiança. Mas ela não podia aceitar.

Decidiu esquecer o assunto. Estava resolvido. Dois dias depois, quando voltasse a ver Adele, diria "não", definitivamente. Ela devia ter outras candidatas; encontraria logo uma substituta.

Sentiu fome e lembrou-se de que não havia almoçado. Olhou o relógio: passava das sete. Tomou um banho e foi à cozinha preparar alguma coisa para comer. Depois, apanhou um livro, esticou-se no sofá e tentou ler. Mas o rosto de Adele, sua sala, seu olhar, suas palavras voltavam à sua mente, e ela não conseguia entender o que estava lendo.

Era inútil tentar ler. Tinha de reconhecer que a proposta de Adele mexera com sua cabeça.

Um milhão de dólares... O que faria com tanto dinheiro? Compraria um bom apartamento e abriria um escritório de advocacia. Seria um lugar agradável, bonito, diferente do lugar onde trabalhava. Móveis modernos, quadros nas paredes, flores. Uma recepcionista amável, bem vestida, bonita, que soubesse receber os clientes. Uma secretária eficiente e dedicada, um rapaz para os serviços de rua.

Compraria uma boa casa para sua mãe. Não a deixaria mais costurar para fora. Talvez trouxesse a família para morar em São Paulo. Nesse caso, ao invés de um apartamento, compraria uma boa casa, em um bairro de classe média, onde Cícero pudesse ter acesso a um bom colégio. Seria maravilhoso!

De repente, Marina lembrou-se de que havia decidido não aceitar a oferta. Uma dúvida começou a incomodá-la: seria justo recusar e deixar que sua mãe continuasse costurando, que seu irmão ficasse com os horizontes limitados, sem cursar uma universidade?

Apesar disso, ela não se sentia com disposição de aceitar. Dali a dois dias, diria "não" a Adele. Ela que procurasse outra.

Marina pensou que, tendo resolvido o assunto, poderia descansar, mas enganou-se. Naquela noite teve dificuldade para dormir. E, quando conseguiu, teve um pesadelo terrível. Por ter dormido mal, perdeu a hora na manhã seguinte.

Quando entrou no escritório, dr. Olavo já a esperava com impaciência.

— O que houve com você? Estou esperando há meia hora. Tenho uma audiência importante esta tarde, vim cedo para estudar melhor os detalhes do processo, e você não apareceu.

— O senhor podia ter apanhado no arquivo as anotações do caso. Estão em dia.

— Não gosto de mexer no arquivo. Depois, a obrigação é sua. Você devia estar aqui no horário. Nunca venho tão cedo. Vai ver que todos os dias chega tarde.

Ele estava sendo grosseiro, e Marina procurou controlar-se. Ela sempre fora cumpridora de suas obrigações, trabalhava além do horário, levava processos para casa, e agora ele reclamava a meia hora de atraso que ela tivera. Era injusto, e ela a custo conteve a indignação.

Respirou fundo, apanhou as anotações no arquivo e voltou à sala do dr. Olavo. Ele apanhou os documentos, folheou-os, depois disse:

— Eu me recordo de que mandei fazer uma declaração na

semana passada que deveria ser juntada ao processo. Pelo jeito, você não fez.

— Claro que eu fiz, doutor.

— Pois não está aqui.

Marina apanhou os documentos, folheou-os e devolveu-os, dizendo:

— Aqui está ela, doutor.

— Ah! Bem... Você não arquiva em ordem. Por esse motivo não a encontrei.

— Precisa de mais alguma coisa, doutor?

— Você não devia ter feito um resumo das providências e dado um parecer?

— Não foi possível, porque ontem essa pasta não estava no arquivo. Fui informada de que o dr. Mário a havia apanhado para estudar. Ele vai acompanhá-lo na audiência.

— Por causa disso terei de ler todo o texto.

Marina deixou a sala com raiva. Parecia-lhe estar vendo o dr. Olavo pela primeira vez. Estava cansada e sem disposição para trabalhar. Procurou a secretária e informou:

— Não estou me sentindo bem. Vou para casa.

— Nesse caso deve ir ao médico.

— Estou com dor de cabeça. Se não melhorar, irei mesmo. Avise o dr. Olavo, por favor.

Sem esperar resposta, ela saiu. Precisava pensar melhor. De repente, aquele escritório pareceu-lhe feio, triste, desagradável. As pessoas que lá trabalhavam eram medíocres. Aquele lugar não tinha futuro.

Lembrou-se do escritório de Adele e suspirou. Tudo lá era lindo. Seria bom poder trabalhar em um lugar assim, em meio a tantas coisas bonitas, de bom gosto.

Ficou andando pela cidade, olhando vitrines, tentando esquecer um pouco a preocupação, mas não conseguiu. Quando estava cansada, comeu um lanche, depois entrou em um cinema. O filme era bom, mas ela cochilou, pois estava com muito sono.

Saiu do cinema e foi para casa. Entrou no apartamento, olhou em volta e pensou: "Por que tudo me parece diferente?". Até aquele apartamento, que alugara como uma conquista, agora lhe parecia pequeno, feio, triste.

Ligou o rádio, sentou-se e tentou ler. Mas sentia-se inquieta, agitada, não conseguia parar de pensar em Adele. Foi se deitar e finalmente conseguiu dormir. Estava muito cansada.

***

Na manhã seguinte, passava das dez quando dr. Olavo chegou ao escritório. Chamou Marina, entregou-lhe uma pasta, fazendo-lhe algumas recomendações, e depois pediu informações sobre um cliente. Marina não se recordava do caso, ao que dr. Olavo tornou:

— Não sei o que está acontecendo com você. Está desatenta, sem interesse. Ontem me deixou na mão sem mais aquela. Gostaria que se explicasse.

— Sinto muito, doutor. Ontem não estava bem, mas hoje melhorei.

— Não parece. Você era ativa, agora não presta a devida atenção ao trabalho.

Marina não se conteve:

— Isso não é verdade. Desde que entrei aqui, tenho me esforçado em atender a tudo o que precisam, trabalhando fora de hora, levando processos para casa. Ontem, só porque passei mal à noite e me atrasei meia hora, o senhor me destratou.

— Se você pretende ganhar dinheiro na sua profissão, precisa tornar-se uma boa profissional. Graças a nós você tem essa chance, mas é claro que temos nossas condições.

— Por falar nisso, doutor, desde que me bacharelei o senhor vem prometendo pequenas causas, mas até agora nada.

— É que você ainda não está preparada.

— E por que todos os casos deste escritório passam por mim, têm meu parecer e na maioria das vezes os senhores fazem o que eu digo?

— O que é isso? Está insinuando que estamos nos aproveitando de você? Que absurdo! É isso que dá ajudar os outros. Faça-me o favor!

A indignação cobriu o rosto de Marina de rubor:

— É o senhor quem está dizendo. Eu quis dizer apenas que já estou preparada para trabalhar por conta própria.

— Nesse caso, pode ir. Está despedida!

Marina saiu e ainda ouviu o dr. Olavo dizer à secretária:

— Quero ver onde ela vai bater. Por certo voltará correndo para pedir desculpas. Aceitarei só se for nas minhas condições.

Marina apanhou seus pertences e saiu. Sua cabeça doía. Ela entrou em uma lanchonete e pediu uma água. Sua boca estava amarga.

O que estava acontecendo? Por que de repente as coisas não estavam mais dando certo? Precisava pensar, esfriar a cabeça. De uma coisa tinha certeza: não voltaria ao escritório do dr. Olavo. Suas últimas palavras ainda soavam em seus ouvidos. Haveria de mostrar-lhe que não precisava deles para viver. Havia se preparado, estudado muito, se dedicado, sabia que tinha um bom desempenho.

Comprou o jornal e foi para casa. Talvez fosse melhor procurar outro emprego, pelo menos até conseguir juntar dinheiro para abrir seu próprio escritório.

Comeu um lanche, depois se sentou no sofá e começou a ler o jornal. Não encontrou nada que a interessasse. Havia dois advogados procurando moça para serviços gerais de escritório. O salário era insignificante e não daria para pagar suas despesas. Depois, estava formada, tinha competência.

O telefone tocou. Marina atendeu: uma voz de mulher perguntou:

— É d. Marina?

— Sim.

— Aqui é Márcia, a secretária da dra. Adele. Estou ligando para confirmar sua entrevista com ela, amanhã às dez horas.

Marina estremeceu. Precisava ir.

— Pode marcar. Irei.

Ela agradeceu e desligou. Depois se deixou cair na poltrona, pensativa. Havia pensado em dizer "não", mas agora, na situação em que se encontrava, talvez fosse bom analisar melhor aquela proposta.

Recordou-se das palavras de Adele:

— O tempo passa depressa. Logo você estará livre, com uma boa situação financeira, e eu lhe serei grata pelo resto da vida.

Apesar disso, ela não tinha coragem de aceitar. Parecia-lhe

estar se prostituindo, vendendo seu corpo. Adele fizera questão de dizer que era apenas um negócio. Olhando assim, podia-se dizer que era um excelente negócio.

Durante o resto do dia, Marina não conseguiu pensar em outra coisa. À noite, deitou-se tarde. Sentia o corpo doído, como se tivesse carregado pedras o dia inteiro.

Lembrou-se das palavras de sua mãe:

— Quando estiver com um problema e não souber o que fazer, pense em Deus, entregue nas mãos dele. Tudo se resolverá.

Havia quanto tempo ela não rezava? Não que fosse descrente, mas na maior parte do tempo estava tão envolvida com trabalho que se esquecia de rezar.

Respirou fundo e sentiu que precisava de ajuda. Sua cabeça estava confusa. Murmurou uma prece, pedindo lucidez para decidir o melhor. Finalmente, adormeceu.

Sonhou que estava andando em jardim muito florido e perfumado. Encontrou-se com uma mulher de fisionomia agradável. Tinha certeza de que a conhecia.

— Minha querida! Está na hora de cumprir o que me prometeu. Não se esqueça do que combinamos.

— Estou confusa. Não me recordo de nada.

— Vou reavivar sua memória.

Conversaram, e por fim a mulher disse:

— Agora você precisa ir. Lembre-se de que deve guiar-se somente pelas leis universais. Esqueça as coisas do mundo. Cooperar com a vida é um trabalho abençoado.

Ela repetiu essas palavras várias vezes e Marina acordou ouvindo essa frase. O dia havia amanhecido. Ela sentou-se na cama, sentindo uma sensação agradável no peito. Lembrou-se perfeitamente do rosto da mulher, de suas últimas palavras. De onde a conhecia?

Esforçou-se para se recordar da conversa que haviam tido, mas não conseguiu. Aquele sonho não era igual aos outros. Talvez fosse uma resposta a suas orações.

De repente, ela se recordou do cochilo que tivera na sala de espera do dr. Mauro. Havia sonhado com a mesma mulher.

Essa descoberta a emocionou. Pelo visto, ela queria que Marina aceitasse a proposta de Adele. Isso não seria um contra-senso?

Fazer da maternidade, do sexo, um negócio a serviço da ambição de uma família?

— Esqueça as coisas do mundo. Cooperar com a vida é um trabalho abençoado.

Talvez estivesse enganada. Deus não podia estar a favor de um negócio como àquele. Marina sentia-se confusa, insegura. Ainda não estava certa de nada.

Horas depois, conforme o combinado, entrou na sala de Adele. A empresária abraçou-a, fê-la sentar-se em um sofá a seu lado e perguntou:

— E então? Vai fazer o que lhe pedi?

— Eu estava disposta a recusar, entretanto algumas coisas aconteceram.

— Você está disposta a aceitar!

— Gostaria de conhecer mais alguns detalhes.

— Você terá que se dedicar totalmente ao empreendimento. Ninguém poderá saber onde se encontra durante o desenrolar do processo. Por agora é só o que posso dizer. Pode ter certeza de que terá todo o apoio. Nosso projeto será um sucesso! Então, aceita?

— Sim. Aceito.

— Tenho certeza de que não se arrependerá.

Adele abraçou-a satisfeita e continuou:

— De agora em diante, você ficará sob minha guarda. Cuidarei de tudo pessoalmente. Vamos formalizar nosso acordo.

Ela saiu e voltou em seguida, estendendo-lhe alguns papéis.

— Aqui está o contrato. Leia e assine.

Marina leu, e nele não havia nenhuma menção ao tipo de serviço que ela deveria prestar. Era um contrato simples de trabalho no qual ela se comprometia a ficar trabalhando por um ano em tempo integral, receberia um carro novo e durante esse tempo teria todas as despesas pagas. Findo o prazo, teria um prêmio em moeda nacional equivalente a um milhão de dólares.

A mão de Marina tremia um pouco quando assinou. Adele apanhou o contrato, devolveu-lhe uma cópia e considerou:

— Você tem até amanhã para deixar o emprego e despedir-se de sua família. Uma viagem repentina de negócios, sem maiores detalhes. Depois de amanhã, às dez, passarei em sua casa para buscá-la.

— Um dia é pouco tempo para preparar tudo.

— É mais do que suficiente.

Foi até a escrivaninha, abriu a gaveta, apanhou um envelope e entregou-o a ela:

— Gaste o que precisar. Depois de amanhã, às dez horas, irei buscá-la.

Marina deixou o escritório pensando em como resolver tudo em tão pouco tempo. Mas estava feito. Agora não tinha mais como voltar atrás. Ainda não sabia se havia tomado a decisão certa. O tempo se encarregaria de lhe mostrar.

3

Marina olhou em volta emocionada. Faltavam poucos minutos para as dez horas e ela já tinha tudo pronto.

Na véspera, estivera no escritório do dr. Olavo para receber o que lhe era devido, o que foi fácil, uma vez que não tinha nenhum contrato de trabalho nem era funcionária devidamente registrada. A surpresa do dr. Olavo deu-lhe uma sensação de prazer. Dissera-lhe que havia recebido uma proposta de trabalho muito vantajosa e teria de viajar imediatamente. Ele perguntou de quem tinha sido a oferta, e ela deu-lhe um nome fictício.

Já com o senhorio do apartamento, Marina teve de negociar a quebra de contrato. Por fim, mandou seus móveis para um depósito, pagando antecipadamente o aluguel de um ano. O dinheiro que Adele lhe dera para essas despesas foi mais que suficiente.

Como última providência, a jovem telefonou para a mãe e informou-lhe que iria para o exterior trabalhar, mas que mandaria dinheiro todos os meses e telefonaria sempre.

O telefone tocou. Era Adele:

— Marina, estarei aí em cinco minutos. Espere na porta.

A moça desceu, entregou a chave ao porteiro e esperou. O carro parou e ela viu que Adele estava na direção. A empresária apertou um botão e o porta-malas abriu-se. Marina colocou nele a bagagem e sentou-se ao lado de Adele.

Seu coração batia descompassado. Mil perguntas cruzavam seu pensamento, mas ela perguntou apenas:

— Para onde vamos?

— Para um lugar bonito, confortável, onde você ficará o tempo todo.

Adele não queria dar detalhes. O segredo fazia parte do jogo. Para Marina, porém, o lugar não importava, nem as pessoas com as quais se relacionaria. Quando tudo terminasse, ela gostaria de esquecer esse episódio inusitado e desconfortante.

O lado prazeroso era pensar no conforto que poderia dar à família. O resto não importava.

Viajaram algumas horas e pararam para almoçar. Estavam no interior de São Paulo. Adele era companhia agradável. Conversaram sobre vários assuntos, e Marina aos poucos foi se sentindo mais à vontade.

Depois do almoço, viajaram mais uma hora, e Adele saiu da rodovia tomando uma estrada vicinal. Por fim, pararam diante de um imenso portão de madeira. Adele desceu e Marina, vendo que ela ia abri-lo, ajudou-a e esperou que ela passasse o carro para fechá-lo.

Entrou novamente no carro e pecorreram uns três quilômetros, até que o carro parou diante de um chalé gracioso, rodeado por frondosas árvores e canteiros floridos. Uma mulher apareceu na porta e, vendo-as, imediatamente apressou-se em cumprimentá-las.

— Marina, esta é Célia, pessoa de minha confiança. Cuidará de você enquanto ficar aqui.

Era uma mulher de uns cinqüenta anos, mulata, cabelos puxados para trás em um coque na nuca, rosto redondo, lábios grossos, olhos vivos. Sua roupa impecável revelava capricho e eficiência. Marina gostou dela. Cumprimentou-a gentilmente.

Entraram e Marina adorou o que viu. Era uma casa espaçosa, mobiliada com gosto e conforto. Havia flores frescas nos vasos, um escritório com uma boa biblioteca, três luxuosas suítes, duas salas de estar e uma de jantar e outras dependências.

— Esta casa faz parte de uma fazenda, propriedade de minha família — esclareceu Adele. — Quero que verifique tudo e diga se precisa de algo mais.

— Está melhor do que eu esperava.

— Vou instalar-me na casa principal, que fica atrás do parque, do outro lado do lago.

— Eu gostaria de conversar, saber mais detalhes de como tudo acontecerá.

Adele sorriu.

— Vamos descansar um pouco. À noite conversaremos. Não se preocupe: será bem orientada.

Ela se foi e Marina olhou em volta. O lugar era aconchegante, lindo. Célia apareceu na sala e informou:

— Você deve estar cansada. Preparei um banho com ervas repousantes. Antes, deseja comer ou beber alguma coisa?

— Obrigada, Célia. Estou sem fome.

— Quero que me diga como gosta que arrume suas coisas. Organizei um cardápio: comida nutritiva, saudável. Está na biblioteca, sobre a escrivaninha. É apenas um ponto de partida. O que não aprovar, modificaremos.

Marina notou que ela abrira suas malas, separara as roupas e colocara-as sobre a cama. Célia sugeriu onde achava bom guardar cada coisa, e Marina concordou prontamente.

Depois, a jovem apanhou uma túnica leve e foi ao quarto de banho. A banheira estava cheia e havia um delicado perfume silvestre no ar. Sobre um console, ao lado da banheira, havia vários frascos, que Marina examinou encantada.

Imediatamente despiu-se, entrou na banheira e estendeu-se com prazer. Notou que havia vários saquinhos na água. Apanhou um e cheirou. Era deles que vinha o perfume. Notou que eles estavam delicadamente amarrados para que as ervas não se espalhassem.

Enquanto se entregava ao prazer do momento, Marina se perguntava como tudo iria acontecer. Estremecia pensando que teria de entregar-se a um homem que não conhecia e pertencia a outra mulher.

Esse pensamento a deixava inquieta, preocupada. O que ele pensaria a respeito dela? Se ele concordara com o projeto, não seria justo que a criticasse por ter concordado. Mas, no fundo, certamente imaginaria que ela era uma interesseira, que fizera tudo por dinheiro.

De fato, aquele dinheiro representava sua independência financeira. Mais do que isso: a possibilidade de Cícero estudar e sua mãe parar de trabalhar. Não era pelo dinheiro em si, mas pela felicidade que ele proporcionaria à sua família.

Concluiu que não lhe importava o que o genro de Adele ou sua filha pensassem dela. Depois de tudo, não pretendia vê-los nunca mais. Passaria uma borracha nessa fase de sua vida. Afinal, um ano passaria depressa. Enquanto isso, procuraria estudar muito, porque pretendia continuar sua carreira, desta vez por conta própria.

Depois do banho, iria à biblioteca verificar os livros e pedir os que desejava ler. Assim, aproveitaria mais o tempo.

Tomou banho, vestiu-se e foi à biblioteca. O cansaço desaparecera e ela estava excitada demais para tentar dormir. Sobre a mesa, além da pasta com o cardápio, havia um índice indicativo dos livros que estavam caprichosamente dispostos na estante que tomava duas paredes inteiras da sala.

Marina ficou fascinada. Lá havia livros sobre diversos temas, e ela interessou-se de tal forma que nem notou que o dia estava escurecendo.

Célia entrou com uma bandeja, dizendo:

— Trouxe um suco de mamão com laranja e alguns pãezinhos. Está muito calor, e você não tomou nada.

— Obrigada.

Marina apanhou o copo que Célia lhe ofereceu e bebeu com prazer. Estava delicioso.

— Coma um pãozinho, está fresquinho.

A jovem experimentou com satisfação.

— Vim saber o que você quer para o jantar.

— Depois deste lanche, não vou querer jantar.

— De forma alguma! Você precisa alimentar-se bem. Vou preparar um prato leve e nutritivo.

Célia saiu e Marina sorriu contente. Afinal, tudo estava sendo melhor do que imaginara. Ia ficar mal-acostumada e sentir falta quando aquilo acabasse.

Depois do jantar, Marina voltou à biblioteca. Acomodou-se para ler, mas a porta abriu-se e Adele apareceu. Aproximou-se, dizendo:

— Precisamos conversar. Vou embora amanhã bem cedo. Temos que acertar os detalhes.

— Pode falar.

Adele acomodou-se em uma poltrona e continuou:

— Amanhã cedo, virá um médico examiná-la. Ele mora na cidade mais próxima e, apesar de ser do interior, é um ótimo obstetra. Eu lhe disse que você é minha sobrinha, seu marido trabalha em São Paulo e dentro em breve terá que fazer um estágio no exterior. Por tudo isso, você ficou a meus cuidados. Vocês desejam muito um filho, mas depois de cinco anos de casamento não conseguiram.

Vendo que Marina ouvia com atenção, Adele prosseguiu:

— Por recomendação minha, ele foi escolhido para examiná-la. Antes de ir para o exterior, seu marido virá aqui para vê-la. Eu gostaria que até lá ele já tivesse um diagnóstico.

— Tudo bem. O que acontecerá depois?

— O dr. Gilberto vai examiná-la e dizer quais os seus dias férteis. Vamos programar a visita do meu genro no período certo.

Marina suspirou inquieta e Adele tornou:

— Não se preocupe nem fique constrangida. Nesse dia, eu, minha filha e meu genro viremos para a fazenda. Faremos tudo de um jeito que você não terá que enfrentá-los. Garanto a você que Henrique é um homem saudável, agradável, e a tratará com extrema delicadeza.

— Não nego que estou nervosa, mas saberei controlar-me.

— Não sei se conseguiremos logo. Mas vamos tentar até conseguir.

Adele levantou-se.

— Vou me deitar, pois pretendo madrugar. Você tem meus telefones; pode ligar-me sempre que precisar. Além de nós três, só Célia sabe a verdade. Pode confiar nela. É uma boa pessoa; fará tudo para tornar sua vida mais agradável.

Depois que ela se foi, Marina tentou ler, mas não conseguiu. Ao pensar que teria esse encontro em breve, sentia-se inquieta. Nunca havia permitido a nenhum homem entrar em sua intimidade. Agora, teria de permitir a um desconhecido que o fizesse.

Desejou que o tempo passasse rápido e logo ficasse livre de qualquer compromisso e voltasse a cuidar de sua vida. Tentou acalmar-se. Sentia que, se ficasse muito ansiosa, seria pior.

Naquela noite, custou a dormir. As palavras de Adele não lhe saíam do pensamento. Quando adormeceu, sonhou novamente com a mesma mulher que lhe pedira para aceitar aquele encargo.

Marina caminhava por uma estrada quando ela apareceu, abraçou-a e disse com doçura:

— Acalme-se. Você não está fazendo nada errado. Um dia saberá toda a verdade e se sentirá feliz por ter aceitado esse compromisso. Eu a abençôo e prometo ajudá-la sempre. Não se esqueça de que eu a amo muito.

Toda a inquietação de Marina desapareceu. Uma emoção agradável brotou em seu coração e ela foi acometida de muita alegria. Remexeu-se na cama e mergulhou em um sono reparador.

Acordou na manhã seguinte descansada, contente. Enquanto tomava o café, Célia avisou:

— O dr. Gilberto virá examiná-la hoje, às dez horas.

— Estarei esperando.

— Dona Adele pediu que lhe dissesse que mandará seu carro dentro de dois ou três dias. Virá em seu nome, com todos os documentos em ordem.

— Obrigada.

Depois do café, Marina saiu para caminhar um pouco. O dia estava bonito, e ela respirou com prazer o ar puro e agradável.

Lembrou-se de que Adele havia lhe dito que lhe daria um carro, mas lhe pedira que, enquanto o contrato estivesse em andamento, ela não fosse além da cidade mais próxima, para evitar encontrar alguém conhecido.

Caminhou meia hora admirando a beleza do lugar. Quando estava entrando em casa, um carro parou em frente ao portão e um homem alto, de meia-idade, carregando uma valise, desceu.

Marina percebeu que era o médico. Ele abriu o portão e, vendo-a parada na varanda, sorriu. Era moreno-claro, olhos e cabelos castanhos, alto e elegante.

Aproximou-se, distendendo o rosto em um sorriso.

— Você deve ser a sobrinha de Adele.

— Sou. E o senhor deve ser o dr. Gilberto.

— Isso mesmo.

Marina convidou-o a entrar. Gostou de seu jeito simples, do olhar franco e do sorriso amigo.

Ele a examinou, preencheu uma ficha com os dados e Marina aproveitou para pedir as informações que Adele queria. Anotou tudo. No final, ele disse:

— Você me parece muito saudável. Casada durante cinco anos. Você nunca engravidou?

— Não.

— Seu marido fez os exames necessários para saber se ele é fértil?

— Fez. Não há nada com ele nem comigo. Só que ainda não conseguimos ter um filho.

— À primeira vista, não noto nada em você. Gostaria que fosse amanhã em meu consultório para um exame mais apurado. Vamos fazer um toque para saber se tudo está em ordem.

Marina remexeu-se na cadeira. O exame médico iria arruinar todo o plano, uma vez que ela nunca tivera relações sexuais. Tentou ganhar tempo:

— Amanhã não será possível. Alguns amigos ficaram de vir buscar-me para uma pequena viagem. Mas assim que voltar eu o procuro para combinar.

Depois que ele se foi, Marina correu em direção a Célia.

— Preciso falar com Adele. Acha que ela está no escritório?

— Penso que sim. Aconteceu alguma coisa?

— O doutor quer me examinar no consultório. Não posso fazer esse exame.

— Por quê?

— Porque ele vai perceber que nunca tive relações sexuais.

Célia olhou-a surpreendida.

— Nesse caso, é melhor mesmo falar com ela.

Marina ligou em seguida e logo Adele a atendeu. Colocada a par da situação quis saber quando seria o período fértil. Marina informou e ela tornou:

— Faltam dez dias. Contemporize durante esse tempo. Você disse 2 a 4 de abril. Nós estaremos aí no dia 2. Depois falaremos sobre os detalhes.

O coração de Marina acelerou suas batidas e ela esforçou-se para controlar-se.

— Não se preocupe, querida. Daremos um jeito. Ele não vai descobrir nada.

A partir desse momento, Marina contava os dias perguntando-se como Adele ia programar um assunto tão delicado. Sentia-se ansiosa, mas ao mesmo tempo queria que tudo acontecesse logo, para se ver livre daquela preocupação.

No dia 2 de abril, Marina estava almoçando quando Célia falou:

— Faz uma hora que Adele chegou. Logo virá vê-la.

Marina segurou a mão de Célia como a pedir proteção.

— Sinto-me angustiada.

Célia passou a mão pelos cabelos dela com carinho.

— Eu sei. Mas logo verá que não há nada a temer. Garanto que tudo será feito com discrição e delicadeza.

Marina suspirou e Célia continuou:

— Quando chegar a hora, vou preparar um refresco calmante. Lembre-se de que precisa ficar calma.

— Você acha que uma vez só será suficiente?

— Talvez não. O que posso dizer é que você está tratando com pessoas de classe, gentis e bondosas. Não precisa ter medo de nada.

Passava das duas horas quando Adele chegou e ambas foram ao escritório conversar. Notando o nervosismo de Marina, ela disse calmamente:

— Esta é a parte mais delicada do processo. Maria Eugênia e Henrique vieram comigo.

— Ela também veio? Não será muito difícil para ela?

— Não. Ela está preparada. Sabe que é preciso e que para Henrique você é uma desconhecida. Vamos aos detalhes. Preste atenção. Esta noite, às nove horas, vá se deitar. Deixe o quarto às escuras, mas não tranque a porta. Trate de repousar; pode dormir, se quiser. Mas, em certa hora, Henrique entrará, cumprirá a parte que lhe cabe e irá embora. Não precisa dizer nada. Amanhã e depois ele irá vê-la novamente nas mesmas condições. Penso que três vezes será suficiente.

Marina suspirou e remexeu-se na cadeira. Adele continuou:

— Não se preocupe com Maria Eugênia. Tanto ela quanto Henrique estão muito agradecidos pela sua participação. Se tudo correr como esperamos, ele não virá mais vê-la.

— Espero que tudo isso não seja em vão.

— Não será. Você é uma mulher saudável. Só precisamos torcer para que seja um menino.

— Admiro sua coragem em arriscar.

— Quando você deseja muito uma coisa, tem que ousar e esgotar todos os recursos. Nosso acordo é o último passo, e estou certa de que venceremos.

Depois que ela se foi, Marina procurou acalmar sua ansiedade. Afinal, tratava-se de um negócio que lhe daria condições de melhorar sua vida e a da família.

Aquele dia custou a passar, mas finalmente anoiteceu. Às oito e meia, Célia foi procurá-la.

— Está quase na hora. Vim ajudá-la a preparar-se. Para começar, um banho com flores relaxantes.

Dentro da banheira, sentindo o perfume delicado das flores, Marina foi relaxando. Quando saiu, Célia colocou-a em uma maca e massageou seu corpo com óleo perfumado.

Marina sentiu-se leve e todo o nervosismo desapareceu. Célia vestiu-a com uma camisola de seda e estendeu-lhe um copo de suco.

— Beba. Vai sentir-se bem. Deite-se e não se preocupe com nada. Durma um pouco. Ele virá mais tarde.

Marina aconchegou-se na cama macia. Estava tranqüila. Célia apagou a luz do abajur e saiu fechando a porta.

Marina sentiu sono e um brando calor no corpo. Logo adormeceu.

Acordou sentindo um perfume agradável e uma mão acariciando seu corpo. Estremeceu assustada e murmurou:

— O que foi?

— Desculpe. Pensei que estivesse acordada.

Marina lembrou-se de tudo e não respondeu. Lentamente, ele começou a acariciá-la. Ela fechou os olhos, não respondeu. O coração acelerou suas batidas e intimamente ela desejou que tudo acabasse rapidamente.

Aos poucos, ela foi passando da indiferença ao prazer. Enquanto ele a beijava e acariciava, Marina retribuiu, apertando-o de encontro a seu corpo, desejando prolongar a emoção.

Quando acabou, ele estendeu-se a seu lado em silêncio. Ela ainda sentia a força da emoção tumultuando seu pensamento.

Minutos depois, ele recomeçou a acariciá-la e novamente Marina não controlou a emoção.

Quando terminou, Henrique segurou sua mão, levou-a aos lábios com delicadeza e disse:

— Obrigado.

Levantou-se, vestiu-se rapidamente e se foi. Marina ficou ali, ainda entregue à lembrança de momentos antes, perplexa diante da própria reação. Seu corpo estava dolorido, mas sentia-se relaxada, tranqüila, e logo depois adormeceu.

Na manhã seguinte, Célia serviu-lhe o café em silêncio. Era como se nada houvesse acontecido. Marina tentou esquecer, mas aqueles momentos voltavam e ela se questionava. Não podia ser tão libidinosa a ponto de sentir prazer em um relacionamento com um desconhecido.

Tratava-se apenas de um compromisso de negócio, e ela não podia deixar-se envolver daquela maneira. Tentou reagir. Apanhou um livro e começou a ler, mas não conseguia prestar atenção no texto.

O dia decorreu calmo. Adele não apareceu e Marina apreciou sua discrição. Não tinha vontade de falar sobre aquela experiência, principalmente com Adele.

Após o jantar, Célia foi ter com ela:

— Está na hora de se preparar. Ele virá novamente esta noite.

Marina olhou-a séria e perguntou:

— Você acha que precisa?

— Foi o combinado. O tempo é precioso, e não podemos facilitar. Agora não pode voltar atrás.

— Cumprirei o contrato à risca. Não se preocupe.

Depois dos preparativos, Marina deitou-se, mas não conseguiu dormir. Sentia-se inquieta. Sempre fora uma pessoa controlada, habituada a programar seus projetos, disciplinada.

Entrara para aquele compromisso por causa do dinheiro que lhe proporcionaria melhorar as condições de sua vida e da família. Conforme Adele fizera questão de frisar, era um negócio como qualquer outro.

Por que então se envolvera tanto emocionalmente? Por quê, apesar de sentir-se fragilizada, aqueles momentos não lhe saíam do pensamento? Não gostava de se descontrolar.

Preferia que ele não voltasse, mas ao mesmo tempo, pensando que logo ele a estaria acariciando, algo a perturbava, fazendo-a estremecer.

Quando ele chegou, Marina fingiu estar dormindo. Mas, assim que ele se deitou ao seu lado e a abraçou, ela entregou-se em silêncio.

Depois que ele se foi, Marina sentiu-se relaxada e decidiu não pensar em mais nada. De nada adiantava ficar se torturando. Logo tudo estaria terminado e nunca mais se veriam. Tudo continuaria como sempre havia sido. Virou-se para o lado e logo adormeceu.

Na noite seguinte, quando Henrique entrou no quarto, ela estava mais calma. Seus momentos com ele não lhe saíam da lembrança, mas ela havia decidido não se atormentar. Ao contrário: fora melhor do que esperava, o que tornara menos difícil o cumprimento do trato.

Por tudo isso, quando ele a abraçou, ela correspondeu com prazer. Quando ele se foi, Marina sentiu que nunca mais esqueceria o encontro daquela noite.

No dia seguinte, ao acordar, encontrou uma caixa de veludo sobre a mesa de cabeceira e um envelope. Abriu-a e encontrou um belíssimo anel de esmeraldas.

Com mãos trêmulas, tirou um cartão do envelope e leu:

Nunca esquecerei os momentos que vivemos. Obrigado. Desejo que seja muito feliz.

Não estava assinado.

Marina experimentou o anel pensativa. Se tudo saísse como desejavam, eles não precisariam se encontrar mais.

Na mesa do café, Célia disse:

— Eles voltaram para São Paulo logo cedo. Adele pediu para avisá-la.

— Obrigada.

Marina sentiu certa tristeza. De repente, teve a sensação de que o tempo custaria muito a passar.

— Parece que você ficou triste. Está tudo bem?

— Sim. Estava pensando que o tempo vai custar a passar.

Célia riu bem-humorada.

— Que nada! Uma gravidez é uma aventura maravilhosa. Todos os dias são especiais. Você verá.

— Acha que já estou grávida?

— É cedo para saber. Mas foi para isso que veio, não é?

— Claro.

— Depois, você não precisa ficar reclusa aqui. A cidade não é longe e seu carro está na garagem.

— É melhor não. Não conheço ninguém. Além do mais, não quero pessoas estranhas bisbilhotando em nossa vida.

— Nada disso. Não se esqueça de que você é uma sobrinha de Adele, cujo marido está no exterior fazendo um curso importante, e ela comprometeu-se a cuidar de você até que ele regressasse. Conheço pessoas muito agradáveis, discretas, educadas, que se sentirão muito felizes em desfrutar da sua amizade.

— Não sei...

— Para que seu filho seja saudável e alegre, durante sua gestação você precisa se cuidar, levar uma vida feliz.

— Está certo. Será como você quiser. Não sei se terei jeito para viver esse papel.

Célia sorriu:

— Você contará sua história tantas vezes que acabará acreditando nela e sendo muito criativa. Tenho certeza disso.

Marina sorriu. Analisando dessa forma, talvez tudo ficasse mais agradável. Sua função era colaborar para que o plano desse certo. Eles acreditaram tanto nessa possibilidade, que ela agora não se sentia mais com o direito de duvidar.

4

Durante o mês seguinte, Adele não voltou à fazenda, mas telefonava para saber notícias e dar recomendações. Conforme o combinado, dois dias depois de sua chegada, Marina escrevera uma carta para a mãe, dizendo que fizera boa viagem e mandando o endereço de Londres que Adele lhe dera. Depois, entregou a carta a Adele, que a colocaria dentro de outro envelope e a mandaria a uma pessoa de sua confiança naquele país. Essa pessoa postaria a carta como se Marina estivesse morando lá. Quando recebesse resposta, a mesma pessoa a remeteria a Adele.

Marina levantava-se cedo. Depois de tomar café, ia caminhar pelas redondezas. Às vezes sentava-se na relva para descansar, ouvindo o trinado dos pássaros, olhando o céu azul quase sem nuvens, aspirando gostosamente o ar leve e agradável, deixando-se ficar absorta na contemplação das belezas da paisagem.

Quando voltava para casa, Célia já a esperava com um suco de frutas e ela ia sentar-se na biblioteca, mergulhando prazerosamente na leitura.

Os dias corriam tranqüilos e, se não fossem as lembranças das noites em que Henrique a visitara, teria até se esquecido do que estava fazendo ali.

Uma tarde em que Marina lia estendida em um sofá, Adele entrou na biblioteca. A jovem levantou-se alegre:

— Adele! Que bom que veio!

Adele abraçou-a com carinho e depois dos cumprimentos disse:

— Não pude suportar a ansiedade. Vim saber como você está.

— Bem.

— Faz quase dois meses que ele veio vê-la. E então? Célia me disse que você pode estar grávida.

Marina corou um pouco e respondeu:

— Bem... Não sei. Não estou sentindo nada. Mas minhas regras não vieram.

Adele abraçou-a alegre.

— Vamos fazer o teste. Eu trouxe tudo o que precisamos.

Chamou Célia, foram para o quarto e fizeram o teste.

— O resultado vai demorar um pouco. Vamos à copa. Preparei um lanche, assim o tempo passará mais depressa.

Tanto Adele quanto Marina não quiseram comer nada. Só tomaram o suco.

— Trouxe uma carta para você — disse Adele, tirando um envelope da bolsa e entregando-o a Marina. — Chegou ontem.

— Que bom! Estava ansiosa por notícias. Nunca fiquei tanto tempo sem saber deles.

— Fique à vontade. Enquanto lê, vou resolver algumas coisas com Célia.

Marina, emocionada, leu a carta na qual a mãe falava da saudade que sentiam dela e do orgulho que ambos tinham por ela encontrar-se no exterior, ganhando tão bem. Agradecia o dinheiro que ela lhes mandara. Dizia que não gastaria tudo.

Marina sorriu, mas sentiu uma ponta de remorso por estar enganando-os. Nunca havia mentido para eles, mas havia prometido segredo e cumpriria seu voto. O assunto era muito sério, e ela não podia pôr em risco o sucesso do empreendimento.

Guardou a carta. Ouvindo a voz de Adele conversando com Célia na sala ao lado, Marina voltou à biblioteca para continuar a ler. Apesar de o livro ser interessante, ela não conseguia prestar atenção ao que lia.

Muitas coisas dependiam daquele teste, e ela não conseguia pensar em outra coisa. Se ela não estivesse grávida, Henrique a visitaria novamente. Ao pensar nisso, sentia o coração bater mais forte. Preferia que não fosse preciso ele voltar. Quanto menos intimidade, melhor.

Adele entrou na sala e Marina não se conteve:

— E então?

— Conseguimos. O teste deu positivo!

Marina não dominou a emoção:

— Quer dizer que estou grávida?

— Sim. Agora só resta torcer para ser menino.

Marina levou a mão ao peito preocupada:

— E se não for?

— Manterei nosso contrato. Registrarei a menina como filha de Maria Eugênia. Ela a criará com todo o carinho.

— Nesse caso, não conseguirá o que pretende.

— O fato de Maria Eugênia ter uma filha revela que ela ainda poderá ter um menino. Talvez eu consiga fazer um acordo com meu cunhado. Mas por agora não quero pensar nisso. Tenho certeza de que será um menino. Você vai precisar se cuidar. Terá que ir ao dr. Gilberto.

— Irei.

— Você vai procurá-lo e dizer-lhe que seu marido ficou alguns dias aqui antes de ir para o exterior. Se ele perguntar, diga que foi entre os dias 2 e 4 de abril. Assim ele terá todos os elementos que precisa para cuidar de você. Será apenas rotina; tanto você quanto Henrique são saudáveis. Acredito que sua gravidez decorrerá sem problemas.

— Está bem. Farei como pede.

— Seria bom Célia ir junto para ouvir todas as recomendações e cuidar muito bem de vocês. Estou emocionada. Meu neto será um belo menino e terá todo o nosso amor!

— Também estou emocionada. Nunca pensei que seria mãe!

— Apesar de estar gerando um filho, deve reagir e não se sentir como mãe, uma vez que terá de separar-se dele na hora do nascimento. Lembre-se de que o filho será de Henrique e Maria Eugênia. Não quero que sofra por ter de separar-se dele. Acostume-se com a idéia de que ele não lhe pertence.

— Claro. Sei perfeitamente o que fazer e cumprirei todas as cláusulas do nosso contrato. Fique tranqüila.

Depois que ela se foi, Marina ficou pensando nas palavras

dela e compreendeu que Adele tinha razão. Não podia apegar-se ao bebê. Ele não seria seu. Teria outros pais, que iriam educá-lo, amá-lo, dar-lhe tudo. Seria rico e feliz.

Sentiu uma ponta de tristeza, mas reagiu. Tratava-se de um negócio que lhe daria independência financeira e condições para melhorar a vida da família. Dali para a frente, faria tudo para se esquecer que estava esperando um filho.

Apesar de haver decidido isso, não era tão fácil como havia pensado. Nos dias que se seguiram, ela foi com Célia ao médico, que ficou feliz por dizer-lhe que finalmente conseguira engravidar.

Pediu-lhe os exames de praxe e estabeleceu uma rotina saudável, que Marina procurou seguir à risca. Por mais que desejasse esquecer o bebê, era o assunto de todos os momentos, seja nas visitas periódicas ao médico, seja nas caminhadas que precisava fazer todos os dias para manter a forma.

Célia apresentou-a a algumas pessoas, mas, apesar de serem simpáticas, Marina não se sentiu com vontade de estreitar a amizade.

Contudo, quando conheceu Isaura, foi diferente. Alta, morena, testa alta, olhos brilhantes, cabelos castanhos e ondulados, tinha duas covinhas na face quando sorria. Enviuvara havia cinco anos e beirava os quarenta. Seu marido havia sido prefeito da cidade de Bauru e morrera em um acidente de carro.

Isaura era muito querida na cidade por suas obras sociais, quando seu marido ocupara a prefeitura. Depois da morte dele, mesmo sem ocupar nenhum cargo, continuou trabalhando incansavelmente pela comunidade. Não tiveram filhos, e essa era a forma que Isaura encontrara para ocupar-se.

Marina simpatizou com ela à primeira vista. A princípio, porém, não procurou estreitar a amizade. Um dia, Célia tornou:

— Convidei Isaura para almoçar conosco hoje. Sei que você a aprecia.

— De fato, gostei dela. Mas não sei se foi uma boa idéia.

— Por quê? Você precisa distrair-se. Não aceitou nenhum dos convites dos nossos amigos.

— Estou vivendo um momento especial. As pessoas vão perguntar sobre minha vida. Não vou poder falar, terei de inventar uma história. Isso não me parece certo. Prefiro continuar assim.

O tempo vai passar, logo tudo estará terminado e minha vida voltará ao normal.

— Em todo caso, Isaura virá e você vai contar-lhe a mesma história que contou ao dr. Gilberto, se for necessário. Ela é pessoa discreta, delicada. Não vai perguntar-lhe nada.

Isaura chegou pontualmente ao meio-dia e Marina a recebeu com carinho. A conversa fluiu com naturalidade. A visitante era pessoa culta, dona de um carisma que tornou sua visita muito agradável. Não fez perguntas pessoais.

Célia tratou-a com deferência, e as três, juntas, percorreram os jardins ao redor da casa, bem como o pomar da fazenda. Célia fez questão de mostrar-lhe seus canteiros de ervas e o pequeno salão ao lado da casa, onde fazia seus estudos de fitoterapia.

Era um pequeno laboratório, que Marina ainda não havia visto e que Isaura conhecia muito bem. Célia mostrou-lhe várias de suas anotações e experiências, e Isaura a orientava de maneira segura, revelando amplo conhecimento do assunto.

Passava das quatro quando Isaura se despediu, convidando Marina para um chá em sua casa no sábado.

Depois que ela se foi, Célia comentou:

— Que bom que ela veio e aprovou meus testes!

— Ela parece que entende muito do assunto.

— Além de formada em psicologia e biologia, é fitoterapeuta. Você precisa conhecer o trabalho que ela tem feito. O dr. Gilberto a tem auxiliado. Juntos têm conseguido atender os colonos das redondezas, distribuindo medicamentos. Além de as pessoas serem pobres e não terem como comprar remédios caros, o atendimento médico por estas fazendas é precário. Quando era primeira-dama, Isaura sentiu a necessidade de fazer esse trabalho. O êxito foi tão grande que ela nunca mais parou. As pessoas vêm de longe em busca de tratamento. O dr. Gilberto atende, receita, e ela providencia os remédios.

— É uma mulher extraordinária. Senti desde que a vi.

— Isso mesmo. Sempre me senti atraída pelo tratamento com ervas. A natureza é tão rica e perfeita, que acredito que por meio dela há cura para todas as doenças. O que falta é os cientistas se dedicarem a esse estudo.

— Pelo que sei, há vários deles estudando.

— Poucos.

— Se dá tanto resultado, por que não intensificam as pesquisas?

— Eu descobri que para trabalhar com ervas há que se cuidar muito da parte emocional do paciente. As ervas contêm tipos particulares de energias que atuam no emocional.

— Como a homeopatia?

— Isso mesmo. Para obter êxito no tratamento, você tem que conversar muito com o paciente, ir além dos problemas físicos, e depois juntar as ervas necessárias à sua cura. As pessoas do mato, intuitivamente, sabem disso.

— Minha avó entendia muito de ervas. Quando alguém da família não se sentia bem, ela sempre tinha um chá especial, que, se não curava logo, aliviava bastante.

— Vai ver que ela rezava ao prepará-lo.

— Como assim?

— É um costume antigo de quem mora no campo. Além do carinho com que preparam o chá, fazendo o paciente perceber que é querido, rezam sobre ele para acrescentar energias de cura.

— Acha que funciona?

Célia meneou a cabeça, pensativa. Depois disse:

— Às vezes, sim. Ainda não sei bem por quê. Tenho visto muitas coisas neste mundo. Acredito sinceramente que a vida tem leis que agem cuidando de tudo e de todos a seu modo. Quem conseguir conhecer essas leis e aplicá-las em sua vida conseguirá viver melhor.

— Eu gostaria de conhecer mais. Acho que aceitarei o convite para um chá na casa de Isaura.

***

No sábado, na hora combinada, Marina foi com Célia visitar a amiga. Ela morava em um casarão antigo, cercado por um jardim bem cuidado. Isaura recebeu-as com alegria.

O chá foi servido no caramanchão do jardim e a conversa fluiu agradável. Marina mostrou interesse pelo trabalho, e Isaura levou-as ao local onde plantava suas ervas, conversando sobre algumas delas e suas utilidades.

Depois, conduziu-as ao laboratório onde produzia os medicamentos. Um casal trabalhava em meio aos frascos e infusões. Na sala ao lado, havia prateleiras repletas de vidros prontos para serem distribuídos.

Isaura explicou como funcionava o atendimento. Além do casal, que cuidava da preparação dos remédios, uma moça atendia o receituário.

— Hoje ela já foi embora — disse Isaura. — O atendimento é até a uma. Eu atendo as pessoas, converso com elas. Conforme o caso, marco consulta com o dr. Gilberto. Nem sempre é necessário. Há casos crônicos ou simples que eu mesma dou a medicação. Ele as atende mediante uma ficha que envio ao consultório com o que observei.

— Tem obtido bons resultados?

— Sim. Há casos de cura surpreendentes. Isso nos estimula a continuar. É gratificante poder fazer alguma coisa pelos outros.

— É tudo gratuito?

— Não. Nós achamos que o pobre deve ter a dignidade de pagar. Mas o preço é simbólico. Quem não tem nada, quando melhora vem ou manda alguém da família dar algumas horas de trabalho. Assim, todos cooperam com alegria.

Marina estava emocionada. Ali havia uma comunidade de auxílio, de respeito aos necessitados, que a encantava.

— Eu gostaria de dar algumas horas de trabalho para ajudar — disse ela. — Acha que há alguma coisa que eu poderia fazer?

— Claro.

— Não entendo nada de ervas, mas farei qualquer serviço que mandar.

— Ficarei feliz em recebê-la.

— Quando poderei começar?

— Segunda-feira, às duas da tarde.

Marina sentiu-se feliz. Aquilo seria uma forma de passar o tempo. Apesar do conforto da casa e da biblioteca, não gostava de ficar ociosa. Célia não a deixava fazer nenhum serviço doméstico.

— Virei, com certeza.

A partir daquele dia, Marina começou a ir todas as tardes à casa de Isaura, que a colocou como sua assistente.

— Quero que fique a meu lado, observando a conversa com atenção. Depois me dirá o que percebeu.

A princípio, no fim do atendimento, Isaura lhe pedia opinião, mas Marina ficava calada. Aos poucos, porém, mais familiarizada com a maneira simples das pessoas que compareciam, percebendo algumas particularidades, anotava-as e no fim dos atendimentos apresentava-as a Isaura.

— Eu sabia que você tinha um sexto sentido muito bem desenvolvido.

— Sexto sentido? Como assim?

— Intuição, sensibilidade. Você captou perfeitamente a personalidade de d. Augusta, percebeu que seu problema é mais emocional do que físico. Mas mesmo assim você a mandou voltar dentro de uma semana. Já o João, que está com problema renal, só voltará daqui a quinze dias.

— Isso mesmo. O chá que dei a Augusta é um estimulante que a manterá ativa e tratará sua depressão. Todavia, ela precisa de orientação para perceber como está atraindo tantos problemas em sua vida. A maneira como ela vê os fatos do dia-a-dia é a causa de tudo. Enquanto ela não mudar, não vai sentir-se bem.

— Você faz terapia?

— Não. Conversando, tento passar-lhes alguns conhecimentos sobre a vida. Suas crenças erradas a estão desequilibrando.

— Sempre pensei que nosso emocional se descontrola pressionado pelos fatos.

— Isso acontece só em momentos muito dolorosos, em que o sofrimento é verdadeiro. Mas, na maioria das vezes, aquilo a que você dá importância, aquilo em que acredita, faz o mesmo efeito em seu sistema nervoso, ainda que seja uma ilusão.

— Tenho observado pessoas nervosas, que têm medo de tudo, que se descontrolam sem motivo.

— Engana-se. Elas têm motivo: as crenças aprendidas, incorporadas à sua maneira de ser, que consideram certas, mas nem sempre o são.

— Como assim?

— Alguém disse algo, e a pessoa acreditou sem tentar saber se era verdade. As crenças mais absurdas atormentam as pessoas, limitando-as, impedindo-as de ter paz. Muitas acabam prisioneiras dos medos.

— Talvez seja falta de instrução. Aqui vem gente muito pobre.

— Engana-se. Há pessoas muito instruídas sofrendo do mesmo mal. Os consultórios médicos estão cheios delas. Doentes crônicos. Percebendo isso, a medicina moderna tem se voltado muito ao estudo do comportamento.

Marina ficou pensativa por alguns instantes, depois disse:

— É difícil saber o que é certo ou errado.

— Não se trata disso. A vida tem leis perfeitas que determinam o equilíbrio do Universo. Ela criou o homem com destino à felicidade, mas determinou que essa conquista fosse feita com esforço próprio, a fim de que o homem valorizasse suas vitórias.

— As pessoas não valorizam nada que é de graça.

— Isso mesmo. É preciso aprender quanto custa cada conquista para que ela se mantenha. Por esse motivo, Deus criou o homem simples e ignorante, mas colocou dentro de seu espírito, como uma semente, tudo quanto precisa para desenvolver sua consciência, evoluir e alcançar a felicidade.

— Estamos longe disso.

— Nem tanto. Ainda que as coisas pareçam ruins no mundo em que a maldade de muitos domina, tem havido muito progresso em todos os setores, aliviando o sofrimento humano, facilitando a vida, permitindo ao homem mais conforto.

— De fato, olhando dessa forma...

— Tudo na vida depende do modo como você olha. Todas as situações têm vários lados. São suas crenças que vão determinar como você vai lidar com elas. Agora, as leis cósmicas são perfeitas e vão agir com verdade, independentemente das suas ilusões.

— Quer dizer que, se eu agir errado, a vida vai me punir?

— A vida nunca pune. Ela ensina do seu jeito. Sinaliza de diversas formas, tenta advertir as pessoas provocando situações nas quais elas podem perceber a verdade, mas para os resistentes, que se acomodam e não querem mudar, ela permite que colham os resultados de seus enganos para que aprendam o que já estão maduros para saber.

— Nunca ouvi nada sobre isso. Gostaria de saber mais.

— É preciso observar, prestar atenção aos fatos à nossa volta. É incrível como tudo se encadeia quando estamos abertos a essa realidade.

— Conhecer essas leis deve ser fundamental.

— Conhecer e aplicar significa ir pela inteligência e sofrer menos. Quem percebe os primeiros avisos da vida e retifica seu caminho, vive melhor.

— É seguir os dez mandamentos?

— É além disso. Nos dez mandamentos estão as normas gerais, mas cada um os interpreta de acordo com suas crenças. Por esse motivo há tantas religiões, e muitos se equivocam por meio delas, enveredando pelo fanatismo. As leis universais são sábias, perfeitas. Visam ao equilíbrio do Universo e ao progresso do homem. Agem com amor e sabedoria.

— Onde posso encontrar essas informações?

— Como eu já disse, observando a vida. Ela nos fala por sinais, e aprende-se experimentando. É preciso estar atento. Um acidente, um fato desagradável, pode ser uma advertência. Uma desilusão é a visita da verdade tentando restabelecer o equilíbrio.

— E a miséria, onde tudo falta?

— Você já disse: é valorizar a falta, em vez de agradecer o que já se tem. É viver relacionando o que falta. Aí, sempre há uma passividade, em que a pessoa acredita que não merece algo melhor ou não é capaz de progredir. A pobreza tem vários aspectos e age em cada um de acordo com suas necessidades.

— Como assim?

— Para os acomodados, os depressivos, os que se julgam menos, e até para os que acreditam que ser pobre é ganhar o Céu, a vida vai apertando o cerco, tornando a situação cada vez mais difícil, para provocar uma reação que os obrigue a rever suas crenças e procurar novos caminhos.

— Sempre pensei que a causa da pobreza fosse a falta de instrução e de oportunidade.

— Muitos pensam assim, porém é preciso olhar além do que parece. Há pessoas instruídas, com boa escolaridade, que não conseguem nem se sustentar, enquanto outras, sem nada disso, têm uma vida melhor. Claro que a instrução é importante, mas não é tudo. O mais importante é saber aproveitar as oportunidades. Se você observar a vida de uma pessoa que obteve sucesso em todos os aspectos, perceberá que ela nunca perdeu uma boa oportunidade. Nunca teve medo de ousar, de mudar e procurar aprender.

Marina ficou pensativa. Ela estava ali, aproveitando uma oportunidade que Adele lhe oferecera. Como descobrir se essa havia sido uma boa oportunidade?

— Com vontade de progredir financeiramente, uma pessoa pode fazer coisas erradas. Como avaliar?

— É fácil. Ao analisar uma situação, devemos perguntar: essa atitude vai trazer benefício para todos os envolvidos? Se a resposta for sim, pode aceitar sem medo. Caso contrário, e se prejudicar alguém, não aceite.

Marina respirou aliviada. Aceitando aquela proposta, todos seriam beneficiados.

Era com prazer que Marina ia à casa de Isaura todas as tardes, e a cada dia mais admirava o trabalho, a lucidez, a segurança com que ela atendia todos.

No fim dos atendimentos, ela apresentava suas anotações e sentia-se feliz quando conseguia identificar os problemas das pessoas. Mas a alegria maior era com os resultados. A melhora de algumas pessoas era visível, enquanto outras não obtinham o mesmo sucesso. Marina se impacientava:

— Por que a Maria não melhorou? O caso de d. Odete era semelhante, mas muito pior. No entanto, ela está quase boa. Nem parece a mesma pessoa.

— Neste trabalho precisamos ser pacientes. As pessoas não são iguais. Depois, nossa função aqui é esclarecer, oferecer condições de melhora. Aproveita quem quer.

— Você quer dizer que a Maria não está aproveitando esta oportunidade?

— Eu diria que está aproveitando menos do que a Odete. Mas isso não depende de nós. Há outros fatores que interferem. O ritmo de cada um, a vontade, quanto conseguem perceber. Até o medo de recuperar a saúde.

— Não acredito! Se ela vem, é porque quer sarar, ficar bem.

Isaura sorriu, e havia um brilho malicioso em seus olhos quando respondeu:

— E não poder mais manipular os outros? Ter de assumir algum trabalho? Deixar de ser paparicada?

Marina desatou a rir.

— Não havia pensado nisso!

— Sabia que a Maria tem um marido bondoso que, quando volta da roça, faz a comida e cuida dos filhos?

— Então é isso! Ela não quer ficar boa...

— Não é apenas isso. O que ela não quer é perder o apoio dele, o carinho. É uma manifestação quase inconsciente. Mas, se eu disser isso a ela, não vai acreditar.

— Nesse caso, como agir?

— Como sempre, fazendo o melhor que podemos. Não temos a pretensão de salvar ninguém. A vida, quando for oportuno, dará um jeito nisso. E, acredite, ela o fará muito melhor do que nós.

Marina ficava encantada. Conversar com Isaura era estimulante. Quase sempre voltava para casa pensando nos assuntos de que haviam tratado, admirando sua sabedoria.

***

O tempo estava passando depressa. Sua gravidez completara o quarto mês e ela dispunha apenas de mais algum tempo para estar com Isaura. Pensando nisso, por vezes sentia-se triste.

Certa tarde, Isaura perguntou:

— Você está triste. Aconteceu alguma coisa?

Apanhada de surpresa, Marina sobressaltou-se e respondeu:

— Não. Está tudo bem. O que me entristece é que dentro de algum tempo terei de ir embora. Estou gostando muito de trabalhar aqui com você.

— Quando precisar ir, sentirei sua falta. Mas espero que venha nos visitar de vez em quando.

— Eu adoraria, mas não será possível.

Isaura fixou-a pensativa, depois disse:

— Seu marido pretende fixar residência fora do Brasil?

Temendo ter falado demais, Marina tentou consertar:

— É uma das possibilidades.

— Espero que aconteça o melhor para vocês. Se tivermos que trabalhar juntas, a vida nos reunirá novamente.

Marina sorriu concordando com a cabeça, mas intimamente não acreditava nessa possibilidade.

Sabia que nunca mais poderia voltar àquele lugar. Essa havia sido uma das cláusulas do contrato: ela nunca tentaria aproximar-se da família nem das pessoas com as quais estivera durante a gravidez.

Assim que cumprisse o contrato, traçaria seu projeto de vida dali para a frente. Tinha algumas idéias em mente. Abriria sua empresa, compraria uma boa casa e iria buscar a família.

— Seja como for, Isaura, pretendo aproveitar ao máximo esta oportunidade. Tenho aprendido muito com você. Nunca esquecerei estes momentos de convivência.

Isaura sorriu, e em seus olhos havia um brilho indefinível quando disse:

— Eu também. Nossa afinidade vem de muito tempo, talvez de outras vidas.

— Você crê que tivemos outras vidas?

— Com certeza. A reencarnação é um fato.

— A mim parece algo fantasioso.

— Ao contrário. Só ela explica a desigualdade social e tantas outras coisas que vemos no mundo. Nunca estudou o assunto?

— Não. Para dizer a verdade, nunca me interessei por religião. Tenho uma maneira muito livre de pensar.

— A reencarnação é um acontecimento natural da vida. Nada tem a ver com religião, embora algumas a aceitem e falem sobre elas. Ninguém pode estudar a vida, entendê-la, sem atentar para essa realidade.

— Você tem uma maneira diferente de ver as coisas.

— Apesar de ter muita fé no poder absoluto de Deus, de respeitar a religiosidade de cada um, permito-me pensar por conta própria. Sou espiritualista independente.

— Por quê?

— Porque gosto de pensar, questionar, aprender com a vida, entender sua linguagem. As religiões são as interpretações que os homens fizeram das revelações espirituais em todos os tempos. Quando você as estuda, apesar dos aspectos positivos que encontra, há outros que você não consegue aceitar.

— Não tem medo de estar errada?

— Não. A opinião da maioria nem sempre está absolutamente certa. Se eu errar, prefiro que seja por minha própria cabeça. Depois, errar é natural em quem experimenta, e tenho aprendido muito com meus erros. Eles ensinam, marcam para sempre.

Marina sacudiu a cabeça sorrindo.

— Compreendo. Eu também gosto de pensar, de ter liberdade para experimentar. Desde cedo procurei cuidar de minha vida do jeito que achei melhor. Apesar de apreciar uma boa opinião, nunca me deixei manipular por ninguém.

— É por esse motivo que nos damos bem. Temos a mesma maneira de pensar.

A conversa continuou agradável. Quando Marina chegou em casa, depois do jantar, foi à biblioteca, apanhou a pasta com o índice dos livros e procurou alguma coisa sobre reencarnação.

Isaura falara com tanta certeza, que aguçara sua curiosidade. Não encontrou nada. Quando Célia entrou, avisando-a que o jantar estava servido, Marina perguntou se não havia nenhum livro que tratasse do assunto.

— Há. *O Livro dos Espíritos*.

— Fala sobre reencarnação? Não é um livro religioso?

— Fala e não é religioso. É de um grande educador francês que realizou pesquisas com médiuns. Leia, é interessante. Agora vamos jantar.

Marina acompanhou-a, decidida a ler o livro após o jantar.

5

Sentada em uma poltrona, Maria Eugênia segurava o livro sem ler, perdida em seus pensamentos íntimos. Havia dois meses que estavam em Paris, e, apesar das atenções de Henrique e da beleza da cidade, ela não se sentia feliz.

Por que concordara com o plano de sua mãe? Por que entrara naquela situação falsa, agindo contra seu temperamento?

Ela nunca soubera resistir aos desejos da mãe. Adele, pessoa inteligente, carismática, habituada ao sucesso e à reverência de todos, impusera-se à filha, que lhe obedecia sem questionar.

Henrique foi seu primeiro namorado. Assim que Adele notou o interesse dela, mandou investigar a vida do rapaz. Embora não fosse rico, pertencia a respeitada família classe média. Quando ele graduou-se em administração de empresas, Adele ofereceu-lhe emprego em uma de suas empresas e ele aceitou. Observou-o por certo tempo. Henrique era esforçado, trabalhador e responsável.

O maior desejo de Adele era casar a filha, porquanto precisava de um neto para perpetuar sua presidência nas empresas da família. Casar Maria Eugênia era seu objetivo. Ficou satisfeita ao notar que os dois se sentiam atraídos um pelo outro.

Um ano depois, o casamento realizou-se. Maria Eugênia amava o marido e estavam felizes. Contudo, o tempo passava e o tão desejado herdeiro não aparecia.

Depois de muitas tentativas e exames médicos, ficou constatado que Maria Eugênia era estéril. Nunca poderia ter filhos.

A partir desse dia, Maria Eugênia mudou. Desejava ser mãe. A certeza de sua incapacidade a entristecia, fazendo-a sentir-se deficiente.

Embora Henrique jurasse que a amava e que nada havia mudado entre eles, Maria Eugênia não conseguia manter a alegria de antes.

Pensando em ajudá-la, Henrique sugeriu a adoção. Mas Adele não concordou. Até que uma tarde os chamou em seu escritório e falou sobre seus planos.

Henrique ficou constrangido e Maria Eugênia recusou. Mas Adele conseguiu convencê-los. Era a última tentativa.

Henrique, a sós com Adele, tentou convencê-la a desistir. Ele sentia que aquela situação agravaria a tristeza de Maria Eugênia e a faria sentir-se ainda mais incapaz.

Contudo, Adele não concordou. Estava decidida. Tinha tudo planejado, havia encontrado a moça ideal e não queria perder a oportunidade.

Maria Eugênia suspirou triste. A lembrança daqueles dias não lhe saíam do pensamento e ela arrependia-se de não haver dito "não".

Henrique dissera-lhe que só aceitara porque devia muitos favores a Adele, que naqueles anos todos havia não só lhe ensinado a enfrentar o mundo dos negócios, mas também ajudara financeiramente todos os membros de sua família.

Ela era para seus familiares o anjo bom que aparecera em suas vidas, dando-lhes oportunidade de produzir e manter uma vida melhor.

— Ninguém consegue resistir à minha mãe! — respondera Maria Eugênia, convicta.

Quando Adele os chamou, os três foram para o sítio. Maria Eugênia sentia o coração apertado. A custo resistiu ao desejo de fugir dali, de dizer que não queria nada daquilo, que seu marido não podia relacionar-se com outra mulher.

Mas não fez nada. Suportou tudo, esforçando-se para controlar o ciúme, a revolta. Henrique, notando o nervosismo da esposa, sentia-se constrangido, tenso. Só Adele estava calma e conversou com eles, afirmando que tudo aquilo era natural.

— Vá, Henrique. Lembre-se de que está colaborando para que continuemos na posse dos nossos bens. Pense que, se nossos negócios passarem para as mãos de Renato, em pouco tempo ele depredará tudo. Vocês o conhecem e sabem que digo a verdade. Fazendo isso, ele também estará protegido: continuará recebendo os lucros da empresa, como sempre.

Henrique saiu e Adele ficou conversando com a filha. Sabia que lhe era difícil pensar que seu marido naquele momento estava se relacionando com outra, ainda que fosse uma desconhecida.

— Os homens são diferentes de nós mulheres. Para eles, um relacionamento sexual não significa nada. Ele ama você. Está fazendo isso por nós, pela nossa família. Ele nem sequer a conhece. Eu combinei com Célia, e eles não vão se conhecer, conversar. Trate de não levar isso a sério. É apenas um negócio, nada mais.

— Não posso encarar como um negócio. Trata-se de meu marido!

— Trata-se da nossa família. Henrique está se sacrificando pelo nosso bem-estar. Devemos ser gratas a ele.

— E se não adiantar? E se depois de tanto sacrifício nascer uma menina?

— Você a criará como filha. Está no contrato. Filhos não estavam nos planos dela. Marina nem sequer deseja se casar.

— Então tudo terá sido inútil.

— Talvez não. Poderei tentar um adiamento. Afinal, você teve uma filha. Poderá ter um varão.

— Isso, não. Nunca farei isso de novo.

— Pois eu tentarei por todos os meios. Se for preciso, dividirei nossa fortuna com Renato para que ele desista da presidência. Afinal, ele não gosta mesmo de trabalhar.

— Por que já não fez isso? Teria sido melhor.

— Descobri que ele tem perdido muito nos cassinos. Dar-lhe dinheiro será um recurso extremo. Depois, quem nos garante que mais tarde ele não volte a reivindicar seus direitos? Nosso plano é definitivo. Se nascer um menino, tudo estará resolvido. Ele não poderá fazer nada.

Quando eles regressaram a São Paulo, Maria Eugênia sentiu vontade de perguntar ao marido como havia sido seu encontro com a outra. Ele, porém, não mencionava o assunto e ela não tinha coragem de perguntar.

Adele, notando a curiosidade dela, dissera-lhe:

— Não pergunte nada a ele. Esqueça o caso. Não dê a isso uma importância maior do que tem. Foi uma circunstância passageira.

— E se precisar repetir?

— Faremos de novo — respondeu Adele com firmeza.

Maria Eugênia sentiu alívio ao saber que Marina engravidara. Ao mesmo tempo, porém, aquela gravidez lhe dava a certeza de que eles realmente haviam se relacionado, e isso despertava seu ciúme.

Maria Eugênia refletia, procurava tranqüilizar-se pensando que ele nunca mais iria vê-la. Mas a idéia de que ele estivera nos braços de outra a atormentava.

Adele preparou tudo para a viagem da filha com o marido, e na bagagem havia uma barriga postiça que ela usaria mesmo no exterior. Seus amigos costumavam ir à Europa, e Adele não desejava correr nenhum risco.

Depois, queria que Maria Eugênia se habituasse à idéia da maternidade. Quando a criança chegasse, ela precisaria estar preparada.

Foi com alegria que Adele contou para os parentes e os amigos que Maria Eugênia estava grávida. Começou a preparar o enxoval e o quarto para receber o bebê.

Maria Eugênia olhava os preparativos tentando dissimular o desagrado. Era-lhe difícil fingir. Usar a barriga postiça era constrangedor. Mas Adele estava atenta, e, assim que chegou ao fim do quarto mês da gravidez, ela foi forçada a usá-la.

Foi com alívio que Maria Eugênia embarcou para a Europa com o marido. Mesmo tendo de continuar usando o disfarce, não precisaria fingir. Ninguém a conhecia.

Apesar de estarem fora do Brasil, Henrique continuava trabalhando, porquanto a empresa mantinha um escritório em Paris, por intermédio do qual se relacionava com toda a Europa, exportando seus produtos.

Maria Eugênia passava o dia inteiro sozinha. Ler era seu passatempo predileto.

Fechou o livro que tinha nas mãos e sentou-se novamente.

Haviam combinado que, quando o bebê nascesse, Célia os avisaria. Eles seguiriam imediatamente para a fazenda, onde pegariam a criança. Era lá que Maria Eugênia diria que seu filho havia nascido.

Voltariam para casa, onde haveria uma ama esperando por eles. Adele planejava batizar o menino em seguida, convidando parentes e amigos, fazendo uma grande festa.

Maria Eugênia preferia uma cerimônia discreta, mas Adele não concordou:

— Nada disso! Todos precisam saber que você teve um filho. Assim ninguém suspeitará de nada.

Sabia que seria assim. Adele sempre fazia o que desejava. Maria Eugênia não se atrevia a opor-se.

Henrique entrou, aproximou-se e beijou-a na face:

— Como passou o dia?

— Bem.

Ele notou que ela estava pálida e considerou:

— Por que não foi dar uma volta, fazer algumas compras? Você sempre gostou de fazer isso aqui em Paris.

— Fiquei lendo. O livro estava interessante; nem me lembrei de sair.

Henrique não disse nada. Notava que Maria Eugênia andava triste. Suspeitava que o plano de Adele a estava infelicitando.

Arrependia-se de haver concordado. Maria Eugênia não conseguia aceitar que era estéril. O plano de Adele a deixara ainda mais triste.

Ele esperava que com o tempo ela fosse se modificando. Mas Maria Eugênia parecia-lhe pior. Perdera o prazer de viver, de sair, de conversar. Aos poucos fora se tornando uma mulher apagada, insegura, muito diferente de quando ele a conhecera.

Ao expor seus receios para Adele, temendo que seu plano a entristecesse ainda mais, a sogra lhe respondera que, depois que a criança nascesse, Maria Eugênia esqueceria tudo.

Tentando alegrar a esposa, ele tornou:

— Prepare-se. Esta noite vamos jantar em um lugar adorável.

Tem um piano-bar famoso, onde se apresentam bons cantores. Um amigo me indicou.

— Eu preferia ficar em casa.

— Nada disso. Vamos nos divertir. Talvez dançar um pouco. Vá arrumar-se.

Ela levantou-se. Não queria que ele notasse sua tristeza. Foi para o quarto preparar-se.

Ele sentou-se no sofá, pensativo. Apesar de amar a esposa, de entrar naquela aventura contrariado, de ter ido àqueles encontros por obrigação, eles haviam sido muito agradáveis.

Instruído pelo médico sobre como motivar a esposa a fim de que ela engravidasse, Henrique foi ao encontro de Marina pretendendo usar tudo o que aprendera para que sua tarefa se cumprisse o mais depressa possível, para não precisar voltar mais vezes.

Quando entrou naquele quarto em penumbra, deitou-se ao lado de Marina, sentiu um agradável perfume e, disposto a cumprir seu papel, começou a acariciá-la. Ela correspondeu de tal forma que ele acabou se esquecendo de tudo.

Ela possuía lábios macios, pele delicada e suave ao toque. E, pelo que pudera perceber, um corpo perfeito. Ao notar que ela nunca havia tido relações, Henrique emocionou-se. Adele não lhe contara aquele detalhe.

Tocado, procedeu com delicadeza e carinho. Quando voltou na noite seguinte, estava ansioso para perguntar algumas coisas. Mas conteve-se. Havia prometido a Adele que evitaria contato maior com ela.

Naquela noite, ao voltar para casa, encontrou Maria Eugênia deitada e notou que ela fingia dormir. Certamente não conseguira conciliar o sono. Sabia que era difícil para ela aceitar aquilo. Deitou-se procurando não fazer ruído.

Era melhor assim. Temia que ela lhe perguntasse detalhes que ele não estava disposto a relatar para não aumentar sua insatisfação.

Apesar de o tempo haver passado, de nunca haver conversado com Marina e não saber como ela era na realidade, Henrique se surpreendia recordando os momentos vividos naquelas noites.

Fosse pelo mistério da aventura, fosse pela curiosidade, pelo fato de haver sido seu primeiro, ele gostaria muito de vê-la, ainda que de longe. Mas Adele fora categórica: não queria que se conhecessem. Pensava assim evitar um possível interesse que pudesse surgir entre eles.

Havia prometido a Maria Eugênia que disporia de tudo para que eles nunca se encontrassem depois daqueles momentos em que cumpriram suas obrigações de contrato.

Embora nunca houvesse mencionado o assunto, Henrique sentia que Maria Eugênia pensava constantemente nele. Momentos havia em que ela ficava inquieta, em seus olhos havia curiosidade, mas não formulava nenhuma pergunta.

Ele tentava distraí-la falando de assuntos agradáveis, redobrando as atenções para demonstrar que ela não precisava preocupar-se, porque ele a amava de verdade.

Adele ligava para o escritório para saber como a filha estava. Quando Henrique confidenciava que Maria Eugênia estava triste, deprimida, apesar dos esforços dele para alegrá-la, Adele invariavelmente respondia:

— Tenha paciência, Henrique. Não se preocupe. Quando ela tiver uma criança nos braços, tudo passará. Sei o que estou dizendo.

— Ela me parece muito mudada. Perdeu a alegria, parece outra pessoa.

— Você está impressionado. Precisam esquecer o que passou. Você está esperando seu filho! Quanto a ela, tenho certeza de que se renderá quando vir o menino. A criança emociona e enleva. Procurem aproveitar esses momentos juntos. Verá que tenho razão.

Ele sentia-se mais animado. Um filho! Emocionava-se a esse pensamento. Mas e Maria Eugênia, como se comportaria? Adele tinha razão: eles precisavam reagir.

Maria Eugênia aprontou-se com esmero. Não queria que Henrique notasse sua tristeza. Uma vez no restaurante, ela procurou mostrar-se entusiasmada.

O lugar era elegante, agradável, e o pianista executava música romântica. Alguns casais dançavam. Henrique estava particularmente alegre. Havia fechado um grande contrato e queria comemorar.

Escolheu o vinho e o jantar. Enquanto esperavam, ele perguntou:

— Gostou do lugar?

— Muito.

— Disseram-me que a comida é divina.

O garçom trouxe o vinho. Henrique experimentou e mandou servir.

— Vamos brindar ao nosso sucesso!

— Ao sucesso da empresa, você quer dizer!

Ele admirou-se:

— Estou me referindo ao nosso sucesso. À nossa felicidade. Estamos aqui juntos, neste lugar maravilhoso. Temos tudo. A vida tem sido pródiga conosco.

Maria Eugênia suspirou, mas tentou dissimular a tristeza:

— É verdade! Temos tudo. Só nos falta...

Ele colocou sua mão sobre a dela com carinho.

— Não nos falta nada. Para mim, ter você é o suficiente. Não preciso de mais ninguém.

— Quisera ter certeza de que isso é verdade.

— Claro que é.

— Então por que aceitou o plano de mamãe?

— Porque você concordou, e eu pensei que você queria ter esse filho.

— É o que eu mais queria neste mundo. Mas não fui boa o bastante para isso.

— A natureza faz dessas coisas de vez em quando. Não é culpa sua. Você não é menos por isso. Vamos esquecer essa história. Viemos aqui para nos divertir. Vamos dançar.

— Tem razão. Vamos dançar.

Uma vez nos braços dele, Maria Eugênia tentou reagir. Apesar da estranha aventura, Henrique a amava, estavam casados. Ela não tinha nenhum motivo para sentir-se triste. Naquela noite, queria esquecer seus problemas.

Firmou o propósito de não pensar mais no bebê que viria quando voltassem. Enquanto estivessem em Paris, longe de Adele e dos assuntos da empresa, iria aproveitar esse tempo de liberdade para ser feliz. Quando chegasse a hora de regressar, voltaria a pensar neles.

A partir dessa noite Maria Eugênia mudou sua atitude. Tornou-se alegre, bem-disposta.

Quando o marido saía para o trabalho, ela, após arrumar-se com capricho, saía procurando descobrir os lugares da moda, freqüentando institutos de beleza, estilistas, comprando tudo que lhe agradava e ao mesmo tempo informando-se sobre espetáculos, clubes, restaurantes. O único senão era a incômoda barriga postiça que precisava usar, mas, como estava disposta a não pensar mais nela, fingia não vê-la.

Quando Henrique voltava no fim da tarde, encontrava-a muito bem arrumada, sorrindo e com uma lista de lugares onde poderiam ir à noite.

Nos primeiros dias Henrique sentiu-se aliviado. Afinal, Maria Eugênia havia deixado de preocupar-se com o bebê. Mas, depois de um mês levando essa vida, sentiu-se extenuado. Dormindo tarde e acordando cedo, ele ansiava por descansar nos fins de semana, mas Maria Eugênia não lhe dava chance.

Em um sábado, quando ela mostrou duas entradas para o teatro e uma reserva em um clube, Henrique tornou:

— Esta noite gostaria de ficar em casa. Iremos outro dia.

— Mas eu já tenho as entradas e fiz a reserva no clube. Depois, combinei de jantarmos com Jamille e o marido. Eles são muito amáveis; não podemos faltar. Será deselegante e imperdoável.

Henrique sentiu-se irritado. Havia tido um dia exaustivo na empresa, onde tomara conhecimento de alguns problemas que desejava contornar e encontrar solução. Para isso, queria passar um fim de semana calmo para poder refletir. Depois, não estava com disposição de fazer sala a um casal que vira apenas uma vez.

Maria Eugênia e Henrique conheceram Jamille e Pierre em um desfile de modas. Durante o evento, as duas mulheres haviam conversado, ficado amigas. Na saída do desfile, Maria Eugênia propôs que os casais jantassem juntos dali a alguns dias.

Maria Eugênia esperara ansiosamente pelo encontro. Por esse motivo, a inesperada recusa de Henrique em cima da hora a deixara inconformada:

— Eu gostaria tanto de ir a esse encontro... Por que não quer ir? Você não gostou deles?

De fato, Henrique não se sentira à vontade ao lado de Pierre. Embora admitisse que o francês era um homem culto e sofisticado, aborreceu-se profundamente com sua conversa formal.

— Já que você pergunta... Ela pareceu-me mais agradável do que ele, que olha as pessoas do alto da sua sabedoria, tem regras para tudo.

— Ele é um intelectual. Aliás, sei de gente importante que gostaria muito de usufruir da amizade deles.

— Estou surpreso. Você nunca deu valor a essas coisas!

— Mas agora dou. Afinal, estamos em Paris, a capital do mundo. Aqui é a sede de tudo. Seria imperdoável faltarmos a esse encontro! Temos que ir.

Henrique irritou-se.

— Telefone e diga que não iremos.

— O que direi a eles?

— Invente alguma coisa. Diga que estou mal, que adoeci de repente. Não me sinto com paciência para tolerá-los.

Maria Eugênia levantou-se, irritada.

— Tolerá-los? Foi o que disse? Eles é que precisam de paciência para nos receber. Da última vez, você mal conversou com ele, comportou-se como um ignorante.

— Ele estava falando sem parar uma gama de assuntos que não me interessam nem um pouco. Tenho certeza de que não fui indelicado. Pelo contrário: tratei-o com respeito, ouvindo-o exibir suas qualidades.

— Está com inveja do sucesso dele?

Henrique olhou Maria Eugênia como se a estivesse vendo pela primeira vez.

— Inveja dele? Pensou bem no que está dizendo?

— Bem... Você não teve a formação que ele tem... Ele é um homem famoso na melhor sociedade. Nas rodas intelectuais, todos consultam suas opiniões.

— Pois eu não acho. E decididamente não irei a esse jantar. É melhor telefonar logo avisando-os.

— Estou chocada! Não posso fazer isso!

— Nesse caso, vá sozinha. Eu vou ficar em casa.

Os olhos dela encheram-se de lágrimas.

— Você não pode fazer isso comigo!

— Não pode obrigar-me a fazer uma coisa que me desagrada.

— Eu comprei uma roupa especial, preparei-me... Quero muito ver essa peça.

— Pois vá. Diga-lhes que não pude comparecer e aproveite sua noite. Quanto a mim, ficarei em casa. Preciso descansar. Quero sossego para resolver alguns assuntos da empresa que estão me preocupando.

— Nunca pensei que você fosse capaz de fazer isso comigo!

— Pois eu sou. Depois, hoje eu não seria uma boa companhia. Vá, divirta-se, e da próxima vez não marque encontros com pessoas sem perguntar se quero ir.

Maria Eugênia, nervosa, foi para o quarto pensando se deveria ir ou não. Nunca havia saído para passear sem o marido. Gostava de desfilar de braço com ele e notar como as mulheres o olhavam com admiração.

Henrique era um homem bonito, charmoso, elegante. Suspirou pensativa. Mas, entre o desejo de fazer o passeio que havia programado e ficar em casa, ela decidiu ir. Assim, daria uma lição ao marido. Ele precisava saber que ela não ia desistir de algo que lhe dava prazer só porque ele não queria ir.

Foi preparar-se, caprichou e antes de sair foi ter com ele, que lia no escritório. Sentia-se linda, elegante, perfumada. Ela teria sua noite de alegria. Ele é quem estava perdendo, recusando-se a acompanhá-la.

— Que tal estou?

Henrique fixou-a e respondeu:

— Muito bonita.

— Tem certeza de que não quer ir?

— Tenho. Estou cansado. Preciso de um tempo para refletir.

— Refletir. Posso saber em quê? Afinal, estamos aqui para nos divertir enquanto minha mãe trama no Brasil. É nisso que está pensando?

— Que idéia! Claro que não. Tenho que resolver alguns problemas da empresa. É nisso que estou pensando.

Maria Eugênia aproximou-se dele, braços estendidos, e disse irônica:

— Acha que aquela mulher é mais bonita do que eu?

— A que mulher se refere?

— A que se vendeu aos milhões de Adele.

Henrique olhou-a assustado. Maria Eugênia nunca se referira ao caso daquela forma.

— Pensei que tivesse esquecido aquele incidente.

— É. Tenho me esforçado. Havia esquecido mesmo. Sua atitude fez-me lembrar.

— É melhor ir logo, para não estragar sua noite. Afinal, você se preparou muito para ela.

— Isso mesmo. É o que farei.

— Divirta-se.

Ela saiu deixando uma onda de perfume no ar. Henrique suspirou, pensativo. Talvez não tenha feito bem aceitando participar do plano de Adele. Maria Eugênia, que parecera concordar de bom grado, estava demonstrando que se sentia magoada, ferida, enciumada. Não parecia mais a moça dócil, delicada que conhecera. Mergulhara na vida social, fizera amizades com pessoas fúteis, mudara sua maneira de ser, falava como eles.

Suas inesperadas palavras de momentos antes demonstravam que ela se tornara amarga, cruel. O que aconteceria quando regressassem ao Brasil e tivessem nos braços a criança?

Seu filho! Henrique estremeceu. Um sentimento de amor brotou em seu peito pensando na criança que pouco tempo depois teria em seus braços.

Apesar do constrangimento com Maria Eugênia, havia o fato de que o plano de Adele lhe dera oportunidade de ter um filho e educá-lo como sempre desejara.

Lembrou-se dos encontros furtivos com Marina, da maciez de sua pele, dos momentos prazerosos que haviam desfrutado. Apesar de estarem ali cumprindo um contrato, em nenhum momento ela se mostrara indiferente. Mesmo nunca tendo se relacionado com alguém, correspondera ao seu carinho, fazendo-o esquecer as circunstâncias daquele encontro.

Adele dissera-lhe que Marina não pretendia casar-se. Preferia dedicar-se à carreira profissional. Uma mulher ambiciosa. Aceitara o contrato por dinheiro.

Henrique suspirou triste. O que faria uma jovem instruída, cheia de vida como ela parecia ser, aceitar uma proposta daquelas? Adele não lhe dissera. Aliás, ao tocar nesse assunto, ela falava o essencial.

De certa forma, sua sogra também era uma mulher ambiciosa. Não se conformava em perder a presidência da empresa. Era uma mulher muito rica. Mesmo que Renato acabasse com a empresa, ela ainda poderia viver muito bem com os recursos que possuía.

O que estava em jogo era o poder. Adele não desejava abrir mão dele. Se Renato se tornasse o presidente, ela ficaria subordinada a ele. Era isso que a irritava.

Henrique gostava de ser rico, de usufruir de tudo quanto o dinheiro pode comprar. Mas casou-se com Maria Eugênia porque a amava. Claro que sua situação financeira o agradara, mas, se não sentisse atração por ela, jamais teria se casado.

Os pais de Henrique moravam na cidade de Ribeirão Preto, onde ele nasceu e foi criado. Foi o segundo filho de Américo e Estela, ele médico conceituado na cidade, ela professora primária. Jorge, o irmão mais velho, seguira a carreira do pai. Aos dezoito anos, Jorge viera para São Paulo e conseguira ingressar na Escola Paulista de Medicina. Dois anos depois, Henrique viera tentar a mesma coisa. Contudo, como não conseguiu, ficou para fazer o cursinho e preparar-se melhor.

Foi nesse período que conheceu Maria Eugênia, que estudava na mesma escola e preparava-se para fazer administração de empresas. Ela logo se interessou por ele. Começaram a estudar juntos, e ele começou a freqüentar a casa dela.

Maria Eugênia não se interessava muito pelos estudos. Não possuía o mesmo interesse da mãe. Ele percebeu logo que fora Adele quem escolhera essa carreira para ela.

Foi Adele que o fez mudar de idéia com relação à carreira. Falava com tanto entusiasmo sobre administração, do prazer de planejar e executar seus projetos, que ele passou a se interessar e acabou gostando.

Seu irmão formou-se médico e voltou para Ribeirão Preto a fim de dedicar-se à profissão ao lado do pai. Henrique cursou a faculdade e ao graduar-se já estava noivo de Maria Eugênia e trabalhando na empresa de Adele.

Ela acompanhara seus estudos, ensinara-lhe coisas que só a prática lhe daria. Além do emprego, dera-lhe a filha em casamento. Era-lhe muito grato por tudo isso.

Maria Eugênia entrara na faculdade, mas desistira no primeiro ano. Adele percebeu que não adiantava insistir. Ela nunca seria boa administradora. Não tinha pique. Já Henrique era seu orgulho. Inteligente, trabalhador, bonito. Tornara-se seu braço direito.

Henrique olhou o relógio: passava da uma. Maria Eugênia ainda não havia voltado. Ele resolveu se deitar. Sentiu prazer em poder estar em silêncio no aconchego do apartamento.

Foi à cozinha, fez um café para tomar com leite, como nos tempos em que morava na casa dos pais. Pensou neles com saudade. Fazia tempo que não os via. No dia seguinte, escreveria uma carta.

Procurou no armário algo para comer. Encontrou um pacote de bolachas. Sentou-se, e foi muito prazeroso tomar sua xícara de café com leite, comer bolachas, recordar-se de sua vida no interior.

Depois, foi para o quarto, preparou-se para dormir. Deitou-se e logo pegou no sono.

Passava das quatro quando Maria Eugênia chegou com o casal amigo. Jamille ficou no carro e Pierre subiu com Maria Eugênia até o apartamento. Ela abriu a porta, voltou-se e estendeu a mão para despedir-se dele.

— Obrigada por tudo. Foi uma noite maravilhosa.

— Eu adorei! — respondeu ele, segurando a mão dela e levando-a aos lábios. — Fazia muito tempo que eu não me divertia tanto.

— Eu também.

— Espero que seu marido tenha melhorado. Mas não pude deixar de observar que você sem ele é outra pessoa, alegre, espirituosa. Tive impressão de que, de certa forma, você se contém diante dele.

— Por que diz isso? Henrique respeita minha liberdade. Foi ele quem insistiu para eu sair, mesmo não podendo ir.

Ainda segurando a mão dela, ele considerou:

— Continuo achando que você sem ele fica mais alegre, mais solta.

Ela retirou a mão e sorriu:

— Obrigada. Jamille está esperando no carro. É melhor ir.

— Sim. Prometa que logo sairemos de novo.

— Prometo. Agora vá.

Ele se foi e Maria Eugênia suspirou feliz. Os olhos de Pierre brilhavam quando se fixavam nela. Sentia-se linda, cortejada. Estava deslumbrada. Nunca sentira aquilo antes.

Henrique fora seu primeiro namorado. Nunca tivera oportunidade de experimentar a admiração masculina como naquela noite.

Fechou a porta, foi para o quarto. Henrique dormia tranqüilo. Ficou irritada. Pelo jeito, ele não sentira nem um pouco sua falta. Mas isso não iria estragar seu bom humor.

Foi para o banheiro, tirou a maquiagem e preparou-se para dormir. Estava feliz. Se Henrique quisesse ficar em casa outras vezes, ela não se importaria. Faria amigos, sairia, aproveitaria a vida como nunca o fizera.

Tinha certeza de que logo voltaria ao Brasil e teria de entrar no papel da filha obediente, suportar aquela criança e as imposições de Adele.

Não queria pensar nisso agora. Deitou-se e, pensando nos momentos alegres que desfrutara naquela noite, logo adormeceu.

6

Henrique levantou-se, lavou-se e foi à copa tomar café. Era sábado, passava das dez e Maria Eugênia ainda dormia. Provavelmente voltara tarde novamente.

Ele suspirou aborrecido. Maria Eugênia estava mudada. Não era mais aquela moça discreta, tímida, doce, que ele gostava. Desde que ele se recusara a acompanhá-la àquele jantar com Jamille e Pierre, quatro meses atrás, ela não parava mais em casa. Vivia rodeada de amigos, com os quais sempre tinha algum lugar para ir.

No início ela o convidava, mas, como ele invariavelmente não ia, depois de algum tempo ela deixou de fazê-lo. Quando ele chegava em casa no fim da tarde, encontrava-a às voltas com os preparativos para o passeio da noite.

Quase sempre saía em companhia de Jamille, o marido e outro casal. Henrique não gostava deles. Achava-os pedantes e fúteis. Mas Maria Eugênia envolvera-se de tal forma que não fazia mais nada sem eles. Várias vezes Henrique tentara convencê-la de que estava exagerando, ao que Maria Eugênia respondia:

— Pela primeira vez estou livre para fazer aquilo de que gosto. Por que não posso? Logo teremos que voltar, então viverei prisioneira de novo.

Ele pedia-lhe que moderasse um pouco, mas era inútil. Maria Eugênia não ficava uma noite em casa.

Na tentativa de convencê-la, ele a acompanhara algumas vezes, e o que vira preocupou-o ainda mais. Notou que ela estava sempre com o copo de vinho nas mãos, bebericando, e seus companheiros providenciavam para que ele estivesse sempre cheio. Nesses momentos, Maria Eugênia tornava-se espirituosa, maliciosa.

Comentavam as fofocas do momento com prazer, falavam dos outros conhecidos, famosos ou não, com maldade, o que desagradava Henrique, que odiava esse tipo de assunto.

Certa vez, ao chegarem em casa, ele lhe dissera:

— Não sei como você agüenta a conversa desses seus amigos. Só sabem falar mal dos outros.

— Pois eu os acho divertidos. Adoro conversar com eles. Não sabia que você era moralista...

— Não se trata de moralismo. Não gosto das futilidades de salão nem de maledicência. É isso que vocês fazem.

— Está falando isso porque não consegue se divertir como nós. Para você, o trabalho é mais importante do que tudo. Pois eu não sou assim. Sou jovem, gosto de me divertir. Estou aproveitando muito a estada aqui.

Henrique serviu-se de café. Enquanto o tomava, pensou que faltava pouco para a volta. Arrependia-se de haver concordado com aquela experiência. Embora obedecesse à mãe, Maria Eugênia não tinha estrutura para aceitar os fatos. Ela havia mudado radicalmente, e isso não era bom.

Maria Eugênia entrou na sala com cara de sono:

— Não sei o que está acontecendo na rua hoje. O barulho está infernal; não me deixou dormir.

— Bom dia.

— Bom dia. Acordei tão irritada que me esqueci de dizer.

Ele não respondeu logo, e continuou tomando seu café. Depois de alguns instantes, disse sério:

— Você se esqueceu de colocar a barriga. Aliás, tenho notado que não está fazendo como se deve. Ela deveria estar muito maior. Está quase na hora de nascer.

— Não gosto desta história. É deselegante ter que sair carregando esta coisa. Acho que aqui eu não precisaria usar este disfarce. Meus amigos não sabem nada sobre o que se passa no

Brasil. Nunca mostraram desejo de ir para lá. Por que eu deveria usar esta barriga horrível?

— Eu também não gosto de nada disso, mas, uma vez que nos metemos nesta, é preciso fazer tudo direito. Estamos fazendo um esforço para ajudar Adele a preservar o futuro da empresa, e não podemos correr o risco de pôr tudo a perder. Já pensou se você encontrar algum conhecido do Brasil?

— Algumas vezes isso já aconteceu, porém ninguém perguntou nada.

— Claro que não iam perguntar.

— Mas eu tive o cuidado de mencionar minha gravidez falando dos sintomas. Ninguém desconfiou.

— Seus amigos poderão estranhar o fato de que sua barriga não está crescendo o suficiente.

— Não seja implicante. Eles nunca tocam nesse assunto.

— Pelas minhas contas, o bebê está quase na hora de nascer.

— Nem fale uma coisa dessas! Não quero pensar em voltar. Se eu pudesse, ficaria aqui para sempre. Não sei por que temos que nos preocupar com a empresa. Temos dinheiro suficiente para viver bem. Depois, se nascer uma menina, esse sacrifício terá sido inútil.

— Se pensa assim, não deveria ter concordado com Adele.

— Você também concordou. Aliás, ficou com a melhor parte.

Henrique fixou-a irritado.

— Não entendi sua alusão. Fiz o que me pediram. Ponha isso na sua cabeça.

— Mas terá um filho, coisa que eu nunca terei.

— Essa criança será seu filho também. Embora tenha sido gerada em outro corpo, ela virá para seus braços, vai precisar de seu carinho, de seu amor de mãe. Um dos argumentos que me convenceram a concordar foi que essa seria a única forma de termos um filho.

— Vamos mudar de assunto. Enquanto estivermos aqui, quero esquecer esse fato. Já chega ter que voltar para casa.

Henrique terminou o café e foi até a janela. Apesar do frio, o dia estava bonito, havia muitas pessoas na rua. Ele voltou-se para Maria Eugênia:

— O dia está bonito. Vamos dar uma volta.

— A esta hora da manhã? Não dormi o suficiente. Estou cansada. Pretendo dormir mais um pouco, descansar. Esta noite iremos ao teatro.

— Você está abusando, bebendo demais, voltando tarde todas as noites. Se deseja descansar, deveria ficar em casa, dormir cedo, pelo menos algumas noites por semana.

— Estou correndo contra o tempo. Logo teremos que ir embora. Não posso perder um minuto.

Henrique olhou-a sério. Ia retrucar, mas mudou de idéia. Foi ao banheiro, escovou os dentes, penteou os cabelos, vestiu o paletó, voltou à sala e disse:

— Vou andar um pouco. Não me espere para o almoço.

Deu meia volta e saiu. Maria Eugênia não se importou. Nos últimos tempos, Henrique estava se tornando cansativo. Não se divertia com nada, olhava-a com ar de reprovação. Dava a impressão de que a estava vigiando.

Ela sentia-se mais alegre quando não estava ao lado dele. Foi para o quarto e deitou-se novamente, procurando dormir.

Uma vez na rua, Henrique começou a caminhar por entre as pessoas que passavam elegantes, conversando animadamente entre si. Mas eram-lhe desconhecidas. De repente, apesar de estar rodeado de pessoas, sentiu-se só.

Lembrou-se dos pais, da fazenda confortável onde passava as férias duas vezes por ano, em meio aos primos e às brincadeiras, sem se preocupar com o futuro, que acreditava ser como até então, alegre e feliz.

Sentiu saudade e vontade de voltar. Uma vez em casa, Maria Eugênia seria forçada a assumir seus compromissos de mãe.

Esse pensamento confortou-o um pouco, mas não o bastante para motivá-lo quanto ao futuro. Sentia-se decepcionado, triste.

Ao alcançar uma praça, sentou-se em um banco discreto, distante dos ruídos das crianças que brincavam alegres. Sentia necessidade de meditar, de repensar sua vida.

Maria Eugênia estava se revelando uma mulher diferente do que imaginava. A ingenuidade, o recato, a modéstia que sempre demonstrara eram fraquezas que a mão de ferro de Adele encobria.

Diante da mãe, Maria Eugênia era discreta, educada, falava

pouco, e suas opiniões, quando as externava, refletiam sempre o bom senso de Adele, jamais tendo discordado dela em nada.

Henrique suspirou triste. Descobrir as fraquezas da esposa incomodava-o. Ele buscara nela a companheira suficientemente amadurecida com quem pudesse dividir idéias, afeto, em uma parceria harmoniosa.

Agora reconhecia que isso não seria possível. Distante dos olhos inquisidores da mãe, Maria Eugênia não se dera ao trabalho de dissimular, exteriorizando seu lado infantil, inseguro, fraco.

Descobrir isso fora decepcionante. Henrique sentia que, mesmo depois que voltassem ao Brasil e ela retomasse à antiga postura, estaria apenas dissimulando seus verdadeiros sentimentos.

Dali para a frente, ele teria de assumir o comando das decisões em família, uma vez que não confiava que Maria Eugênia possuísse maturidade para ajudá-lo a escolher o melhor.

Não era isso o que ele desejava. Adele conhecia as fraquezas da filha e, talvez por esse motivo, tenha adotado atitudes tão firmes, decidindo o rumo que ela deveria tomar na vida.

Ou teria sido essa atitude de Adele que tornara Maria Eugênia tão imatura? Adotando essa atitude, não estaria ele também contribuindo para que ela continuasse tão infantil?

Henrique passou a mão entre os cabelos, preocupado. Talvez estivesse exagerando e Maria Eugênia estivesse apenas brincando, qual criança reclusa que por algum tempo consegue liberdade.

Ele precisava refletir melhor. Gostaria de conversar com ela, abrir seu coração, colocando o que estava sentindo. Mas nos últimos tempos ela tornara-se distante, nunca trocando idéias ou opiniões.

Ele precisava esfriar a cabeça. Levantou-se e caminhou pelas ruas, procurando interessar-se pelas vitrines das lojas. Sentindo saudade da família, decidiu comprar presentes para eles.

Isso o entreteve, fazendo-o lembrar-se das preferências de cada um, o que o fez esquecer as preocupações.

Estava anoitecendo quando regressou ao apartamento carregando as sacolas com os presentes.

Maria Eugênia, estendida em um canapé, conversava animadamente ao telefone. Vendo-o entrar, sentou-se e disse que precisava desligar. Colocou o telefone sobre a mesinha e olhou-o curiosa:

— Esteve fazendo compras. Posso ver?

— São presentes e estão embalados. Não quero desfazer os pacotes.

— Alguma secretária da empresa?

— Não. De onde tirou essa idéia? São algumas lembranças para meus pais e Jorge.

— Não acha que ainda é cedo para isso?

— Nem tanto. Falta pouco para nosso regresso. Não quero deixar para a última hora. Por que não faz o mesmo?

— Não vou levar nada para ninguém.

— Nem para Adele?

— Ela tem tudo, e eu não saberia o que lhe dar.

— Alguma coisa bonita, um agrado, só isso.

— É. Talvez. Mas é cedo. Não quero pensar na volta.

Henrique colocou as sacolas no escritório, voltou e sentou-se ao lado dela.

— Você deveria sair um pouco, caminhar pelas ruas em um sábado como este. Havia muita gente bonita, alegre. As lojas estavam movimentadas.

— Não gosto de sair à tarde. Prefiro a noite.

— Nesse caso, poderemos sair, jantar em algum lugar bonito.

— Tenho um compromisso para esta noite. Vamos a um clube fechado. Estou entusiasmada. Jamille diz que é maravilhoso.

— Deixe para outro dia. Esta noite vamos sair só nós dois. Poderemos dançar um pouco.

— Sinto muito, mas não posso desistir. Foi difícil conseguir convites para esse clube. Pierre precisou usar todo o seu prestígio. Não posso cometer essa indelicadeza.

— Tem um convite para mim?

— Não sabia que desejaria ir. Você não gosta de sair com meus amigos. Infelizmente, os convites são individuais e intransferíveis. Sinto muito.

Henrique olhou-a sério. A situação estava pior do que gostaria.

— Nesse caso, prefiro que você não vá. Há tempos que não saímos juntos, só nós dois.

— Sairemos outro dia. Teremos muito tempo quando voltarmos ao Brasil. Não posso perder a festa desta noite. Havia muito eu desejava conhecer esse lugar. Todos os colunistas sociais falam maravilhas de lá. Depois, quanto mais difícil, mais valioso. Você não pode imaginar o que é isso.

— Você está disposta a ir, mesmo sabendo que eu gostaria que ficasse comigo?

— Lamento, mas foi você mesmo quem me aconselhou a sair sozinha com os amigos. Agora que vou conseguir algo que tanto quero, não acho justo desistir.

— Você quer mesmo ir...

— Eu vou.

Henrique teve vontade de impor sua vontade, de discutir, chamá-la à ordem, fazendo-a ver que estava exagerando. Mas preferiu calar-se. Ele detestava discussões.

— Faça como quiser.

Ele foi para o escritório, apanhou um livro ao acaso e sentou-se no sofá. Aquela situação não podia mais continuar. No dia seguinte, teria uma conversa séria com ela. Colocaria sua posição e a proibiria de sair com aqueles amigos.

Henrique odiava ter de impor sua opinião. Em todas as circunstâncias preferia o diálogo, a conversa aberta, sincera. Mas naquele momento sentia que não podia contemporizar com a situação.

Maria Eugênia estava abusando de sua paciência e ele precisava colocar as coisas nos devidos lugares.

Eram quase nove horas quando Henrique procurou por Maria Eugênia, que estava se arrumando para sair.

— Estou com fome e vou pedir alguma coisa para jantar. Você quer?

— Não. Vamos jantar no clube.

Ele apanhou o telefone e pediu um lanche. Enquanto esperava, observou a esposa e notou o quanto ela estava mudada: mais magra, inquieta, maquiagem carregada, jóias mais vistosas.

Sentindo-se observada, Maria Eugênia perguntou:

— O que foi? Está me achando bonita?

Ele não respondeu de imediato, permanecendo pensativo. Depois disse:

— Você está diferente.

— Não acha que estou muito melhor?

— Não. Eu preferia você como era.

— Bem se vê que você não está a par da moda atual.

Maria Eugênia colocou perfume e olhou-se no espelho, satisfeita. A campainha tocou e Henrique foi abrir. Pierre, elegantemente vestido, estava diante dele. Henrique esforçou-se para dissimular o desagrado.

Ele abrira pensando que fosse a comida que havia pedido. Vencendo a repulsa instintiva que Pierre lhe causava, cumprimentou-o educadamente, convidando-o a entrar.

— Obrigado, mas Jamille está esperando no carro. Viemos buscar Maria Eugênia.

Ela apareceu em seguida, dizendo contente:

— Estou pronta. Podemos ir. Até logo, querido.

Henrique nem teve tempo de responder. Ela saiu, Pierre fez ligeiro cumprimento com a cabeça e se foram. Henrique fechou a porta lutando para vencer a sensação desagradável.

Sentiu vontade de ir atrás deles e trazer sua esposa de volta. Pierre, com seus cabelos esticados com gomalina, desviando os olhos quando falava, não lhe inspirava confiança.

Conteve-se a custo. Se fizesse o que desejava, Maria Eugênia faria uma cena, e ele não estava disposto a provocar um escândalo. Precisava se acalmar e conversar com ela no dia seguinte. De uma coisa tinha certeza: não permitiria mais que ela saísse com aqueles amigos.

Enquanto isso, Maria Eugênia e Pierre chegaram ao carro e não havia ninguém.

— Jamille não veio? — indagou ela, admirada.

— Ela estava sem paciência de esperar. Foi com Jean para o clube.

Ele abriu a porta, ela acomodou-se e ele sentou-se a seu lado. Ligou o carro e partiu devagar.

— Você está linda!

Ela sorriu contente e perguntou:

— Por que está indo tão devagar?

— Quero admirá-la mais tempo. No clube vão chover admiradores e eu vou ficar morrendo de ciúmes.

Vendo que ela sorria e continuava em silêncio, continuou:

— Por mim, eu nunca a levaria àquele clube.

Ele parou o carro e olhou-a com paixão. Segurou as mãos dela, beijando-as efusivamente.

— Você sabe que eu a amo! Não posso mais segurar essa paixão que está me consumindo. Quero você para mim.

Abraçou-a com força, beijando seus lábios com ardor. Maria Eugênia estremecia de emoção. Havia muito tinha notado que Pierre se sentia atraído por ela. Era excitante notar que era uma mulher atraente, que outros homens além de seu marido a desejavam.

Henrique havia sido seu primeiro namorado. Ela nunca tivera oportunidade de conhecer outros rapazes, de experimentar o jogo de sedução. Apaixonara-se por Henrique e sentira-se feliz em casar-se com ele.

Mas agora ele estava diferente, distante, ela em Paris, vivendo uma aventura amorosa. Uma experiência diferente.

Ele continuava cobrindo-a de beijos, murmurando palavras apaixonadas. Maria Eugênia entregava-se prazerosamente a essa emoção.

— Minha querida... Eu preciso de você. Não vamos a esse clube. Vamos a um lugar onde possamos ficar sozinhos com o nosso amor. Sinto que você também me quer.

Ela estremeceu assustada. A brincadeira estava indo longe demais. Não desejava trair seu marido. Pierre insistia, beijando-a nos lábios, no pescoço, na face.

— Vamos viver nosso momento de amor! Logo você irá embora, voltará a seu país e talvez nunca mais nos encontremos.

Maria Eugênia estremecia de prazer com os beijos dele. Reconheceu que Pierre estava certo. Ela logo teria de voltar ao Brasil, suportar aquela criança que odiava por ser fruto de Henrique com outra, e fazer tudo certinho como Adele queria.

Henrique tivera sua relação extraconjugal; ela poderia fazer o mesmo. Assim, estariam quites. Adele e Henrique nunca saberiam. Ela podia se considerar vingada por lhe haverem impingido aquele filho que ela não desejava.

— Vamos — disse ela, trêmula de desejo.

Ele ligou o carro e dentro em pouco estavam em um prédio de luxo que ela não conhecia.

— É um apartamento que eu tenho quando quero ficar só, pensar.

Eles entraram. Ele fechou a porta e levou-a para o quarto. Lentamente, Pierre começou a despi-la.

De repente, ela lembrou-se da barriga postiça. Pediu licença, foi ao banheiro e retirou o incômodo disfarce. Voltou nua para o quarto. Pierre, olhando-a com um misto de surpresa e cobiça, abraçou-a e beijou-a com ardor, e juntos rolaram na cama.

Quando se acalmaram, Pierre acendeu um cigarro, fitando-a com curiosidade.

— Esta noite você me fez o homem mais feliz do mundo!

— Estou pensando em Jamille. Ela está nos esperando no clube.

— Não se preocupe. Jean a fará se esquecer de nós.

— Como assim?

— Ele e ela já tiveram um caso. Acho que não vão perder tempo nos esperando.

Maria Eugênia não se chocou. Embora ela nunca houvesse feito isso, sabia que em alguns grupos era moda a troca de casais.

Pierre beijou-a de novo, dizendo alegre:

— Fiquei contente em saber que você não estava grávida. Por que usa aquela barriga postiça?

Maria Eugênia sentiu um arrepio de medo. Esquecera-se desse detalhe.

— Eu gostaria de ter um filho. Como não posso, finjo que estou grávida.

— Assim, sem nenhum motivo especial?

— É. Eu gosto.

— Nesse caso, não está mais aqui quem falou. Gosto é gosto.

— Esse é um segredo meu. Preferia que esquecesse isso e nunca contasse nada a ninguém.

— Pode deixar. Sou um túmulo.

De repente, Maria Eugênia sentiu que fora longe demais. Havia um brilho diferente nos olhos dele que a fez desejar sair dali imediatamente.

— Acho melhor irmos embora.

— Vamos ao clube?

— Não. Prefiro ir para casa.

— Nesse caso, vamos ficar aqui um pouco mais e aproveitar nossos momentos de amor.

Pierre acariciou-a e o receio dela foi embora. Ele estava apaixonado. Guardaria seu segredo. Depois, logo ela iria embora e nunca mais o veria. Era melhor mesmo aproveitar.

— Está bem — murmurou ela, correspondendo ardorosamente ao beijo que ele lhe deu em seguida.

Ela queria esquecer o mundo, as convenções, o marido e a vida cheia de regras que Adele lhe impusera. Se pudesse, nunca mais voltaria ao Brasil. Mas aquele era um sonho impossível.

Pensando assim, entregou-se às emoções do momento com euforia.

Estava amanhecendo quando finalmente conseguiu convencer Pierre a levá-la para casa.

— Tenho que ir. Henrique acorda cedo. Não quero que ele me veja chegar.

— Não se preocupe. Ele não vai desconfiar de nada. Já eu, jamais esquecerei esta noite.

Ela ficou pensativa durante alguns segundos, depois respondeu:

— Quando eu estiver no Brasil, em casa, também vou me lembrar destes momentos.

— Você não parece feliz em voltar. Por quê?

— De fato. Lá terei que assumir minhas responsabilidades de família. Não poderei fazer nada do que fiz aqui.

— Com o marido que você tem, deve levar uma vida sem graça.

Ela não gostou do comentário. Ele notou e não lhe deu tempo de responder:

— Desculpe, não quis ofendê-la. É que não posso compreender como uma mulher como você, jovem, bela, cheia de vida, pode se conformar em viver com alguém que não gosta de nada e só pensa nos negócios.

— Henrique é um bom homem e muito competente. Depois de minha mãe, é ele quem cuida de todos os negócios da empresa.

— Ouvi dizer que a empresa de vocês vai muito bem. Ele deve ser mesmo muito competente.

— Ele é. Mas é minha mãe quem comanda tudo. Ela sempre consegue o que quer. É firme e segura em suas atitudes.

— Fico pensando em como será sua vida entre o marido e a mãe que tem. Começo a entender por que não sente vontade de voltar para casa.

— Não é por causa deles. Eu gosto de ambos. É que aqui sou uma desconhecida, posso agir livremente. Lá há uma sociedade, sou conhecida, as pessoas comentam. Há o nome de família para zelar. Você entende?

Pierre abraçou-a sorrindo:

— Claro que entendo. Você precisa aproveitar sua liberdade enquanto estiver aqui. Eu a ajudarei a se divertir cada vez mais. Vamos viver este tempo e aproveitar a vida.

— É isso que eu quero.

— Já tem idéia de quanto tempo nos resta?

— Menos de um mês. Não sei ao certo.

— Nesse caso, não poderemos perder tempo. Amanhã cuidarei disso.

Maria Eugênia levantou-se dizendo:

— Vamos embora. É tarde.

Desta vez ele não a deteve. Vestiram-se e ele a levou para casa. Faltavam poucos minutos para as quatro quando ela entrou em casa, procurando não fazer nenhum ruído.

Estava se sentindo culpada e receava encontrar o marido. Parecia-lhe que, vendo-a, ele saberia o que ela havia feito.

Tirou os sapatos, cautelosamente entrou no quarto e foi direto ao banheiro. Fechou a porta com cuidado, tirou a roupa e foi para o chuveiro. Sentia-se suja, e a água que lhe caía sobre o corpo era como se estivesse lavando um pouco sua culpa.

Ficou lá durante algum tempo. Depois enxugou-se, vestiu a camisola e foi dormir. Henrique dormia e ela se deitou procurando não encostar para não acordá-lo.

Vendo que nada havia acontecido, que tudo estava calmo, Maria Eugênia suspirou aliviada. Então pôde pensar na aventura, reviver os momentos de paixão.

Sabia que a atração que sentia por Pierre não era amor. Mas o prazer daqueles momentos, a experiência nova, a certeza de que era uma mulher desejada, bonita, apreciada, deslumbrava-a.

Maria Eugênia sempre fora uma pessoa apagada diante do brilho carismático de Adele. Enquanto a mãe era reverenciada onde aparecia, ela ficava sempre em segundo plano.

Mas desta vez a mãe não estava presente para ofuscar seu brilho, e ela se sentia viva, forte, requestada. Chegou a pensar que talvez fosse o momento de reagir aos desejos de Adele, de começar a enfrentá-la, não permitindo que continuasse a decidir sua vida.

Em suas fantasias, Maria Eugênia já se via de volta a casa, dizendo não às imposições da mãe. Quanto a Henrique, seria mais fácil manejar. Estava sempre ocupado e não seria empecilho a seus desejos de liberdade.

Embalada por esse sonho, Maria Eugênia finalmente adormeceu.

7

Marina levantou-se com alguma dificuldade. Sentia o corpo pesado. Nos últimos dias, de vez em quando uma dor aguda a afligia, como se o bebê estivesse forçando para baixo.

Sentia-se cansada e desejava acabar logo com aquela espera. Ao mesmo tempo, quando pensava que teria de renunciar ao filho, sentia um aperto no peito e uma sensação de culpa. Então pensava nos benefícios que aquela criança traria não só a Adele para consolidar os bens de sua família, mas também a si própria, que poderia dar à mãe e ao irmão uma vida melhor.

Apesar disso, sentia muita curiosidade em ver o rostinho de seu filho, procurar nele os traços de sua família.

Foi para a copa tomar café. Célia, vendo-a, perguntou:

— Como se sente?

Marina suspirou e respondeu:

— Cansada.

— Pelas nossas contas, o bebê deverá nascer por estes dias. Adele chegou ontem à noite. Está na casa-grande. Mais tarde virá vê-la.

— Ela ficará até o bebê nascer?

— Sim. Veio preparada. Trouxe todo o enxoval.

Marina tomou café com leite e comeu um pão com queijo. Depois, disse pensativa:

— Espero que tudo isto não seja em vão.

— Eu também.

Marina estava se levantando da mesa quando Adele chegou e abraçou-a com carinho.

— Então, como se sente?

— Cansada.

— Agora falta pouco. Vamos conversar na sala.

Depois de acomodadas no sofá, Adele continuou:

— Maria Eugênia e Henrique chegam da Europa amanhã. Eles precisam estar aqui quando o bebê nascer.

Marina não respondeu. Se pudesse, gostaria de dormir e só acordar quando tudo houvesse terminado. Às vezes pensava que estava pagando um preço muito alto para ter sua independência financeira. Mas o que estava feito, estava feito, e ela não podia voltar atrás. Mesmo que doesse, levaria o projeto até o fim.

— Chegou mais uma carta de sua mãe.

— Que bom! Estou com muita saudade dela.

— Logo poderá vê-los. Mandei vir de Londres alguns presentes para dar a eles.

— Não precisava fazer isso.

— Quero que tudo seja o mais natural possível. Trazer-lhes presentes é o que você faria se estivesse mesmo chegando de lá.

— Tem razão.

Conversaram sobre outros assuntos, e Adele levantou-se dizendo:

— Você deve estar ansiosa para ler a carta. Se sentir alguma coisa de diferente, avise-me.

Depois que ela se foi, Marina abriu a carta. As notícias eram boas. Cícero estava terminando o ensino fundamental II. Seria ótimo, porquanto no ano seguinte Marina contava trazê-los para morar com ela.

Então, era tocar sua vida para a frente e esquecer aquela difícil experiência.

À noite, Adele foi fazer-lhe companhia. Sua conversa agradável encantou Marina, que a admirava muito, não só pela inteligência brilhante, mas também pela maneira clara de expor as idéias.

Durante aqueles meses, de vez em quando ela aparecia na

fazenda para passar um fim de semana. Marina pensava que era um privilégio privar de sua companhia e procurava conversar sobre os assuntos de seu interesse e aprender o que podia.

Falava de seus projetos profissionais, expondo suas idéias. Adele tinha uma maneira especial de ver, fazendo-a enxergar outros lados do assunto, o que a encantava.

Naquela noite não foi diferente. No fim, Adele comentou:

— Tenho certeza de que você terá muito sucesso profissional.

— Não está dizendo isso só para me animar?

— Absolutamente. Em um assunto desses, não costumo brincar. Você tem garra, sabe o que quer, estuda, trabalha para ser cada vez melhor. Além disso, tem uma coisa que para mim é essencial.

— O quê?

— Não cultiva o "sonho de amor".

— Pode não parecer, mas sou uma pessoa amorosa. Adoro minha família. O que não quero é me casar, ter uma pessoa mandando em mim, querendo impedir-me de fazer o que gosto. Se um dia eu vier a gostar de alguém, só vou me relacionar se ele respeitar minha privacidade.

Adele bateu palmas sorrindo:

— Isso mesmo! Tenho visto mulheres que obtiveram sucesso em tudo, inclusive na área profissional, mas quando se apaixonaram foi um desastre. Em pouco tempo se tornaram passivas, sem vontade própria, apagadas e insignificantes. Você é uma honrosa exceção.

— Talvez seja porque vi o sofrimento de minha mãe, que se casou por amor com um homem muito diferente dela. Ela era delicada, bondosa, alegre; ele era grosseiro, machista, implicante. Quando eu a via triste por causa das grosserias dele, pedia para irmos embora. Mas ela se escandalizava, dizendo que uma mulher precisa obedecer ao marido. E ia ficando cada dia mais passiva e mais triste. Até que, quando ela estava grávida do meu irmão, meu pai acabou nos deixando por causa da filha da nossa vizinha.

— Quantos anos você tinha?

— Treze para catorze. Mas, apesar do desespero dela, senti grande alívio.

— Como se arranjaram financeiramente?

— Não fez nenhuma diferença. Meu pai gastava na rua o pouco que ganhava como vendedor. Minha mãe sempre sustentou a casa costurando para fora.

— É por esse motivo que você não deseja se casar?

— Em parte é. Porque eu nunca agüentaria o que mamãe agüentou. Eu o teria deixado logo no começo. Sempre desejei ser dona da minha vida. Por esse motivo, desde cedo, estudei muito, porque acredito que, para conseguir isso, eu preciso ter independência financeira.

— Por tudo isso aceitou minha proposta.

— Mesmo sem ela, estou certa de que conseguiria meu propósito. Mas sua oferta encurtou o caminho e possibilitou melhores condições de vida à minha família, principalmente a meu irmão, que é jovem e precisa de apoio.

— E seu pai? O que foi feito dele?

— Eu nunca mais soube dele. Desapareceu completamente. Minha mãe ficou muito envergonhada com o que ele fez. A vizinha, que era sua amiga, passou a nos hostilizar, e nós nos mudamos para o outro lado da cidade. Desde essa época, nunca mais tivemos nenhuma notícia dele.

— Nunca sentiu sua falta?

— Não. Nós não tínhamos nenhuma afinidade. Nem sequer conversávamos.

— E seu irmão? Ele nunca perguntou pelo pai?

— Um dia, eu já estava cursando a faculdade em São Paulo e fui visitá-los. Cícero estava com oito anos e perguntou pelo pai. Então, fiz o que mamãe nunca teve coragem de fazer: contei-lhe a verdade com todos os detalhes.

— Como ele reagiu?

— Muito bem. Não falou mais no assunto e tornou-se mais amigo de mamãe.

Ambas conversaram mais um pouco e depois Adele foi embora para a casa-grande.

***

Na manhã seguinte, ainda no avião, sentado ao lado de Maria Eugênia, Henrique comentou:

— Estamos chegando. Daqui a pouco estaremos em casa. Não se esqueceu das recomendações?

— Não. Fiz tudo que mamãe pediu, como sempre.

— Você não parece nem um pouco contente com nosso regresso.

— E não estou mesmo. Deixar uma vida deliciosa em Paris para tomar parte desta farsa... Ao invés do prazer de sair com os amigos, uma criança desconhecida para chorar em nossos ouvidos.

Henrique colocou a mão sobre o braço dela, dizendo sério:

— Não devia falar isso do nosso filho.

— Do seu filho, você quer dizer.

Henrique franziu a testa, tentando conter a irritação.

— Se pensa assim, por que aceitou este projeto? Ninguém a forçou a nada. Aliás, eu esperava que dissesse "não".

— Minha mãe é muito convincente.

— Ninguém a obrigou. Você concordou porque quis. Agora precisa fazer tudo direito. Trata-se de um caso muito sério, que, se não for bem resolvido, pode nos causar muitos problemas. No que depender de mim, farei tudo como combinado. E você precisa fazer o mesmo.

— Sei disso. Por esse motivo concordei em voltar. Minha vontade era ficar morando em Paris.

— Você sabe que isso é impossível.

O avião aterrissou pouco depois, e, quando foram liberados, eles saíram. A secretária de Adele os esperava e, depois dos cumprimentos, disse:

— Dona Adele não pôde vir. Ela foi para a fazenda preparar tudo para o nascimento do bebê. — Dirigindo-se a Maria Eugênia, continuou: — Como se sente? Cansada?

— Sim — respondeu ela. — Não vejo a hora de me livrar deste peso.

— É assim mesmo. O último mês é o pior. Eu me lembro muito bem quando meu filho nasceu. Mas valeu a pena. A alegria de ser mãe compensa tudo.

Maria Eugênia sorriu tentando parecer alegre. Uma vez em casa, Márcia fez questão de mostrar-lhe o quarto do bebê e parte das roupas.

— Você precisa ver as que d. Adele levou para esperar a chegada dele. São maravilhosas.

Maria Eugênia não via a hora que a secretária de Adele fosse embora, mas esta, entusiasmada, continuava:

— Quero saber se tudo está do seu gosto. Eu ajudei na decoração, claro que sob orientação de d. Adele. Mas se houver alguma coisa de que você não gostou e que deseja mudar, avise-me. Quero que tudo fique do seu gosto.

— Obrigada, Márcia, pela sua dedicação. Está lindo. Aliás, como tudo o que você faz. Tem muito bom gosto.

Henrique, notando que Maria Eugênia tentava encobrir a irritação, interveio:

— Obrigado pelo seu interesse. Tudo está maravilhoso. Mas Maria Eugênia precisa descansar. Não passou muito bem durante o vôo. A saúde dela em primeiro lugar. Depois, mais descansada, virá examinar tudo detalhadamente.

— Claro, dr. Henrique, claro. Tem razão. Desculpe. Imaginei que ela gostaria de ver tudo. Afinal, é o primeiro filho. Mas a viagem foi longa. Vou embora. Se precisarem de alguma coisa, é só me ligar. A que horas mando o motorista buscá-los para irem à fazenda?

— Não será preciso. Eu mesmo vou dirigir.

— Como quiser. Até logo.

Ela saiu e Maria Eugênia foi para o quarto. Henrique a acompanhou. A criada já havia aberto as malas e estava arrumando as roupas.

— Pode ir, Dalva — disse Henrique. — Queremos descansar.

Depois que ela saiu, Maria Eugênia estendeu-se na cama, dizendo nervosa:

— Ainda bem que você percebeu. Não agüentava mais aquela conversa. Não vejo a hora de arrancar esta barriga ridícula.

— Não pode fazer isso ainda. Não aqui. Paciência. Está por pouco. Amanhã iremos para a fazenda. Mais alguns dias e tudo estará resolvido. Agora vou tomar um banho. Quero ir até a empresa ver como estão as coisas.

— Que exagero! É melhor descansar, já que amanhã pretende dirigir até a fazenda.

— Não vou demorar. Descanse.

Depois que ele saiu, Maria Eugênia espreguiçou-se e fechou os olhos. Lembrou-se dos amigos que deixara em Paris, dos momentos que vivera com Pierre, e sorriu.

A despedida fora deliciosa. Ela pretendia voltar assim que fosse possível. Estava disposta a arranjar algum pretexto para ir a Paris encontrar-se com ele.

Era assim que pensava se compensar do sacrifício que estava fazendo em prol dos interesses de Adele. Não sentia culpa por trair Henrique. Afinal, ele estava do lado de Adele. Fazia tudo que ela queria. Merecia ser castigado.

***

Quando eles chegaram à fazenda na tarde do dia seguinte, Adele os recebeu com alegria. Tinha tudo planejado. Depois dos cumprimentos, foram para o quarto, onde ela explicou:

— O bebê está para nascer de uma hora para outra. Célia vai cuidar de tudo.

— E os empregados da fazenda? Será que não vão desconfiar? — indagou Henrique.

— Sei como fazer. Vocês vão circular pelas proximidades da casa, passeando, para que todos os vejam. Depois que o bebê nascer, mesmo que seja durante o dia, Célia vai esperar a noite, quando os empregados já foram para suas casas. Então, ela trará tudo que for preciso e prepararemos a cena. Pela manhã, quando eles voltarem, você estará na cama, com o bebê ao lado.

— E quanto a ela? — indagou Maria Eugênia.

— Ficará alguns dias mais, até que possa dirigir, e irá embora sem que ninguém veja. No dia seguinte, Célia contará aos conhecidos que o marido dela veio buscá-la para ter o filho na cidade.

***

Então começou para eles um tempo de espera. Maria Eugênia e Henrique faziam tudo como Adele havia determinado.

Dois dias depois, Célia ligou avisando Adele que as dores haviam começado. Ela foi ter com Henrique e avisou:

— Está na hora. Estou indo para lá. Avisarei assim que tiver nascido.

Henrique sentou-se em uma poltrona, emocionado. Seu filho estava nascendo. Sentiu vontade de ir para lá, acompanhar tudo, saber como ele era.

Mas conteve-se. Não podia. E Marina, como estaria, tendo um filho que nunca seria seu? Não seria cruel demais?

Mil indagações passavam por sua mente. Ela aceitara as condições. Havia escolhido livremente. Que espécie de mulher era ela que gerava um filho a troco de dinheiro?

Ao mesmo tempo, ele também não estava enganando, colocando em risco até seu relacionamento com Maria Eugênia, para manter sua posição financeira?

Apesar disso, era gratificante poder ter um filho. Mesmo tendo sido conseguido por meio de um negócio, ninguém poderia negar o fato de o bebê ser seu filho. Ele nunca saberia como fora gerado, mas o importante era amá-lo, educá-lo, fazer dele uma pessoa feliz. Isso, por certo, ele faria.

Adele chegou à casa onde Marina estava hospedada e foi direto ao quarto.

— Como está indo?

— Tudo bem. Acho que não vai demorar. As dores estão muito próximas.

Adele aproximou-se de Marina e acariciou-lhe os cabelos, dizendo:

— Vai dar tudo certo. Você vai ver.

Marina remexeu-se na cama, nervosa:

— Não sei. E se for menina?

— Não vamos nos preocupar com isso agora — disse Célia.

— Tudo será como combinamos. Não tenha medo — tornou Adele.

As dores voltaram e Marina suspirou aflita.

— Calma — pediu Célia. — Força, vamos.

Enquanto Célia cuidava de Marina, Adele afastou-se um pouco. Ela não era uma pessoa religiosa. Mas, nos momentos decisivos de sua vida, sempre costumava pensar no poder de Deus.

Ela sentia que havia uma força superior que cuidava de tudo. Respeitava essa força de tal sorte que mantinha uma ética pessoal, acreditando que, enquanto fizesse seu melhor e ficasse no bem, estaria sendo apoiada por ela.

Apesar das circunstâncias daquele projeto, Adele estava certa de que sua realização não estava prejudicando ninguém. Ao contrário.

Aquele menino teria uma família, seria amado, estudaria e se tornaria um homem rico. Ele seria muito beneficiado. Por outro lado, Marina era uma mulher honesta que pretendia usar aquele dinheiro para trabalhar, melhorar as condições de sua família. Quanto a ela, Adele, estaria preservando a saúde de sua empresa, cujo maior patrimônio eram seus milhares de empregados.

Estava certa de que, se seu cunhado Renato assumisse a presidência da empresa, poria a perder todo o progresso duramente conquistado, não só pela falta de capacidade administrativa, mas também pela conduta irresponsável que tivera durante toda a vida.

Além disso, Adele estava dando oportunidade a Maria Eugênia de ser mãe e Henrique de ser pai. Assim, ela se sentia à vontade para pedir a proteção divina e, em paz, para esperar o resultado do projeto.

Quando voltou ao quarto, Célia ajudava Marina pedindo:

— Vamos, força, está quase saindo.

Um esforço maior, uma contração, e eis que a criança nasceu.

— Deus nos abençoe — gritou Célia, emocionada. — É um menino!

Adele chorava sem conter a emoção, enquanto Marina relaxava aliviada. Um choro forte encheu o quarto, e lágrimas correram pelas suas faces.

— Por favor! Quero vê-lo ao menos uma vez — pediu Marina em voz entrecortada de emoção.

— Claro — concordou Adele. — Tem todo o direito.

Célia cuidou do menino, enrolou-o em uma toalha e levou-o até Marina, que o olhou emocionada.

— É um belo menino — comentou Adele. — Forte, saudável. Obrigada, Marina. Nunca esquecerei o bem que você está nos fazendo.

Abaixou-se e beijou-a na testa com carinho. Fez um sinal a Célia, que saiu levando o bebê. O rosto de Marina contraiu-se e ela apertou os lábios tentando não chorar.

— Avalio o que você deve estar sentindo. Sei que vai cumprir nosso trato e nunca tentar se aproximar dele.

— Sou uma pessoa de palavra. Por mais que me custe, cumprirei nosso trato.

— Tenho certeza disso. Mas, se você um dia precisar de alguma coisa, estarei à disposição. O bem que você nos fez não tem preço. Ser-lhe-ei grata pelo resto da vida.

Célia voltou sem o bebê, que havia deixado dormindo em outro quarto. A tarde estava findando, mas elas queriam esperar para levar o bebê sem que ninguém visse.

— Agora vou cuidar de você — disse ela sorrindo.

— Eu estava bem até agora, mas estou sentindo dores novamente.

— É natural. Ainda tem de expelir a placenta. Depois você vai tomar este chá e dormir. Precisa recuperar as forças.

Adele sentou-se na poltrona ao lado da cama e só se levantou depois que Marina estava bem acomodada e dormindo.

Ela e Célia foram ver o bebê, que dormia tranqüilo. Adele aproximou-se dele e acariciou delicadamente sua face rosada.

— É um lindo menino! — exclamou feliz.

— Lindo e forte. Graças a Deus, deu tudo certo. Seus problemas terminaram.

Adele suspirou satisfeita:

— Agora vou para casa, contar a novidade a eles. Assim que eu perceber que não há perigo, telefono e você o leva.

— Está bem.

— Você vai precisar ensinar Maria Eugênia a cuidar bem dele. Quero que ela faça isso desde o primeiro dia.

— Está bem. Já preparei um roteiro para ela. Mas a alimentação é o mais delicado. Organizei tudo para os primeiros dias. Vamos ver como ele reage. Ela vai precisar de uma babá experiente.

— Já escolhi uma que me parece ótima. Vai começar um dia antes de eles voltarem para casa. Mas quero que Maria Eugênia fique aqui mais alguns dias e cuide dele ela mesma. Ela precisa aprender a amá-lo como se fosse mesmo seu filho.

— É uma boa idéia. Por outro lado, ela vai ter que ficar repousando para não despertar suspeitas.

Quando Adele chegou em casa, Henrique a esperava ansioso. Assim que a viu, perguntou:

— E então?

— Nasceu, Henrique. É um belo menino. Parabéns, papai!

Ele abraçou-a emocionado. Maria Eugênia apareceu na sala e, vendo-a, Henrique correu a abraçá-la, dizendo:

— Nasceu, Maria Eugênia! Temos um menino!

— *Você* tem um menino! — corrigiu ela.

Adele interveio:

— Nunca mais diga isso. *Vocês* têm um menino. Mais tarde, quando ele vier para casa, vamos comemorar. Vencemos! Não está contente, minha filha?

— Sim — respondeu Maria Eugênia, tentando fingir alegria.

A criada entrou na sala e perguntou se podia servir o jantar. Adele concordou. Depois que ela se foi, Adele disse:

— Depois que os criados forem embora, Célia trará o menino. Então vamos comemorar.

Passava da meia-noite quando Adele ligou para Célia:

— Pode vir agora. Está tudo calmo. Não se esqueça do que combinamos. Traga tudo como se o parto tivesse acontecido aqui. Não se esqueça de nada.

Alguns minutos depois, o carro de Célia parou na porta da casa. Adele, acompanhada do casal, foi recebê-la. Maria Eugênia tentava controlar a raiva. Aquele menino era um intruso, fruto da ligação íntima do marido com outra mulher e uma prova de que ela não era boa o suficiente para ser mãe.

Sentia-se diminuída, irritada, nervosa, porém esforçou-se para que ninguém notasse.

Célia desceu do carro e apanhou o cestinho em que o menino dormia. Adele aproximou-se e pegou o bebê, mostrando-o ao casal.

Olhando o rostinho rosado, Henrique sentiu forte emoção. Era seu filho! Adele quis colocá-lo no colo de Maria Eugênia, mas ela disse assustada:

— Ele é tão pequeno! Tenho medo de segurá-lo.

— Ele é seu. Pegue-o. Não tem perigo.

Adele colocou-o nos braços da filha. As mãos de Maria Eugênia tremiam, e ela disse nervosa:

— Agora, não. Preciso me acalmar.

Henrique aproximou-se e pediu:

— Deixe-me segurá-lo.

Maria Eugênia entregou-o a ele aliviada. Ele entrou em casa com o menino nos braços, olhando-o embevecido. Sentou-se na sala. Não se cansava de olhar seu rosto, tentando encontrar os traços de família.

Notando os dedinhos rosados que apareciam na manga do casaquinho de lã azul, ele colocou o dedo para examiná-los. Mesmo dormindo, o bebê segurou firme no dedo do pai. Henrique sentiu os olhos marejados e, tomado pela emoção, disse baixinho:

— Vou cuidar de você. Tudo farei para torná-lo feliz.

Enquanto isso, as mulheres tinham ido para o quarto do casal, onde já havia um berço e uma cômoda que Adele enchera com um enxoval para os primeiros dias.

— Agora você vai colocar uma camisola, deitar-se. Acaba de dar à luz e terá que ficar em repouso.

Enquanto Maria Eugênia se trocava, Célia preparava a cena. Ela havia trazido as roupas de cama que Marina usara, as toalhas e tudo o mais, para fazer crer que o parto havia sido ali.

Adele acompanhava satisfeita. Quando Célia terminou, ela foi chamar Henrique, que continuava segurando o menino.

— Venha. Vamos colocá-lo no berço.

Henrique obedeceu. Olhou em volta e comentou:

— Parece mesmo que o parto foi aqui.

— Agora vamos comemorar nossa vitória — tornou Adele, sorrindo.

Sobre a mesa estava uma bandeja com taças e uma garrafa de champanhe. Henrique abriu-a, serviu, e Adele disse contente:

— Hoje iniciamos um novo ciclo. A forma como chegamos até aqui ficou no passado. Nunca mais falaremos sobre isso. A vida aprovou nossos projetos, uma vez que atendeu a nosso pedido. Vamos agradecer essa dádiva e receber este filho com todo o amor e carinho. Brindamos à nossa felicidade e ao futuro.

Eles tocaram as taças e beberam com satisfação. Maria Eugênia sorria para encobrir a contrariedade. Ela não estava feliz. Mas não se atrevia a mostrar seus verdadeiros sentimentos.

Depois, Célia pegou o bebê e aproximou-se de Maria Eugênia.

— Ele deve estar molhado. Você precisa trocar a fralda.

— Eu? Não sei como fazer isso.

— Vou ensinar-lhe.

Colocou o bebê sobre a cama e disse:

— Venha. Veja como eu faço.

Ela trocou a fralda, depois pediu:

— Agora é sua vez.

— Não é preciso. Você já o trocou.

— Fiz para mostrar. Quero ver se aprendeu.

— Não preciso fazer isso. Vamos ter uma babá.

Adele aproximou-se:

— Você é a mãe. Terá que fazer isso, pelo menos enquanto estiver aqui. Quando voltarmos para casa, terá a babá.

Adele falara com firmeza e Maria Eugênia achou melhor obedecer. Sabia por experiência própria que, quando Adele queria uma coisa, não desistia até que ela a atendesse.

Com mãos trêmulas, trocou a fralda. O menino começou a chorar. Ela olhou assustada para as duas.

— Todo bebê saudável chora muito. É a única forma de expressão que ele tem para reclamar quando algo o incomoda — disse Adele.

— Ele deve estar com fome — tornou Célia. — Trouxe uma mamadeira pronta. Acho que ainda está quente. Pegue-o e sente-se na poltrona.

O menino chorava forte. Maria Eugênia tomou-o nos braços e fez o que lhe pediam. Célia colocou a mamadeira na boca do menino, que imediatamente começou a mamar.

— Segure assim, meio inclinada — explicou Célia.

Maria Eugênia obedeceu, satisfeita por ele ter parado de chorar.

Henrique, em um canto do quarto, observava contente. Pela primeira vez sentiu prazer por terem aceitado o plano de Adele. Era mais um dos muitos favores que devia a ela.

Enquanto isso, Célia mostrava a Adele o roteiro que havia feito para Maria Eugênia.

— Acho que ele não quer mais — disse Maria Eugênia. — Eu coloco na boca e ele não suga.

Célia aproximou-se:

— Ele mamou bem. Agora segure-o em pé, de encontro ao peito. Ele tem que arrotar.

Maria Eugênia estava enjoada. Não sabia se era o cheiro do leite ou o nervosismo por ter de cuidar do bebê. Felizmente, ele arrotou logo e ela pôde colocá-lo no berço, o que fez aliviada.

— E então? Como está se sentindo? — indagou Célia, sorrindo.

— Apavorada. Espero que você não me deixe sozinha com ele enquanto estivermos aqui.

— Estarei por perto, mas é você quem terá que cuidar dele. Você sempre quis muito ter um filho. Agora tem.

Maria Eugênia não respondeu. Ela queria ter um filho, sim, mas que fosse seu. Aquele era um estranho, filho de uma mulher desconhecida. Suportar sua presença, cuidar dele, seria um sacrifício que teria de aguentar pelo resto da vida.

***

No dia seguinte, tudo saiu conforme previam. Ninguém desconfiou de nada. Três dias depois, Adele mandou preparar tudo para voltarem à cidade. Na véspera da partida, foi ter com Marina, que, conforme o combinado, preparava-se para ir embora.

Adele levou-lhe o comprovante do depósito correspondente a um milhão de dólares que depositara no banco em nome dela.

— Obrigada por ter aceitado meu pedido. Sempre lhe serei grata. Mas nosso relacionamento termina aqui. Vamos esquecer tudo, fazer de conta que nunca nos encontramos.

— Entendo. Fique tranqüila. Cumprirei o combinado.

— Deixei todas as instruções com Célia. Amanhã, vamos partir antes das sete. Quanto a você, assim que estiver em condições de dirigir, pode voltar a São Paulo. O que pensa fazer?

— Primeiro vou ver minha mãe e meu irmão, contar-lhes meus projetos.

— Desejo-lhe toda a felicidade do mundo.

— Obrigada. Quero que saiba que estou muito grata pela forma como você cuidou de um assunto tão delicado. Apesar de tudo, em nenhum momento me senti desconfortável. Ao contrário. Célia é uma mulher maravilhosa. Se eu pudesse, viveria minha vida ao lado dela. Durante minha estada aqui, aprendi muito. Conheci Isaura, uma mulher maravilhosa, que me ensinou a ser melhor. Sinto ter de ir embora sem poder me despedir dela. Mas reconheço que é preciso. Além de tudo isso, aproveitei sua biblioteca, estudei muito, o que vai me ajudar na carreira profissional.

Adele abraçou-a com carinho.

— Adeus, Marina. Cuidarei do nosso menino com todo o amor. Faremos dele um homem de bem e muito feliz. Sei que vai conseguir tudo o que pretende. Você é uma mulher inteligente, forte, capaz.

— Adeus, Adele. Obrigada por tudo.

Depois que ela saiu, Marina sentou-se pensativa. Estava livre para voltar e cuidar de sua vida. Sentia-se bem, tinha certeza de que seu filho estava em boas mãos.

Foi para o quarto, olhou em volta e, recordando o dia em que chegara lá, sorriu. Sentia-se outra pessoa, havia amadurecido, aprendido.

Foi ao quarto de Célia. Ela ainda não havia chegado da fazenda. Sobre uma cadeira, avistou um casaquinho de lã que o bebê usara no dia em que nasceu. Em um gesto rápido, apanhou-o, foi para seu quarto e guardou-o em sua mala, embaixo de tudo.

Emocionada, ela pensou que pelo menos teria essa lembrança do pequenino ser que ajudara a vir ao mundo, mas que não podia ser seu.

8

Estava anoitecendo quando Adele, Henrique e Maria Eugênia carregando o menino chegaram à casa do casal. Henrique ajudou a esposa a descer enquanto Adele foi entrando.

O mordomo esperava no *hall* com uma mulher aparentando uns trinta anos, alta, magra, cabelos castanhos presos por um coque na nuca, vestida de branco.

Adele cumprimentou-os e determinou:

— Ariovaldo, apanhe as malas.

Vendo que Maria Eugênia estava entrando com o bebê, designando a moça disse:

— Esta é Elvira, a babá.

Ela aproximou-se:

— Muito prazer, senhora.

— Obrigada, Elvira.

— Leve-o e cuide dele.

Elvira segurou o bebê e perguntou:

— A que horas ele mamou?

— Quando saímos da fazenda — informou Maria Eugênia.

Adele interveio:

— Faz mais de duas horas. Na maleta dele você vai encontrar o leite que está tomando e a forma de preparar.

— Sim, senhora.

Ela levou o menino e Maria Eugênia disse aliviada:

— Vou descansar um pouco. Esta noite não dormi nada. Ele chorou várias vezes e eu fiquei preocupada.

— Vamos conversar no seu quarto — sugeriu Adele. — Temos algumas coisas para definir.

Voltando-se para o mordomo, que passava carregando algumas malas, Adele pediu:

— Diga a Henrique que o estamos esperando no quarto.

Pouco depois, Henrique foi ter com elas.

— Nós pensamos em vários nomes; temos de decidir. Amanhã você, Henrique, terá que registrá-lo.

— Eu pensei em Dionísio. Era o nome de meu avô. O que acham?

— Para mim está bem — respondeu Maria Eugênia.

— É um lindo nome.

— Então está escolhido. Irei amanhã cedo.

Adele aproximou-se de Maria Eugênia e disse com firmeza:

— Até agora tudo tem dado certo. Não preciso recomendar o que você como mãe precisa fazer.

— Eu não sou mãe e não sei o que uma mãe faz — disse ela, nervosa.

— Você não era, mas agora é. Esse filho é seu. Está sob sua responsabilidade. Precisa de seus cuidados, seu carinho, seu amor. É isso que uma mãe dá — tornou Adele. — Escolhi Elvira com cuidado. É uma excelente pessoa e uma babá gabaritada. Saberá cuidar muito bem do menino. Mas não quero que por causa disso você o deixe exclusivamente com ela. Quero que ele fique com você algumas horas por dia. Ele precisa sentir o amor dos pais.

— Ele é muito pequeno. Por enquanto não sabe de nada.

— Engano seu, minha filha. Os médicos dizem que eles sentem as emoções quando ainda estão no ventre materno. Sentem-se rejeitados quando os pais não os amam, o que poderá causar traumas que os acompanharão pelo resto da vida. Desejo que meu neto seja um menino feliz, que tenha saúde física e mental. Exijo que você se esforce por dar-lhe todo o amor. Afinal, ele está lhe dando a chance de ser mãe. Seja grata por isso e faça a sua parte.

Maria Eugênia procurou encobrir a contrariedade. Além de

tolerar a presença daquele intruso, ainda teria de fingir um amor que não sentia. Baixou a cabeça e disse:

— Farei o que puder.

Henrique aproximou-se dela, abraçou-a e beijou-a delicadamente na face.

— Esqueça como essa criança veio ao mundo. Você agora é sua verdadeira mãe. Tenho certeza de que aquele ser tão pequeno, tão carente de amor, despertará esse sentimento em seu coração.

— Eu tenho que ir — tornou Adele. — Quero descansar. Amanhã teremos que comunicar o nascimento de Dionísio aos parentes e amigos e fazer as comemorações de praxe.

***

Nesse tempo, Marina, dirigindo o próprio carro, levando os presentes que Adele comprara, chegava à casa da mãe em Sorocaba. Estava escurecendo, e, assim que parou o carro, viu Cícero no portão olhando curioso.

Seu coração bateu mais forte, antegozando a alegria da volta e o prazer de poder dizer-lhes que nunca mais iriam se separar.

Ela desceu do carro e Cícero correu em sua direção, estendendo os braços. Marina apertou-o de encontro ao peito, beijando-o na face.

— Você veio mesmo! — exclamou ele, eufórico. — Quando mamãe disse, não acreditei. Estava morrendo de saudade.

— Eu também. Deixe-me ver você.

Afastou-o um pouco e continuou:

— Como mudou! Está mais alto do que eu.

— Já completei quinze anos.

— É um homem, e continua lindo como sempre.

Cícero sorriu orgulhoso.

— Pareço com você.

De fato, os mesmos olhos verdes, a pele morena e os cabelos castanhos dourados.

— Você alugou um carro?

— Não. Comprei.

— Puxa! Deve ter ganhado muito dinheiro!

— Um pouco. Ajude-me com as malas.

Cícero tocou a campainha e logo Ofélia apareceu na varanda. Vendo-os, correu a abraçar a filha. Cícero não se conteve:

— Mãe, ela comprou esse carro. Veja que lindo!

— Você está bem? — indagou Ofélia assim que conseguiu dominar a emoção. — Você, tão longe! Fiquei muito preocupada. Ainda bem que voltou.

— Senti muita saudade — disse Marina. — Mas foi preciso, para conseguir o que queria. Temos muito o que conversar. Vamos entrar.

— Podem ir, eu levo tudo para dentro — disse Cícero.

Elas entraram abraçadas. Marina olhou em volta e, depois de haver morado em uma das casas de Adele, achou a pequena sala menor e bem mais pobre. Como sempre, tudo estava rigorosamente limpo, havia flores no vaso, mas ela sentiu-se feliz por poder oferecer a eles uma vida mais confortável e melhor.

Uma vez na sala, Ofélia perguntou:

— E então? Gostou de viver na Inglaterra?

Marina preferia não falar sobre isso, mas a curiosidade de Ofélia era natural e ela teve de responder. Descreveu um pouco a cidade, os costumes e finalizou:

— É tudo muito lindo, mas eu não via a hora de regressar. Prefiro morar no Brasil.

— E você acha que valeu a pena ficar tanto tempo longe?

— Muito. De agora em diante, vamos morar todos juntos em São Paulo.

— Lá a vida é muito cara. Acha que vai dar para tudo isso?

— Acho. Vou montar minha firma e você não precisará mais costurar para fora. Quero que Cícero continue os estudos.

— Ele acabou o ensino fundamental II no ano passado, mas não pude matriculá-lo no ensino médio. Não conseguimos vaga e eu não tinha dinheiro para uma escola particular.

— Não faz mal. Estamos no começo do ano. Chegando em São Paulo, cuidarei disso.

— Você deve estar com fome. Vou ver o jantar.

— Não precisa. Vamos fazer um lanche; comprei algumas coisas no caminho. Vamos abrir as malas. Eu trouxe algumas lembranças para vocês.

Cícero colocara as malas sobre o sofá e aproximou-se contente:

— Eu sabia que não ia se esquecer de mim.

Marina separou os pacotes, distribuindo-os com alegria. Adele não havia economizado. Comprara vários presentes para cada um, baseando-se nas informações que ela lhe fornecera.

Foi um sucesso. Havia roupas, jogos para Cícero, novidades para a cozinha que entusiasmaram Ofélia, tudo com muito bom gosto.

— Você deve ter gastado uma fortuna — comentou Ofélia, preocupada.

— Nem tanto. Eu ganhei muito bem. Estou feliz de que tenham gostado.

— Sinta este perfume, Marina! Que delícia! Vou ficar com pena de usar.

— Nada disso! Vai usar tudo e muito mais. Faço questão de que vivam bem, com conforto. Nesse tempo, aprendi que a beleza é muito importante em nossas vidas. Lá, vivi em uma casa linda, cheia de coisas bonitas, e isso me fez muito bem. A beleza toca nossa alma e nos faz desejar ser melhores.

Ofélia olhava-a admirada.

— Você voltou diferente.

— Sim. Hoje sou outra pessoa. Sei o que quero da vida. Mas sei também como conseguir o que desejo. Amanhã mesmo vamos providenciar nossa mudança para São Paulo.

— Assim? Não seria melhor você primeiro se estabelecer lá, ver se dá certo, para depois nós irmos ter com você?

— Nada disso. Iremos o quanto antes. É só o tempo de entregarmos esta casa e darmos um destino aos móveis.

— Não vamos levar nossas coisas?

— Só os objetos de uso pessoal e as lembranças de família.

Cícero esfregava as mãos contente:

— Oba! Sempre desejei morar na capital.

— Continuo achando que é melhor você ir primeiro. Onde vamos ficar até você arranjar uma casa?

— Em um hotel, claro.

— Eu nunca fiquei em hotel — comentou Cícero.

— Você vai gostar. Não se preocupe, mãe. Já fiz as reservas para depois de amanhã.

— Assim tão depressa? Acha que vai dar tempo para arrumarmos tudo?

— Vai, sim. Só temos que conversar com *seu* Joel e entregar a chave. Pelo que sei, você não tem contrato de aluguel.

— Nunca foi preciso isso. Sempre fui de palavra. Nunca atrasei o aluguel.

— Vamos comer e depois iremos à casa dele conversar.

— Está bem. Vou à cozinha fazer o café.

Marina pegou as duas sacolas de comida e disse:

— Venha, Cícero, vamos arrumar a mesa.

Os olhos ágeis de Cícero brilhavam de prazer a cada pacote que abriam e colocavam sobre a mesa. Marina sorria feliz. Fora para proporcionar a eles uma vida melhor que ela aceitara a proposta de Adele.

Não se preocupava com o futuro. Durante os meses que ficara reclusa na fazenda, tivera tempo de planejar passo a passo o que faria.

Assim que chegassem a São Paulo, procuraria uma casa confortável para alugar e compraria o indispensável para se instalarem. Depois, abriria sua firma de advocacia, alugaria um local apropriado, montaria seu escritório.

Tinha de ser um lugar bonito, aconchegante. Contrataria uma secretária e se dedicaria inteiramente ao trabalho. Conhecia alguns empresários importantes com os quais fizera contato quando trabalhava para o dr. Olavo.

Iria visitá-los, apresentar sua empresa e colocar-se à disposição deles. Tinha certeza de que seria bem-sucedida. Era apenas questão de tempo.

Depois do lanche, foram conversar com o dono da casa, que era mais amigo da família do que senhorio. Apesar de sentir a perda dos amigos, ficou feliz em saber que eles estavam melhorando de vida.

Quando Marina disse que entregariam a chave no dia seguinte, ele comentou:

— Tão depressa? Você acabou de chegar. Por que não fica mais alguns dias? Nossa cidade progrediu muito.

— Eu sei, *seu* Joel, mas acontece que estive fora do país quase um ano e desejo começar a trabalhar logo.

— Já tratou o caminhão para a mudança? Meu sobrinho Juca tem caminhão e é bom nisso.

— Não vamos levar os móveis — disse Ofélia.

— Não?

— Não — confirmou Marina. — Eu tenho tudo em São Paulo. Vamos deixar na casa. Se o senhor não quiser ficar com eles, pode dar a quem precisar.

— É muita generosidade. Obrigado.

Tudo combinado, na tarde do dia seguinte, já com as malas no carro, eles entregaram as chaves e se despediram.

Cícero estava radiante, Ofélia um pouco assustada. Ela nunca havia ido a São Paulo. Marina sorria observando seu ar preocupado, que ela se esforçava para não mostrar.

No momento de entrar no carro, Marina segurou o braço dela e, olhando firme em seus olhos, disse com voz segura:

— Tudo vai dar certo, mãe. Não se preocupe. Estamos virando uma página de nossas vidas. Alegre-se. Vamos ser muito felizes.

A firmeza de Marina, sua coragem, sempre impressionaram Ofélia. Era uma vencedora. Conseguira formar-se, ir ao exterior, construir uma carreira. Certamente, sabia o que estava fazendo.

Ofélia sorriu e respondeu:

— Eu sei, filha. Só o fato de podermos viver todos juntos já é uma felicidade. Vamos embora.

— Sim, mãe. Vamos embora sem olhar para trás. Nossa vida está começando hoje.

Todos acomodados, Marina deu partida no carro. Naquele momento, o passado ficara para trás.

***

Assim que se instalaram no hotel, Marina pediu o jornal e começou a procurar uma casa para morar. Ofélia não queria ir para um apartamento. Gostava de ter quintal, plantar. Marina concordou. Queria que ela se ambientasse logo e, principalmente, se sentisse feliz.

Uma semana depois, haviam alugado um sobrado na Vila

Mariana. Era uma boa casa, com três quartos, dois banheiros em cima, duas salas, cozinha, garagem e pequeno quintal.

Para Ofélia e Cícero, parecia um palácio. Marina desejava coisa melhor, mas pensava que seria por pouco tempo. Assim que estivesse ganhando bem, pretendia comprar uma boa casa. Aí, sim, faria tudo a seu gosto.

Depois foram fazer compras. Marina escolhia tudo de boa qualidade; Ofélia mostrava-se preocupada. Em poucos dias a casa estava mobiliada com o indispensável para que pudessem se mudar.

Assim que se instalaram na casa, Marina preparou a documentação para abrir seu escritório de advocacia. Em menos de um mês, ela havia alugado três salas em um prédio no centro da cidade, matriculado Cícero em um bom colégio e estava cuidando da decoração de seu escritório.

Enquanto esperava a documentação para começar a trabalhar, Marina fez uma lista de empresas com as quais havia tido contato quando trabalhava para o dr. Olavo e agendou visitas com os diretores para apresentar sua firma e colocar-se à disposição deles. Foi muito bem recebida pela maioria deles, que se lembravam de como ela era eficiente e capaz.

Apresentava-se elegantemente vestida, mostrando segurança e firmeza. Ela notava os olhares de admiração que despertava, tinha consciência de que estava mais bonita e mais bem preparada.

Havia ido ao banco onde Adele depositara o dinheiro em seu nome. Deixara uma parte para as primeiras despesas e aplicara o restante.

Quando tudo ficou pronto, ela contratou uma recepcionista e um rapaz para os serviços de rua.

Já no segundo dia o telefone começou a tocar e os primeiros contratos começaram a ser estudados.

Marina dedicou-se inteiramente ao trabalho. Dois meses depois, ela já precisou contratar uma secretária.

Marina sentia-se feliz. Sua mãe havia se ambientado à nova vida. A princípio não queria que se contratasse uma pessoa para os serviços domésticos.

— Não é preciso. Eu posso dar conta de tudo.

— Eu sei, mas quero que tenha seu tempo livre para cuidar de outras coisas.

— Você não me deixou trazer a máquina de costura. Sou uma pessoa ativa. Não posso ficar sem fazer nada.

— Você terá que tomar conta da casa. Quero que ensine a Rosa a fazer as coisas do jeito que só você sabe fazer. Vou estar muito ocupada e você terá que fazer as compras da casa.

— Claro. Pode ter certeza de que aproveitarei cada centavo. Eu quero cozinhar. Não vou permitir que outra pessoa cuide da alimentação dos meus filhos.

— Se quer assim, faça. Mas eu gostaria que você arranjasse algumas amigas, que fosse passear. Há muitas coisas bonitas para conhecer nesta cidade.

Quando Marina contratou Rosa para trabalhar na casa, colocou como condição principal a dedicação a Ofélia. Depois de enumerar as condições de trabalho, finalizou:

— Trate de agradar mamãe. Ela sempre viveu no interior. Quero que ela se acostume e seja feliz aqui.

— Fique tranqüila, d. Marina. Sei como fazer isso.

Rosa era uma mulata, tinha vinte e cinco anos, olhos vivos, sorriso farto, peitos generosos e corpo bem-feito.

— Se você souber mesmo, não vai se arrepender. Sei ser generosa quando a pessoa merece.

— Pode deixar. Comigo d. Ofélia nunca vai ficar triste.

De fato, Rosa tinha um jeito especial de lidar com Ofélia. Notou logo que ela se ressentia por Marina ter escolhido outra pessoa para trabalhar na casa. Por esse motivo, desde o início procurava fazer as coisas do jeito que Ofélia gostava.

Muito bem-disposta, sempre alegre, em pouco tempo conquistou a boa vontade de Ofélia e a amizade de Cícero, contando-lhes os costumes da cidade, falando sobre os lugares mais bonitos, oferecendo-se para acompanhá-los quando desejassem passear.

Ia às compras com Ofélia na feira, no supermercado, sempre com disposição e alegria, auxiliando-a com presteza.

Marina tinha motivos para sentir-se feliz. Os primeiros clientes estavam aparecendo, o dinheiro começou a entrar e ela confiava que conseguiria tudo quanto havia planejado.

Em meio a tantas ocupações, ela havia quase se esquecido de

seu negócio com Adele. Até que uma tarde, sentada no escritório, abriu uma revista e seu coração disparou.

Lá estava uma foto de Adele, Maria Eugênia e Henrique, este carregando o filho nos braços. Seus olhos ávidos e curiosos fixaram-se no menino. Reconheceu que ele era lindo. Devia estar com seis meses. Ela não se cansava de olhá-lo. Havia outras fotos de Maria Eugênia e Henrique. Estava vendo-os pela primeira vez.

Sentiu uma sensação diferente. Ele estivera em sua cama, haviam se encontrado intimamente. Mas ele era um estranho. Recordou-se das emoções que sentira naqueles momentos.

Sentia as pernas bambas e as mãos trêmulas. Levantou-se e tomou um copo d'água. Precisava reagir. Aquelas pessoas haviam passado em sua vida, mas estavam distantes para sempre. Não podia entregar-se à emoção daquela forma.

Fora apenas um negócio, um contrato que fora bom para ambas as partes. Ela estava feliz, havia conseguido o que queria. Eles também. Precisava encarar a situação como sempre fizera: com serenidade e calma.

Precisava preparar-se. Moravam na mesma cidade. Poderia acontecer de se encontrarem em algum momento em algum lugar. Se acontecesse, não poderia demonstrar nenhuma emoção. Oficialmente, eram pessoas desconhecidas que nunca haviam feito parte de sua vida.

A esse pensamento, Marina sentiu-se um pouco triste. Admirava Adele, gostaria de continuar tendo contato com ela. Mas era impossível. Apesar do laço profundo que as unia na pessoa daquela criança, era esse mesmo laço que as havia separado para sempre.

Olhou o relógio. Eram cinco horas. Havia ainda um processo que precisava ler, mas não estava com disposição e deixou para o dia seguinte. Decidiu encerrar o expediente, sair, andar um pouco.

Apanhou a bolsa, deu algumas recomendações à secretária e saiu. Uma vez na rua, foi caminhando, olhando as vitrines, procurando distrair-se. Ao passar por uma livraria, decidiu entrar.

Nos últimos tempos, lera quase que exclusivamente livros sobre sua profissão. Seria bom procurar uma leitura mais agradável.

Separou dois livros que lhe pareceram bons. Folheou-os indecisa.

— Pode levar esse. É muito bom.

Ela voltou-se e viu um rapaz alto, moreno, forte, bem vestido, que a olhava sorrindo levemente.

— Você já leu?

— Li os dois, porém gostei mais deste aqui. Apesar de ser um livro leve, sem grandes pretensões, é verdadeiro e toca nosso espírito.

— Você é da loja?

Ele sorriu, exibindo dentes alvos e bem distribuídos.

— Não. Sou apenas um leitor assíduo. Ler é meu passatempo predileto. Vim buscar dois livros que havia encomendado.

— Ah! Nesse caso, vou levá-lo.

Marina segurou o livro e foi até o caixa. Estava pagando quando viu o mesmo rapaz atrás dela. Foi apanhar o pacote e logo ele também estava a seu lado.

— Que livros você comprou? — indagou ela, notando que o pacote dele era volumoso.

— Livros da minha área profissional. Sou médico. Permita que me apresente.

Em seguida, tirou um cartão do bolso e entregou-o a Marina, que o apanhou e leu:

Dr. Rafael Vilardi – psiquiatra

— Escolheu uma profissão difícil — disse ela, sorrindo. — Meu nome é Marina Siqueira, advogada.

— Muito prazer. Aceitaria tomar um café comigo?

Marina havia apanhado o pacote. Fixou o olhar no rosto dele e pensou: "Por que não?".

Fazia tempo que não tinha com quem conversar. Um homem bonito, inteligente, era justamente do que precisava para distrair-se. Sorriu e respondeu:

— Está bem.

Saíram juntos da livraria e foram conversando enquanto caminhavam. Pararam em uma casa de chá e ele disse:

— Eu gosto daqui. Está bom para você?

— Está.

Entraram, sentaram-se e a princípio falaram sobre suas profissões, comparando os pontos que julgavam semelhantes. Ele discorria com facilidade, sua voz era agradável, e Marina sentiu-se à vontade.

Ela contou que morava havia pouco tempo na cidade, abrira seu escritório e trouxera a mãe e o irmão para viver com ela.

— Você é uma mulher batalhadora, corajosa, que sabe o que quer. Não tenho encontrado muitas assim.

— Não sou conformada, vou atrás do que desejo. Meu pai nos deixou e minha mãe lutou muito para nos criar. Vendo o esforço dela, prometi a mim mesma estudar, progredir, dar a ela e ao meu irmão uma vida melhor. Estou conseguindo.

— A maioria das moças coloca no casamento todas as suas esperanças. Realizar um sonho de amor é tudo o que desejam. Você nunca pensou nisso?

— Não. Casamento nunca esteve em minhas cogitações.

— Você é muito bonita. Não deve ter sido fácil conseguir isso. Como fez para espantar os pretendentes?

— Simplesmente não namorando.

Ele a olhou incrédulo.

— Quer dizer que nunca namorou?

— Nunca. Saí com alguns rapazes, fiz algumas tentativas, mas eles logo queriam tomar posse de mim, mandar em minha vida, e eu tinha outros planos.

Ele olhou-a nos olhos e perguntou:

— Você não gosta de homens?

Marina corou e respondeu:

— Não sou homossexual, se é o que quer saber.

— Desculpe, não quis ser intrometido. É difícil acreditar que uma mulher bonita, jovem, como você, não pense em se casar, ter filhos. Mesmo sendo uma pessoa mais lúcida, a função da mulher é essa.

— Eu nunca me apaixonei. Talvez seja por isso.

— Enfrentará o casamento se um dia se apaixonar?

Marina riu:

— Talvez. Depende. Mas até agora falamos de mim. Seria bom falarmos de você.

— Não há muita coisa a dizer. Meus pais moram no Rio de Janeiro, tenho uma irmã casada que também vive lá, dois sobrinhos lindos. Vivo em São Paulo há muitos anos. Vim para cursar medicina. Depois de formado, fiz especialização nos Estados Unidos. Quando terminei, trabalhei lá durante três anos. Senti saudade do Brasil e voltei, resolvi morar em São Paulo.

— Não quis viver no Rio?

— Não. Deixei aqui alguns amigos do tempo de estudante. Adoro esta cidade. Comprei um apartamento, montei meu consultório aqui. Quando a saudade bate, vou visitar a família.

— Quanto a casamento...

— Escapei tanto quanto você, e posso garantir que não tem sido fácil. Quando elas cismam com alguém, não desistem, querem casar de qualquer jeito. Para ser sincero, essa idéia não me entusiasma. É difícil viver junto com a cabeça que a maioria das pessoas tem. Dá trabalho antes, durante... E depois da separação fica pior.

Marina riu gostosamente.

— Se você pensa assim, nós podemos ser amigos. Não corremos nenhum risco.

Ela estendeu a mão, que ele apertou contente.

— Encontrar uma mulher como você merece uma comemoração.

— Por que diz isso?

— Gostaria de ter amizade com você. Também não gosto de correr riscos. Aceitaria jantar comigo uma noite destas?

Ela riu bem-humorada:

— Talvez. Estou precisando fazer amigos.

Marina consultou o relógio e continuou:

— Está na hora de ir embora.

— Quer que a leve em casa?

— Não é preciso. Meu carro está no estacionamento perto daqui.

Ela levantou-se. Ele também.

— Tive prazer em conhecê-lo. Obrigada pelo café.

— O prazer foi meu. Não vai dar seu telefone?

Ela apanhou um cartão e entregou-o a ele. Depois do aperto de mão, Marina foi embora.

Rafael sentou-se novamente, apanhou o cartão que ela lhe dera e olhou-o pensativo.

Era uma mulher inteligente, bonita, agradável e de cabeça

boa. Seria interessante conhecê-la melhor, saber se ela era mesmo tudo isso.

Acreditava que as mulheres gostam de representar papéis, fantasiar, manipular, para conseguir o que pretendem. Talvez aparentar desinteresse fosse apenas uma tática inteligente para conseguir agarrar um marido. Em sua experiência, já havia visto tudo isso e muito mais.

Ela o olhava nos olhos enquanto falava, e isso revelava sinceridade. Mas ele precisava descobrir se não havia alguma intenção por trás disso.

Rafael era um profundo estudioso do comportamento humano. Gostava de questionar, olhar todos os lados de uma situação, entender o que motivava as pessoas a escolher esta ou aquela atitude.

Marina seria um bom elemento para seus estudos. Não conhecia outras com esse aparente bom senso. Guardou o cartão no bolso, planejando ligar para ela nos próximos dias.

9

Marina chegou em casa um pouco mais tarde do que de costume. O trabalho no escritório estava crescendo. Ela havia contratado uma estagiária, além da secretária. Advogara para dois clientes importantes, conseguira acordos vantajosos, e isso lhe trouxera novos clientes.

Ao entrar em casa, notou um ambiente festivo. Havia flores na mesa de jantar, que fora arrumada com capricho. Um cheiro gostoso vinha da cozinha, e ela foi ver o que era.

— Hum! Que cheiro bom! Estou vendo que o jantar vai ser caprichado.

Ofélia sorriu enquanto mexia uma panela e respondeu:

— Hoje faz seis meses que viemos para São Paulo. Temos que comemorar.

— Notei o capricho da mesa. Foi você quem arrumou tudo?

— Claro. Faz um mês que estou fazendo aquele curso.

— Pelo que vi, você está aproveitando muito. O arranjo de flores também foi você?

— Foi. Gostou?

— Está lindo. Cícero já chegou?

— Já. Está no quarto.

— Tenho tido tanto trabalho que não tem sido possível dar a ele a atenção necessária. Como está indo nos estudos?

— Bem. Ele é estudioso, você sabe. O jantar está pronto. Posso servir?

— Vou subir, lavar-me um pouco e em cinco minutos estarei descendo.

— Avise Cícero.

Marina assentiu com a cabeça e foi para o quarto. Calçou um chinelo macio, lavou-se. Ao descer, passou pèlo quarto do irmão e bateu.

— Cícero, o jantar está pronto.

— Não quero jantar. Não estou com fome.

Marina estranhou. Ele tinha bom apetite. Era sempre o primeiro a sentar-se para comer. Estaria doente?

Abriu a porta e entrou. A luz estava apagada e Marina a acendeu.

— Não acenda — protestou ele. — Estou com dor de cabeça.

Ela aproximou-se, colocou a mão em sua testa. Não estava quente.

— Febre você não tem. Vou pedir à mamãe um remédio para sua dor de cabeça.

— Não precisa. Vou ficar no escuro descansando e logo vai passar.

— Mamãe fez um jantar especial para comemorar nossa vinda para cá. Ela vai ficar triste se você não descer.

— Não quero que ela fique triste.

— Então vamos lá para baixo. Talvez comendo um pouco você melhore.

— Está bem. Pode ir. Vou lavar o rosto e descer.

Marina desceu e comentou com Ofélia:

— Cícero não quer jantar. Está com dor de cabeça.

— De novo?

— Como assim?

— Nos últimos dias ele não tem estado bem. Chega da escola, fecha-se no quarto, não conversa e, quando pergunto, diz que está com dor de cabeça.

— Nesse caso, vou marcar uma consulta médica.

— Faça isso. Mas eu acho que ele está com algum problema e não quer me contar. Converse com Cícero; talvez ele se abra com você.

Pouco depois, o rapaz desceu e juntou-se a elas na mesa para jantar. Marina notou que ele estava pálido e com olheiras, mas não disse nada.

A comida estava gostosa e o jantar decorreu alegre. Cícero comeu tudo que a mãe colocou em seu prato. Mas, imediatamente após a sobremesa, ele foi novamente para o quarto.

Pouco depois, Marina fez ligeiro sinal para a mãe e foi ter com ele. Encontrou-o deitado no escuro. Ela entrou e não acendeu a luz. Sentou-se do lado da cama, alisou a cabeça dele e indagou:

— Então? Melhorou sua dor de cabeça?

— Ainda não.

Marina continuou acariciando a cabeça dele em silêncio por alguns instantes. Depois debruçou-se sobre ele e beijou-o na testa.

— Eu adoro você. O que mais quero é que seja feliz. Sinto que você não está bem. Aconteceu alguma coisa?

Ele rompeu em soluços e Marina continuou alisando seus cabelos com carinho, esperando que a crise passasse. Quando ele se acalmou, ela perguntou:

— Então, não vai me contar o que o está afligindo? Não confia em mim?

— É que você e a mãe fazem tudo para me ver feliz, mas eu não estou correspondendo.

— Não diga isso.

— Estou indo mal no colégio e você paga um dinheirão para eu estudar. É que aqui tudo é diferente do interior.

— É natural que estranhe a mudança.

— Não gosto daquela escola. Queria voltar para o interior.

— Você acha que aqui o ensino é mais puxado?

— Acho. Eles não explicam bem as matérias. Falam de um modo diferente. Não gosto deles, e dos colegas muito menos.

— Como assim?

— Eles ficam caçoando de mim, imitando minha maneira de falar. Não quero mais ir a essa escola.

— Você sempre foi corajoso. Não vai fugir agora. Vai ficar e enfrentar a situação.

— Mas as meninas riem de mim quando eu falo.

— É o sotaque do interior. Eu, quando vim estudar em São Paulo, passei pela mesma coisa.

Cícero sentou-se na cama:

— Você não fala como eu e mamãe.

— Porque eu aprendi a falar igual às pessoas daqui. É o que você vai fazer.

— Eu não sei como. Eu falo sem perceber. Os colegas, quando chegam perto de mim, imitam meu modo de falar e dão risada.

— E as notas, como estão?

— Baixas. É que não entendo o que alguns professores falam.

— Fui informada de que essa escola é muito boa. Mas penso que o currículo deles é mais adiantado que o da escola em que você estava. Por que não me contou isso antes?

— Depois de tudo que você fez por mim, das roupas que me deu, da casa, tudo, tive vergonha de não corresponder ao que você esperava de mim.

Marina alisou novamente a cabeça dele e respondeu:

— Eu espero que seja feliz. Apenas isso. E, sempre que você não estiver gostando de alguma coisa, quero saber. Seja sincero, fale comigo, conte o que o está incomodando. Juntos vamos resolver a situação.

— É que não sei se vou conseguir passar de ano.

— Não se preocupe com isso. Se não passar, fará tudo de novo. Você mudou de vida e está se adaptando ao novo momento. O que não pode é desanimar.

— Talvez fosse melhor mudar de escola.

— Nada disso. Você vai enfrentar seus colegas, os professores, dar a volta por cima. Vou ajudá-lo a fazer isso.

— Como?

— Vou contratar um professor particular para ajudá-lo nos estudos e vencer esse sotaque.

— Tem certeza de que vai dar certo?

— Tenho. Amanhã irei com você ao colégio informar-me sobre o currículo e os livros utilizados no curso. Com um bom professor, você em pouco tempo terá vencido essa batalha. É inteligente, forte, capaz.

— Você acha mesmo?

— Tenho certeza. Agora, levante-se dessa cama e vamos descer e ver televisão com a mamãe. Há um filme bom que vai passar esta noite.

Marina acendeu a luz e Cícero saltou da cama. Seu rosto estava mais corado e os olhos brilhantes. Abraçados, desceram até a sala.

Na tarde seguinte, Marina foi ao colégio de Cícero conversar com a diretora. Ficou sabendo que ele não estava indo bem nos estudos, não conseguia acompanhar as matérias e, diante das notas que ele trouxera da escola anterior, a diretora acreditava que a escola que ele cursara era muito fraca.

Marina explicou que seu irmão estava tendo dificuldade de adaptação, inclusive por causa do seu sotaque, que era motivo de chacota dos colegas.

— Eles não fazem isso por mal. Gostam de brincar — justificou ela.

— Essas brincadeiras magoam, principalmente na idade em que Cícero está. Ele queria até deixar a escola.

— Se ele fizer isso nesta época do ano, vai repetir.

— Não vai, não. Meu irmão é um menino estudioso e inteligente. Vou procurar um professor particular para ajudá-lo nos estudos, mas gostaria que a senhora conscientizasse seus alunos de que devem respeitar o colega e não o desmoralizar, apenas porque tem um sotaque diferente. A meu ver, a escola tem o dever de educar seus alunos, ensinando-os a respeitar as diferenças de cada um.

— Vou conversar com os professores e ver o que poderemos fazer.

Marina agradeceu e saiu. Era intervalo de aula e no corredor ela encontrou Cícero conversando com uma senhora.

Vendo-a, ele chamou-a:

— Venha, Marina. Quero apresentar-lhe d. Rute, minha professora de português.

Marina cumprimentou-a e Cícero continuou:

— Dona Rute é a melhor professora que tenho. Quando estou de cabeça quente, ela conversa comigo e me acalma.

Rute era uma mulher de uns quarenta anos, alta, magra, olhos vivos e alegres, cabelos castanhos. Marina gostou dela.

— Ele tem lhe dado muito trabalho? — brincou.

A professora sorriu e respondeu:

— Não. Cícero é um bom menino.

— Ele está tendo problemas de adaptação. A mudança foi grande. Ele nunca havia saído do interior, está estranhando os costumes da cidade. Só agora descobri que o currículo desta escola é muito mais completo e adiantado que o da que ele cursava.

— De fato. Os cursos de nossa escola são puxados, o que é muito bom, porquanto os prepara melhor. Muitos dos nossos alunos, ao terminar o ensino médio, nem fazem cursinho: entram direto na universidade.

— Estou querendo contratar um professor particular para ajudá-lo. Mas não conheço nenhum. Estive trabalhando fora do país e faz seis meses que estamos em São Paulo. A senhora poderia indicar-me alguém?

— Eu sou viúva e tenho uma filha adolescente. Dou aulas particulares para ajudar nas despesas.

Cícero interveio:

— A senhora poderia fazer isso por mim?

— Se sua irmã quiser, farei com prazer.

— Claro que eu aceito.

— Que bom, d. Rute! Tenho certeza de que vou aprender mesmo.

Combinaram começar na manhã seguinte e Marina despediu-se contente. Notara que Cícero gostava daquela professora. Para ela, isso ajudaria muito sua recuperação.

Quinze dias depois, quando Marina chegou do escritório, Cícero já havia voltado da escola.

— E então? — indagou ela. — Como está indo?

— Melhor. Hoje tive uma aula de matemática e não entendi muito bem. Mas amanhã cedo d. Rute vai me explicar tudo direito.

— Só que você precisa prestar atenção na aula.

— Eu presto. Mas os outros professores falam depressa, não gostam de repetir nada, e tenho vergonha de perguntar o que não entendo. Outro dia, uma professora chamou um aluno de burro porque ele não entendeu o que ela ensinou. Aí os outros, quando saímos para o recreio, começaram a chamá-lo de burro, fazendo orelhas grandes e relinchando. Fiquei com pena dele.

— Uma professora não deveria chamar um aluno de burro. Ela está sendo paga para ensiná-lo. Se ele soubesse a lição, não precisaria dela.

— Dona Rute é diferente. Explica de novo, dá exemplos, faz a gente repetir o que entendeu. Às vezes conta um caso engraçado, e fica fácil guardar a lição.

— Ainda bem que você a contratou — interveio Ofélia. — É uma mulher muito especial.

— Pelo jeito, já conquistou você também.

— É verdade. Às vezes, depois da aula, conversamos um pouco. Ela perdeu o marido em um acidente quando a filha tinha dois anos. Eles se amavam muito. Você precisa ver como os olhos dela brilham quando fala nele.

— De certa forma, você também passou por isso. Criou os filhos sozinha.

— É diferente. O marido dela morreu; o meu me abandonou. Ela pode pensar nele com amor; eu, não.

— Você ainda se lembra dele?

— De vez em quando. Mas, quando acontece, não sinto saudade e sim raiva, revolta.

— Você precisa esquecer. O que passou, passou.

O telefone tocou e Rosa atendeu. Depois chamou Marina:

— É para você.

— Quem é?

— Um tal de dr. Rafael Vilardi.

Marina atendeu imediatamente.

— Como vai, Marina? Lembra-se de mim?

— Claro! Vou bem. E você, como tem passado?

— Bem. Quer jantar comigo esta noite?

— Acabei de chegar do escritório. Tive um dia complicado.

— Eu também. É mais uma razão para nos darmos ao luxo de jantar juntos, tomar um bom vinho, jogar conversa fora. Que tal?

Marina pensou um pouco e resolveu:

— Está bem. Estou precisando mesmo espairecer um pouco. A que horas?

— Às oito está bem?

Marina consultou o relógio. Eram sete horas. Daria tempo de tomar um banho e aprontar-se.

— Está.

— Passarei por sua casa às oito. Qual é o endereço?

Ela lembrou-se de que lhe dera seu cartão comercial, no qual só constavam os telefones e o endereço era do escritório. Ela disse e ele anotou. Depois desligou o telefone.

Ofélia, curiosa, perguntou:

— É um admirador?

— Não. Um amigo. Nos conhecemos outro dia em uma livraria, conversamos, tomamos um café juntos. Vamos sair para jantar.

Ofélia olhou-a e sorriu.

— Está na hora de você arranjar um namorado. Só trabalha e estuda. Na sua idade isso não está certo.

— Não fique fantasiando. O dr. Rafael pareceu-me uma boa pessoa, e estou querendo fazer amigos, ter companhia para sair, passear um pouco. Não pretendo me envolver em um namoro. Você sabe que não quero perder minha liberdade. Casar não está em minhas cogitações.

Ela subiu para se arrumar. Ofélia, vendo-se a sós com Rosa, comentou:

— Marina é diferente de todas as moças. Por que será que foge do casamento? Eu gostaria que ela encontrasse um homem bom, casasse, tivesse filhos. Esse é o destino de uma mulher.

— Vai ver que ela ficou assim por causa do que o pai fez.

— Pode ser. Essa é uma culpa a mais daquele safado.

— Não se preocupe, d. Ofélia. Ela diz isso porque ainda não encontrou um homem que a interesse. Quando o amor aparece, a gente se esquece de tudo. Quando me separei de meu marido, jurei que nunca mais me ligaria a homem nenhum. Mas, quando apareceu o Nelsinho, foi como se tudo se modificasse. Fiquei caidinha.

— Mas você não quis ir morar com ele.

— Isso eu não faço mesmo. Eu quero é namorar. Ir todos os sábados ao clube com ele, dançar até o dia amanhecer. Depois, volto para casa, ele vai para a casa dele. Não tem brigas, discussões, problemas, e pronto.

— Você não gostaria de ter filhos?

— Eu tive dois que morreram antes de nascer. Agora não vou tentar mais. Estou muito bem aqui.

Às oito em ponto a campainha tocou e Rosa foi abrir. Rafael

apresentou-se. Ela pediu que ele entrasse e conduziu-o até a sala onde Ofélia, vendo-o, levantou-se e foi cumprimentá-lo.

— Sou Rafael Vilardi, amigo de Marina.

— Muito prazer. Sente-se, por favor. Minha filha não demora.

Ele acomodou-se no sofá e ela continuou:

— O senhor aceita um café, uma água, uma bebida?

— Não, obrigado.

Ofélia, voltando-se para Rosa, pediu:

— Avise Marina que o sr. Rafael já chegou.

Ela obedeceu. Ofélia sentou-se na poltrona ao lado e continuou falando:

— Estou contente de que Marina tenha concordado em sair um pouco. Essa menina estuda e trabalha demais. Não sai para divertir-se. Na idade dela isso não está certo.

— De fato. Eu também às vezes exagero no trabalho.

Marina desceu as escadas e entrou na sala. Estava linda no elegante vestido vermelho escuro, os cabelos dourados bem penteados. Ele levantou-se. Ela foi em direção a ele:

— Desculpe se me atrasei alguns minutos. Gosto de ser pontual. Mas não tive muito tempo para me arrumar — disse, estendendo a mão para cumprimentá-lo.

— Não notei. Esperei em excelente companhia.

— Já vi que você não perdeu tempo — respondeu Marina, sorrindo.

— Ele está sendo gentil, minha filha. Não tivemos tempo nem de conversar.

— Hoje nós vamos sair, mas prometo que voltarei um dia para conversarmos. A senhora lembra muito uma tia de quem gosto muito e não vejo há tempos. Fez-me sentir saudade de minha família.

— Podemos ir quando quiser — disse Marina.

— Então vamos agora.

Ele despediu-se de Ofélia e saíram. Rosa apareceu e avisou:

— O jantar está pronto. Posso servir?

— Pode. Vou chamar o Cícero.

— Moço bonito, não? Viu como ele olhou para ela quando entrou na sala?

— Vi. Marina estava linda.

— Ela deveria arrumar-se sempre assim. Ele ficou deslumbrado.

— Ela garante que é só amizade.

Rosa balançou a cabeça e respondeu:

— Por enquanto pode até ser. Mas isso pode mudar.

— Não sei se é bom ou ruim. Um amor pode trazer muitas mudanças. Sirva o jantar. Vou avisar o Cícero.

Durante o trajeto para o restaurante, a conversa entre Marina e Rafael fluiu agradável.

— Sua mãe merece o carinho que você sente por ela.

— De fato. Sempre foi muito dedicada a mim e a Cícero.

— Nota-se pelo brilho dos olhos quando fala sobre vocês. É uma pessoa confiável.

— Você deve ser muito bom em sua profissão.

— Por quê?

— Analisa as pessoas com exatidão.

— Nem sempre. Sua mãe é uma pessoa sincera, simples, prática, sem joguinhos psicológicos. Já outras se fecham, com receio de mostrar-se como são, representam papéis o tempo todo e é preciso tempo, esforço, para conhecê-las de fato.

— Do jeito como fala, parece não confiar muito no ser humano.

Ele sorriu e respondeu:

— A experiência tem me mostrado que é melhor não prejulgar. Confiar ou não, depende das circunstâncias.

— Como assim?

— As pessoas agem de acordo com o que acreditam e muitas vezes menosprezam suas próprias qualidades. Preferem fingir, assumindo ser o que não são, pensando em conseguir a admiração dos outros. Cedo ou tarde vão descobrir que, seja qual for sua motivação, o melhor é ser verdadeiro.

Marina não respondeu logo. Talvez não fosse bom aprofundar aquela amizade. Rafael era inteligente, observador. Mas ela não gostava que penetrassem em sua intimidade.

O carro parou em frente ao restaurante, eles desceram e entraram. O lugar era muito bonito, com música ao vivo. Rafael havia reservado mesa.

Uma vez acomodados, ele procurou conversar sobre assuntos do momento. Havia notado que Marina não gostara de falar sobre comportamento. Por quê? Era como se ela desejasse impor distância. Ele, percebendo isso, decidiu contemporizar.

Logo ela sentiu-se à vontade novamente e o jantar decorreu agradável. Alguns casais dançavam, e Rafael convidou-a a ir à pista.

— Eu não sei dançar — esquivou-se ela.

— Não creio. Você não quer dançar comigo.

— Não se trata disso. É que nunca me permiti freqüentar bailes. Não tinha tempo. Trabalhava e estudava duro. Assim, nunca aprendi.

— Você se privou da coisa mais gostosa desta vida.

— Tanto assim?

— Mas ainda está em tempo. Venha, vou ensinar-lhe. Esta música lenta é fácil.

Ela meneou a cabeça negativamente, mas Rafael levantou-se, pegou sua mão e puxou-a.

— Vamos. Você vai adorar.

Os músicos tocavam um *blues* muito conhecido e Marina decidiu experimentar. Na pequena pista de dança, Rafael enlaçou-a e ela deixou-se conduzir ao ritmo do som. Ela conhecia e apreciava aquela música, não teve nenhuma dificuldade.

Quando a banda parou, Rafael disse sorrindo:

— Você deslizou muito bem. Tem ritmo, é maleável, tem todas as qualidades de uma grande dançarina.

— Não brinque. Foi a primeira vez que me atrevi a dançar.

— Custo a crer.

Os músicos começaram a tocar um samba. Sem dizer nada, ele a enlaçou e começaram a dançar. No início ela se atrapalhou um pouco, mas logo depois acertou o passo e dali para a frente tudo deu certo.

— Você nasceu para dançar. Eu não disse?

— Confesso que gostei. Dançar é muito bom. Eu gosto muito de música, e dançar é integrar-se de corpo e alma a ela.

— É isso. Você definiu muito bem.

Voltaram à mesa, porquanto o jantar estava sendo servido.

Depois da sobremesa, voltaram a dançar. Marina esqueceu-se de tudo, deixando-se conduzir por ele nos vários ritmos.

Rafael dançava muito bem. Era leve, conduzia-a com segurança. Marina, rosto corado pelo exercício, estava feliz.

Passava das duas quando Rafael a deixou na porta de casa.

— Foi uma noite muito agradável — disse ela, estendendo a mão para despedir-se. — Obrigada.

— Se gostou mesmo, podemos repetir a dose. Foi tão bom que nem vi o tempo passar.

— Você viu que horas são? Acho que abusamos.

— Nada disso. Os momentos felizes devem ser multiplicados. Conheço lugares muito agradáveis, bonitos, com boa comida, boa música. Quero levá-la a todos eles. Vou ligar combinando.

— Obrigada. Boa noite.

— Boa noite.

Ela entrou e ouviu o ruído do carro dele distanciando-se. Marina estava leve, feliz como havia muito tempo não se sentia. Procurou não fazer ruído e subiu para o quarto.

Alegre, cantarolando uma das músicas que ouvira, tomou um banho rápido e foi se deitar. Logo adormeceu.

Rafael foi para casa pensando em Marina. Era uma mulher maravilhosa. Enquanto dançavam, ele sentira vontade de apertá-la nos braços e beijá-la. Conteve-se com esforço. Sabia que, se ela notasse o que ele estava sentindo, não se encontraria mais com ele.

Ela parecia ser diferente das mulheres que conhecera. Havia nela alguma coisa que impunha distância. Talvez o fato de não querer se apaixonar nem casar fosse o motivo. Mas, por outro lado, por que uma mulher que vibrava ao sabor da dança, demonstrando tanta sede de viver, tanto fogo interior, decidira fechar o coração? Medo pela traição e abandono do pai? Ou teria ela tido alguma experiência desagradável que a fizera alimentar esse desejo?

Ela era saudável, isso não lhe parecia natural. Seria excitante tentar descobrir o que se escondia naquele coração. Ela era inteligente, perspicaz. Para atingir seu objetivo, ele teria de ser paciente, ir devagar, conquistar sua confiança aos poucos.

Mas ele estava disposto a conseguir isso. Pensando bem,

essa tarefa não era difícil, porquanto se divertira muito naquela noite.

Chegando em casa, deitou-se, mas demorou para pegar no sono. Em sua cabeça, a lembrança daqueles momentos reapareciam e ele sorria satisfeito.

Começou a fazer planos para levá-la aos lugares da moda e decidiu começar a escolher os próximos passeios já no dia seguinte.

Tendo resolvido isso, sentiu-se mais calmo e logo em seguida conseguiu adormecer.

10

O sol estava se escondendo, colorindo o céu de matizes alaranjados, quando Maria Eugênia entrou em casa apressada, sem notar a beleza da tarde nem o perfume delicado das flores que perfumavam o jardim.

Dirigiu-se para o quarto de Dionísio ansiosa.

— Como está ele? — indagou a Elvira.

— Está bem. Não tem mais febre.

Ela aproximou-se do berço onde o menino dormia e colocou a mão sobre sua testa.

— É, parece que cedeu. Ele tomou toda a mamadeira?

— Só a metade. A garganta ainda deve estar irritada.

— Já devia ter passado. Faz mais de um dia que está tomando os remédios. Desde que ele nasceu, há quase dois anos, nunca demorou tanto para sarar.

— É assim mesmo, d. Maria Eugênia. Ele já melhorou, é só questão de tempo.

O menino acordou e, vendo-a debruçada no berço, sorriu e disse:

— Mamãe...

Imediatamente Maria Eugênia o tomou nos braços, beijando-o delicadamente no rosto. O menino passou a mão em torno do pescoço dela, apertando-a de encontro ao peito, e Maria

Eugênia beijou-o novamente. Depois sentou-se no sofá com ele no colo, acariciando seus cabelos crespos.

Henrique entrou no quarto e olhou-os satisfeito.

— Vejo que ele já está melhor — disse, aproximando-se.

— Já. Mas ainda não está se alimentando direito. Fique com ele. Vou até a cozinha ver alguma coisa para ele comer. Tomou só metade da mamadeira e no almoço não comeu nada.

Henrique segurou o menino, mas ele estendeu os bracinhos dizendo:

— Eu "quelo" a mamãe.

— Ela já volta. O papai vai brincar com você.

Henrique apanhou alguns brinquedos e sentou-se no chão com o menino. Enquanto Dionísio se entretinha, ele o observava satisfeito.

Logo o menino faria seu segundo aniversário, e a cada dia ficava mais bonito. Aprendera a falar muito cedo, revelando um senso de observação e uma inteligência acima da média.

Henrique ficava impressionado com o apego que desde os primeiros dias ele demonstrara por Maria Eugênia. Obrigada por Adele a cuidar do menino, no começo ele vira que ela o fazia de má vontade.

Observando as atitudes dela, Henrique notava que ela rejeitava Dionísio, o que o preocupava muito. Embora ela desejasse ficar com ele o mínimo possível, o menino chorava quando ela se afastava e só se acalmava quando ela o colocava no colo.

À medida que ele foi crescendo, notava-se claramente quanto era apegado a ela. Quando estavam juntos, ele passava a mãozinha em seu rosto e dizia em sua linguagem infantil:

— "Mamã" linda!

Ele demonstrava tanto afeto que Maria Eugênia se comoveu de verdade. Ele era tão pequenino, tão dependente de seus cuidados, seu rosto iluminava-se quando a via, e ela não resistiu.

Ela esqueceu sua origem, os momentos de tristeza que passara por causa de sua existência, e rendeu-se ao amor que desabrochou em seu coração.

A cada dia esse amor tomava conta de sua vida. Ela modificou suas atitudes radicalmente. A vida social que desfrutara em Paris estava completamente esquecida.

Adele observava satisfeita. Ela conseguira tudo quanto desejava. Até a maneira de Maria Eugênia tratá-la modificara-se. Ela tornara-se mais segura e, se concordava com tudo que a mãe dizia no que se referia à empresa, quando se tratava de Dionísio ela reagia, dizendo que era suficiente para cuidar dele.

Maria Eugênia voltou carregando uma bandeja.

— Veja o que a mamãe trouxe para você.

Ele meneou a cabeça negativamente:

— "Num qué".

Ela colocou a bandeja sobre a mesinha, pegou-o no colo e disse:

— É um mingau que você adora. Está muito gostoso.

— Se ele não quiser, eu como — disse Henrique.

— Não, papai. Esse eu fiz para o Dionísio. Ele vai comer tudo para ficar grande e com saúde.

— Tem "dodói".

— Eu sei. Mas precisa comer para passar logo. Vamos.

Ela começou a conversar e brincar, e o menino aos poucos foi comendo. Henrique olhava embevecido.

Depois de certificar-se de que ele não queria mesmo comer mais, Maria Eugênia entregou-o a Elvira para que lavasse suas mãos e mudasse sua roupa.

Vendo que ela se afastava, Dionísio reclamou:

— "Qué" mamãe!

— Vou tomar um banho e já volto — disse ela.

Esse apego de Dionísio fazia-a sentir-se amada, desejada. Ela amava Henrique e ele a tratava com amor, carinho e respeito, mas ela muitas vezes questionava em seu íntimo se ele teria se casado com ela se não fosse filha de Adele e herdeira de sua fortuna.

Ele era um homem bonito, inteligente, e ela notava como as mulheres o olhavam com admiração. Ela não se via como uma mulher atraente. Desde sua adolescência, esse medo a perseguia. Havia notado quanto as pessoas se modificavam com ela quando descobriam seu sobrenome.

Esse pensamento a fizera sofrer durante o período em que esperavam Dionísio. Por esse motivo, o amor do menino tornou-se muito importante para ela, fazendo desabrochar seu lado afetivo, bloqueado pelo medo de estar sendo usada.

A pureza de uma criança sem medo de demonstrar seus sentimentos eliminava todas as suas dúvidas.

Ela tomou um banho, arrumou-se e passou pelo quarto de Dionísio, que havia dormido. Colocou a mão em sua testa e, notando que estava sem febre, desceu para esperar o jantar.

Assim que chegou à sala, o telefone tocou. A criada atendeu. Maria Eugênia ouviu-a dizer:

— Vou ver se ela pode atender.

Voltando-se para Maria Eugênia, ela continuou baixinho:

— É para a senhora.

— Quem é?

— É um homem, parece estrangeiro. Disse que se chama Pierre.

Maria Eugênia fez um gesto de desagrado. Nos últimos tempos ela não gostava de lembrar-se de suas escapadas com Pierre. Mas foi atender.

— Pronto.

— Como vai, Maria Eugênia?

— Bem, e você? Jamille está bem?

— Estamos muito bem.

— Você lembrou-se de nós depois de tanto tempo. Como vai essa cidade maravilhosa?

— Bem, como sempre. Mas nós acabamos de chegar ao Brasil, precisamente a São Paulo. Meu primeiro pensamento foi de ligar para você. Não suportava mais a saudade.

Maria Eugênia sentiu um aperto desagradável no peito. Eles nunca lhe disseram que planejavam conhecer o Brasil.

— Quanto tempo pretendem ficar em São Paulo?

— Não sei. Temos bastante tempo. O que desejo é vê-la hoje mesmo. Você não me sai do pensamento.

— Não será possível.

— Como não? Você parece evasiva... Não está querendo me ver?

Ela tentou contornar:

— Não é isso. Meu filho está doente, não posso deixá-lo no momento.

— Finalmente o menino nasceu! Eu vi a foto na revista.

Maria Eugênia estremeceu. O tom dele pareceu intencional.

Sentiu medo. Além de Célia, Adele, Henrique e ela, Pierre era o único a saber de seu segredo.

Tentou afastar o temor. Procurou dar à voz um tom mais alegre e respondeu:

— Eu gostaria também de vê-los, porém meu filho está com febre e precisa de meus cuidados. Não vou poder sair.

— Já sei. Não teria como justificar sua saída para seu marido. Eu compreendo. Não fui à sua casa porque sei que seu marido poderia não gostar. Vou deixar o telefone do hotel. Espero uma ligação sua amanhã.

Ela anotou o número, depois disse:

— Se ele melhorar, amanhã eu ligo.

— Não vou esperar muito. Se você não ligar, vou até sua casa. Não dá para esperar mais.

— Está bem. De qualquer forma, eu ligo.

— Estarei esperando.

Maria Eugênia desligou o telefone preocupada. O tom de Pierre pareceu-lhe meio inquisidor, muito diferente do que ele usava em Paris.

Naquele instante ela começou a pensar em quanto fora imprudente, deixando que ele descobrisse seu segredo. Arrependia-se sinceramente de haver se envolvido naquela aventura.

Tentou afastar o medo. Ela estava prejulgando. Pierre nunca tinha lhe dado motivo para suspeitar de sua amizade. Ela estava mudada, não era mais aquela mulher insatisfeita, nervosa, inútil.

Agora sua vida tomara outro rumo. Havia Dionísio, que se tornara o motivo principal de sua vida. Ele precisava de uma boa mãe, e ela jamais deixaria de cumprir esse papel.

A presença de Pierre e Jamille não lhe traria nenhum problema. Ele gostava de aventuras; não acreditava que a amasse como dizia. Notando quanto ela havia mudado, perderia o interesse.

Depois, era muito provável que eles fossem embora logo e tudo voltasse a ser como antes.

Henrique aproximou-se:

— O que foi? Parece preocupada. Quem era ao telefone?

— Pierre. Ele e Jamille acabam de chegar a São Paulo. Querem nos visitar.

— Você sabe que não gosto deles.

— Eu também não gostei que eles estivessem aqui. Preferia não vê-los. Vão querer sair, divertir-se, e eu agora não tenho mais vontade de voltar àquelas noitadas.

— Fico feliz em saber.

— Mas acho que não vou poder esquivar-me. Pelo menos teremos que recebê-los algumas vezes em casa e sair para mostrar-lhes a nossa cidade.

— Vai ser desagradável.

— Mas, quando estávamos em Paris, eles me levaram para conhecer todos os lugares.

— Diga-lhes que naquele tempo você estava de férias, mas que hoje tem compromissos. Que você precisa acordar muito cedo por causa de Dionísio.

— Essa é minha intenção. Pretendo vê-los o menos possível.

— Quanto tempo eles pretendem ficar?

— Não sei. Ele não disse. Mas logo ficaremos sabendo. Estão passeando. Certamente pretendem conhecer outros Estados do Brasil. Penso que não vão se demorar.

— Seria um alívio. O jantar está sendo servido. Vamos.

Ele passou o braço sobre a cintura dela e foram para a sala de jantar. Henrique estava contente. Felizmente Maria Eugênia mostrava que estava realmente mudada. Abençoada hora em que Adele tivera a idéia de arranjar-lhes um filho. Dionísio conquistara Maria Eugênia, equilibrara seu casamento e os tornara felizes.

***

Enquanto isso, Pierre e a esposa conversavam nas luxuosas dependências do hotel onde haviam se hospedado.

Jamille andava de um lado para o outro, irritada:

— Não sei se fizemos bem em vir para cá. Você afirmou que Maria Eugênia viria correndo nos receber e hospedar-nos em sua casa. Mas, pelo jeito, você estava enganado. Ela não mostrou nenhuma pressa em nos ver.

— Ela ficou surpresa. Talvez o marido estivesse por perto. Não acredito que tenha nos esquecido. Afinal, nós a levamos a todos os lugares da moda.

Jamille suspirou nervosa:

— Isso era no tempo em que tínhamos dinheiro. Aliás, graças a você ficamos sem nada.

— Não precisa me lembrar disso. Eu estava ganhando e pensei em multiplicar nossa fortuna. Foi uma infelicidade. Mas eu jurei que iria consertar. Não acredita em mim?

— Vir a este fim de mundo, cheio de gente inculta, na esperança de recuperar o que perdemos, é uma ilusão. Quem garante que ela vai pagar?

— Se eu falar o que sei, eles vão perder muito mais. Garanto que vão pagar o que eu pedir. Dinheiro não lhes falta.

— Tem certeza de que sua suspeita é fundamentada?

— Claro que tenho. Ela usava aquela barriga falsa. Com que intenção?

— Ela podia desejar tanto um filho que fingia estar grávida.

— Nada disso. Eu li naquela revista que o nascimento desse filho veio consolidar a fortuna da família. Há gato escondido aí. Ela usava barriga falsa. Esse filho que ela tem não pode ser dela.

— E se for? Ela pode ter tido esse menino depois que voltou de Paris.

— Nada disso. Não daria tempo. Você viu a idade do garoto?

— Você precisa fazer alguma coisa rápido. Estamos gastando o resto do dinheiro que temos para ficar neste hotel alguns dias. O que faremos quando acabar?

— Estou certo de que ela vai nos hospedar em sua casa. Você vai ver.

— E se isso não acontecer?

— Tomarei minhas providências.

— Poderíamos ter ficado em um hotel mais barato.

— Nada disso. Eles não podem saber que estamos quebrados. Deixe comigo e não se preocupe. Sei o que estou fazendo.

***

Na manhã do dia seguinte, logo cedo, Pierre não quis tomar café no quarto com Jamille. Desceu para o refeitório.

O garçom colocou na mesa os bules de café e leite e indicou a farta mesa onde se encontravam tentadoras guloseimas.

Antes que ele se afastasse, Pierre perguntou:

— Minha esposa e eu queremos conversar com alguém que conheça bem a cidade e possa nos orientar.

— O senhor pode falar com Milena. Ela faz atendimento aos turistas. Saindo do refeitório, é a primeira porta à direita.

Pierre tomou seu desjejum calmamente e depois foi procurar Milena. Ela era uma jovem morena, bonita, muito bem vestida, tinha um sorriso amável, olhos espertos, e o atendeu prontamente.

Pierre mostrou-se gentil. Disse que estava no Brasil pela primeira vez e viera a São Paulo para rever alguns conhecidos, mas precisaria de algumas informações.

— O que deseja saber? — indagou ela, olhos brilhantes de interesse.

— Trata-se do dr. Henrique Silveira Couto.

— Eu os conheço. Ele é casado com a filha da presidente das Organizações Malta.

— Isso mesmo. Nós nos conhecemos há dois anos em Paris e, como estamos em São Paulo, gostaria de obter o endereço deles.

Ela sorriu levemente e respondeu:

— Estamos aqui para fornecer apenas informações turísticas, não pessoais.

Pierre já esperava por essa resposta. Ele aproximou-se de Milena e disse:

— Vou ser sincero com você. Minha esposa está querendo muito rever esses conhecidos. Diz que são pessoas de grande projeção social.

— Ela está certa. Além de projeção, eles têm credibilidade. Muita gente famosa gostaria de privar da sua amizade.

Pierre fixou seu olhar no dela e disse com ar sonhador:

— Como você é linda!

Ela surpreendeu-se:

— Como disse?

— Ficaria aqui horas olhando você.

Pierre fitava-a com admiração. Milena sentiu-se valorizada por ele a estar admirando. Um homem fino, rico. Ela suspirou, pensando:

"Pena que ele é casado!"

Lidando com turistas o tempo todo, Milena sonhava que um

dia um deles se apaixonaria por ela e a levaria para conhecer o mundo, como num conto de fadas.

— Pensando bem, não vejo problemas em fornecer-lhe o endereço deles. Espere um momento.

Ela foi à sala contígua e pouco depois voltou, entregando um papel a Pierre:

— Aqui está.

— Obrigado. Vou ligar para lá e marcar uma visita. Quando nos encontramos em Paris, a sra. Maria Eugênia estava esperando um filho.

— É verdade. É um lindo menino. Ela queria muito ser mãe, mas demorou para isso acontecer.

— Ter um filho — disse Pierre, cortando seus pensamentos — é o sonho de muitas mulheres.

— Esse bebê não representou apenas isso. Foi muito mais.

— Por quê?

— Ouvi dizer que ele veio em boa hora. Se ela não tivesse tido esse menino, sua mãe, d. Adele Figueira Rocha, perderia o cargo de presidente das Organizações Malta.

— É mesmo? E isso é muito importante?

— O senhor não conhece as empresas deles?

— Não.

— Pois é como estou lhe dizendo. Foi muita sorte. Às vezes fico pensando... Por que será que tudo dá certo para alguns, enquanto para outros só acontecem problemas? Veja só o caso dessa d. Maria Eugênia. Além de nascer rica, ter uma vida maravilhosa, casou com um homem lindo, charmoso, que vive em volta dela o tempo todo, e ainda teve um filho lindo no momento em que precisou dele.

— A vida é assim mesmo. Mas uma mulher como você não deve perder as esperanças. Um dia vai aparecer alguém para você. Ai, se eu não fosse casado!

Milena corou de prazer. Aquela conversa logo pela manhã a fez pensar que ganhara o dia. Pierre despediu-se, beijando levemente a mão que ela lhe estendia.

— Voltaremos a nos ver — disse ele sorrindo.

Ele voltou para o quarto, onde Jamille, estendida no sofá, folheava uma revista.

— Como você demorou! Aonde foi?

— Cuidar da nossa vida. Já sei tudo o que preciso saber.

Em poucas palavras contou o que ouvira de Milena, depois finalizou:

— Tenho certeza de que por trás dessa história há um plano muito bem forjado para que eles pudessem conservar o poder e a presidência dessas empresas como sempre tiveram.

— Se isso for verdade, eles terão todo o interesse em defender esse segredo.

— Não tenho nenhuma dúvida. Por que Maria Eugênia ficaria tanto tempo fora do Brasil, usando uma barriga postiça? Estou certo de que ela é estéril. O que eles fizeram foi uma farsa.

Ele esfregou as mãos, satisfeito:

— Estamos feitos para o resto da vida.

Jamille olhou-o maliciosa e respondeu:

— Você nunca me disse como descobriu que a barriga dela não era natural.

— Também você nunca me contou como conhece tão bem os problemas de Jean.

— Você sabe que não sou curiosa. O que vai fazer? Até agora ela não nos telefonou.

— Estou de posse do endereço. Vou ligar e dizer que iremos visitá-los esta tarde.

— Ela não se mostrou receptiva.

— Claro, deve estar com medo. Melhor. Assim tudo será mais fácil.

***

Enquanto isso, Maria Eugênia tentava expulsar a preocupação pela chegada de Pierre e Jamille. Mas sentia que aquela visita não lhe traria nada de bom.

Sabia que deveria ligar-lhes, mostrar-se alegre, recebê-los com atenções, porém a lembrança da sua estada em Paris estava muito distante dela naquele momento.

Agora, tendo mudado sua vida, reconhecia que se deixara levar pela revolta, cometendo atos dos quais se arrependia profundamente.

Henrique a rodeava de carinhos e atenções. Com a chegada de Dionísio, tornara-se mais acessível, mais dedicado, empenhando-se em voltar para casa e desfrutar ao máximo a companhia deles.

Ela não queria de forma alguma perder essa felicidade que haviam conquistado, e a presença de Pierre e Jamille fazia-a recordar-se de um tempo que ela desejava esquecer.

Durante toda a manhã ela sentiu-se inquieta. Andava de um lado para o outro pensando no que fazer. Elvira aproximou-se com Dionísio.

Maria Eugênia notou que ele estava agitado, choroso. Preocupada, colocou a mão em sua testa.

— Ele está sem febre, mas não me parece bem.

— Ele acordou assim hoje.

— Talvez seja bom levá-lo ao médico.

Elvira hesitou um pouco, depois respondeu:

— Ele não está doente. Acho que está com quebranto.

— O que é isso?

— A senhora sabe: olho gordo, inveja.

— Não acredito nessas coisas.

— Pois devia acreditar. Esta noite tive um sonho negativo e também amanheci inquieta. Parece que vai me acontecer alguma coisa ruim.

Maria Eugênia olhou-a admirada. Ela também estava sentindo-se assim. Tentou não dar importância.

— Não vai acontecer nada. Foi só um sonho.

Elvira ficou pensativa durante alguns instantes, depois disse:

— Olha, d. Maria Eugênia, quando me sinto assim, vou até a casa da d. Eunice. Ela me dá um passe e tudo isso desaparece.

— É uma benzedeira?

— Não. É uma médium espírita. Ela tem um centro onde trata das pessoas. Minha mãe é voluntária lá. Dionísio está abatidinho, e quando fico perto dele me sinto mal.

— É melhor levá-lo ao médico. De fato, dá para notar que ele não está se sentindo bem. A garganta dele não sarou ainda.

— Está bem melhor. Sinto que não é de médico que ele está precisando. A senhora poderia levá-lo à casa de d. Eunice. Ela mora nesta rua, no próximo quarteirão.

— Não vou fazer isso. Vamos ligar para o dr. Oscar.

Maria Eugênia foi ao telefone e falou com o médico, que prontificou-se a atendê-los dali a meia hora. Depois, voltando-se para Elvira, ordenou:

— Você vai comigo. Apronte-o. Vou mandar tirar o carro.

Maria Eugênia chamou um dos empregados e determinou:

— Se alguém ligar, diga que fui levar meu filho ao médico.

Uma vez no carro, apesar de preocupada com Dionísio, ela sentiu-se aliviada por haver deixado aquele recado. Se Pierre ligasse, saberia que o menino estava doente, e ela teria uma boa desculpa para evitar a companhia deles.

Diante do médico, Maria Eugênia externou sua preocupação. Ele procedeu a um cuidadoso exame, depois do qual disse:

— A senhora não precisa se preocupar. Ele melhorou muito de ontem para hoje. A infecção da garganta cedeu. Está tudo bem.

— Mas ele não está querendo comer. Diz que dói.

— Do jeito que está evoluindo, logo estará curado.

— Se o senhor lhe receitar um fortificante, talvez ele se alimente melhor.

O médico sorriu e meneou a cabeça negativamente:

— Seu filho tem excelente saúde, apesar desse resfriado. Está bem nutrido e, pelo que sei dele, tem um apetite invejável. Fique tranqüila: ele está bem.

Uma vez no carro, Elvira não se conteve:

— Eu não disse que o médico não ia dar jeito?

— Esse mal-estar é do resfriado. O dr. Oscar garantiu que logo ele estará bem.

Elvira notou que Dionísio estava com sono e acomodou-o no colo com carinho. Ele adormeceu, porém Maria Eugênia notou que não era um sono tranqüilo. Seu cenho se contraía e ele se remexia como se quisesse livrar-se de alguma coisa que o incomodava. De vez em quando seu corpo estremecia e ele abria os olhos assustado.

Elvira não desistia de seu propósito de levá-lo a d. Eunice. Quando estavam passando em frente à casa onde ela morava, Elvira pediu:

— Dona Maria Eugênia, vamos parar aqui e levar Dionísio para d. Eunice. Ela mora nessa casa bonita.

Maria Eugênia hesitou.

— Não gosto de incomodar os outros. Nem a conheço.

— Vai gostar dela. É uma pessoa muito boa e vai nos atender com muito carinho.

Vendo que Maria Eugênia estava indecisa, continuou:

— Não custa nada. Vai levar só alguns minutos. Por favor.

— Está bem. Vou fazer o que me pede.

Elvira indicou a casa e o motorista parou diante do portão principal.

— Fale você com ela — disse Maria Eugênia, constrangida. — Nós ficaremos no carro.

Elvira desceu, tocou a campainha e conversou com uma moça, que entrou novamente na casa. Pouco depois, uma senhora de meia-idade aproximou-se de Elvira.

Enquanto conversavam, Maria Eugênia, de dentro do carro, viu uma senhora alta, elegante, cabelos louros. Notou logo que era pessoa de classe.

Em seguida, Elvira aproximou-se do carro e pediu:

— Vamos entrar. Ela vai nos receber.

Maria Eugênia entregou Dionísio a Elvira e desceu. Eunice esperava-as do lado de dentro do portão. Estendeu a mão assim que ela se aproximou.

— Como vai?

— Eu vou bem. Desculpe incomodá-la em casa. Mas Elvira insistiu.

— Entre — respondeu ela com simplicidade.

Elas entraram e foram conduzidas a uma sala. Eunice acomodou-as gentilmente.

Era uma casa muito bonita, ambiente agradável. Havia flores naturais nos diversos vasos arrumados com arte. Maria Eugênia não se conteve:

— Que aroma agradável! Que beleza de flores!

Eunice sorriu:

— Elas perfumam nossa vida, enchem de beleza nossos olhos.

Depois, aproximou-se de Elvira e colocou a mão na testa de Dionísio, que, ainda adormecido, remexia-se inquieto.

— Que menino lindo! — comentou.

— Ele não está bem — comentou Elvira. — Tenho sentido muita angústia quando estou perto dele.

Eunice continuava alisando a cabecinha dele, que abriu os olhos e começou a chorar convulsivamente. Maria Eugênia, sentada ao lado delas no sofá, levantou-se assustada.

— Não se preocupe. Isso não é nada. Ele vai ficar bem. Sente-se, por favor, e faça uma oração. É disso que ele precisa — determinou Eunice, olhando Maria Eugênia fixamente nos olhos.

Ela sentou-se novamente e, sem desviar os olhos do menino, começou a rezar em silêncio.

— Como é o nome dele?

— Dionísio — respondeu Elvira.

Ela fixou os olhos sobre ele e murmurou uma prece em que pedia a cura de Dionísio. Maria Eugênia notou que os olhos dela estavam fixos e não piscavam.

Eunice estendeu as mãos para cima e ficou alguns instantes em silêncio. Depois, começou a passar as mãos sobre Dionísio delicadamente. Aos poucos ele foi se acalmando, até que adormeceu. Mas Maria Eugênia notou que dessa vez seu sono era tranqüilo.

Depois, Eunice disse para Elvira:

— Vá para a sala ao lado com o menino. Preciso conversar com sua patroa.

Ela obedeceu. Quando se viu a sós, Eunice sentou-se ao lado de Maria Eugênia no sofá. Colocou sua mão sobre a dela e disse:

— Você está angustiada, e passou isso para o menino.

— De fato. Hoje não estou muito bem. Mas não entendo. Como Dionísio pode ter sido afetado? Eu o amo muito e jamais faria alguma coisa para prejudicá-lo.

— Eu sei. As crianças, porém, sofrem muito a influência do ambiente familiar. Você precisa saber que, quando pensamos, lançamos à nossa volta energias conforme a qualidade dos nossos pensamentos. Suas preocupações criaram um ambiente energético negativo que influenciou o menino.

— O que posso fazer para que isso não aconteça?

— Evite alimentar pensamentos desagradáveis.

Maria Eugênia passou a mão nos cabelos, preocupada. Como evitar o medo que se instalara desde a chegada de Pierre?

Eunice continuou:

— Às vezes não entendemos o que nos acontece, deixamo-nos arrastar pela revolta e acabamos cometendo atos dos quais nos arrependemos mais tarde.

Maria Eugênia olhou-a admirada. Como ela podia saber disso? Eunice prosseguiu:

— Esse menino trouxe luz à sua vida. Você mudou para melhor. Contudo, a vida está trazendo à tona assuntos mal resolvidos do passado, e você precisa enfrentá-los com coragem para vencê-los.

Maria Eugênia não suportou a pressão e começou a chorar. Soluçava desesperada, e Eunice deixou que ela desabafasse. Quando se acalmou um pouco, Maria Eugênia disse:

— Desculpe. Estou descontrolada.

— Você está com medo de que seu segredo seja descoberto.

Maria Eugênia tentou conter um grito de susto.

— Como a senhora sabe? Quem lhe contou isso?

— Um amigo espiritual que deseja ajudá-la. Foi ele quem a trouxe aqui hoje.

— Como pode ser isso? Ninguém sabe. Minha família conhece o principal, mas não sabe o erro que cometi. Se meu marido descobrir, não vai me perdoar.

Ela voltou a soluçar desesperada. Eunice segurou a mão dela com força e disse:

— Embora haja pessoas tramando contra você, devo dizer-lhe que a ajuda espiritual que a protege é muito grande. Você precisa confiar. Não pode perder a calma nem imaginar o pior.

— Mas não sei o que fazer. Como lidar com isso?

— Acalme-se. Quando estamos fazendo nosso melhor, a vida nos protege. Você está se dedicando a esse menino com muito amor. Ele lhe foi dado como um acréscimo da bondade divina para ajudá-la a conquistar uma vida melhor. Para isso, eles precisaram da cooperação de muitos. E, agora que tudo está caminhando bem, vão ajudar para que o fruto desse esforço não se perca. Entretanto, devo avisar que o sucesso desse projeto depende de você, da forma como vai aceitar os fatos e escolher suas atitudes.

Maria Eugênia estava fascinada. As palavras de Eunice calavam fundo em seu espírito. Olhando os olhos dela, teve a sensação de que a conhecia. Então, como que movida por uma força maior, começou a falar de sua vida.

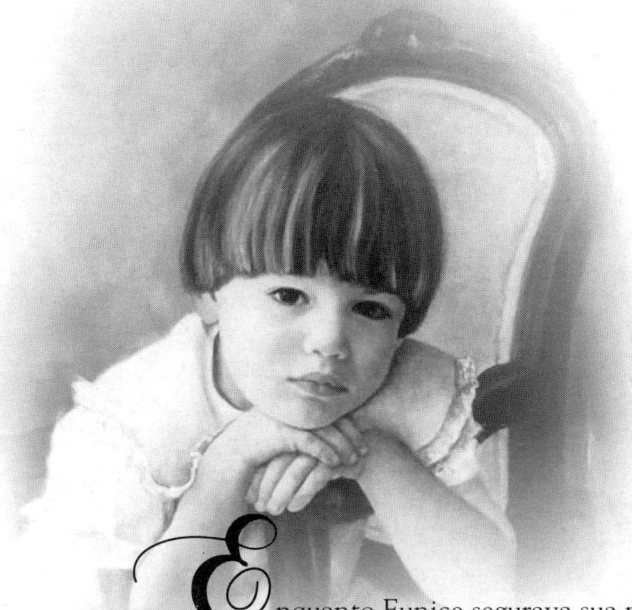

11

Enquanto Eunice segurava sua mão, Maria Eugênia falava com naturalidade, sentindo-se segura, confiante, sem entender por que ela expunha seus sentimentos mais íntimos como nunca havia feito com ninguém.

Contou a Eunice como fora penoso conviver com sua mãe, do medo que tinha por não se sentir capaz de satisfazer as expectativas dela a seu respeito. Do casamento, do filho que não chegara, da possibilidade de sua mãe deixar de ser a sócia majoritária e ter de deixar a presidência e do plano que ela lançara mão para obter o que desejava. Contou tudo, até o telefonema de Pierre. E finalizou entre lágrimas:

— Agora, analisando o que aconteceu em Paris, reconheço o quanto estive errada. E, o que é pior, percebo que Pierre não é confiável. Quando o atendi ao telefone, senti uma sensação de perigo iminente que não sei explicar. Por enquanto ele não fez nada para que eu me sentisse assim. Chego a pensar que estou exagerando, mas esse medo não me deixa.

— Você está certa: essas pessoas não estão bem-intencionadas. Ele perdeu grandes somas no jogo.

— Ele gosta de jogar.

— Não só de jogar, mas também de gastar. Sua situação financeira é muito ruim. Ele está atrás de dinheiro.

Eunice não usou a palavra "chantagem" para não a assustar ainda mais.

— Meu Deus! Ele não apreciava nosso país. Certa vez disse que nunca viria até aqui.

— Ele sabe que vocês são pessoas de posses. É isso que ele veio buscar. Trata-se de indivíduo sem escrúpulos e de péssimos antecedentes.

— Estou perdida. Meu marido vai descobrir tudo, e nosso casamento pode ir por água abaixo.

— Vamos pedir ajuda aos nossos amigos espirituais. Estou certa de que vão inspirá-la em suas decisões. Você precisa manter a calma.

— Não sei se vou conseguir. Eu errei e estou sendo castigada.

— Deus não castiga ninguém. Se permite alguns desafios, é para que seu espírito amadureça.

— Ajude-me, por favor. Sinto que a senhora pode fazer isso.

— Vamos orar e pedir ajuda. Procure relaxar, esquecer suas preocupações por alguns momentos. Imagine que estamos sentadas à beira de um lago muito azul, o sol nos envolvendo, as flores recendendo perfume, enquanto do alto desce um facho de luz azul muito brilhante que nos envolve.

Eunice fez ligeira pausa e murmurou sentida prece pedindo a assistência dos espíritos de luz para inspirar Maria Eugênia e auxiliá-la a vencer os desafios que a buscavam.

Enquanto ela falava, Maria Eugênia foi aos poucos se acalmando, ao mesmo tempo em que uma paz muito grande a envolveu. Quando Eunice se calou, ela suspirou e disse:

— Que alívio!

— A prece nos liga com as dimensões de luz e abre espaço para que os espíritos iluminados possam nos envolver e auxiliar.

— O que me aconselha a fazer?

— Não se atemorize. Esse casal vai procurá-la em casa. Receba-os com naturalidade. Em nenhum momento deixe-os perceber que está receosa. Gostaria que escrevesse neste papel o nome deles, o hotel onde estão. Vou continuar orando em seu favor.

— O que farei se ele mencionar nossos encontros em Paris?

— Negue. Faça de conta de que não se lembra. Se ele fizer qualquer alusão à sua falsa gravidez, negue. Diga que ele está enganado, que estava grávida e não sabia. Que o filho é seu e de seu marido.

— E se ele não acreditar?

— Imagine que essa é sua verdade e afirme isso em qualquer hipótese. Vou dar-lhe meu telefone. Qualquer novidade, avise-me.

Maria Eugênia levantou-se:

— Não sei como lhe agradecer. Eu estava agoniada, agora estou mais calma.

— Isso. Seu filho está se curando de um simples resfriado. Amanhã estará restabelecido. É um menino lindo. Seu espírito é ligado a você de outras vidas. Ele a ama muito. Veio para ajudá-la a vencer todos os seus desafios.

— De fato. Ele é muito agarrado comigo. Foi isso que me conquistou. Hoje chego a esquecer de que ele não nasceu de mim.

— Melhor assim. Você já sentiu muito ciúme da mulher que deu a ele a oportunidade de nascer. Seja grata a ela. Um dia você saberá por que tudo precisou acontecer desse jeito.

— A senhora mencionou outras vidas. Como pode ser?

— Algum dia falaremos sobre isso. Explicarei muitas coisas que você precisa saber.

— Está bem. Agora temos que ir. Obrigada por tudo.

Foram para outra sala e Maria Eugênia perguntou a Elvira:

— Como está ele?

— Dormindo tranqüilo. Não tem mais aqueles sobressaltos.

Eunice interveio:

— Ele agora vai dormir bastante para se recuperar. Não o acordem nem para comer. Quando ele despertar, estará melhor e com fome.

Elas agradeceram mais uma vez e saíram. Maria Eugênia estava bem mais calma. Dionísio dormia sereno, e isso aumentava sua sensação de paz.

— Viu como ele melhorou? — disse Elvira quando colocou Dionísio na cama e ele nem acordou.

— Vi. Obrigada por ter nos levado lá. Essa mulher é realmente maravilhosa.

— Ela tem me ajudado muito em várias coisas. Eu sabia que a senhora ia gostar.

Uma das criadas aproximou-se:

— Esse senhor ligou e deixou este recado.

Maria Eugênia apanhou o papel, mas antes de ler já sabia que era de Pierre. Ele repetia o número do telefone do hotel e pedia que ela ligasse.

Decidida, ela apanhou o telefone e ligou. Jamille atendeu e Maria Eugênia esforçou-se para mostrar-se alegre.

— Jamille? Que prazer ouvi-la!

— Está tudo bem? Pierre disse que você foi ao médico.

— Devo desculpas a vocês. Acontece que meu filho está doente e precisei levá-lo ao médico. Sou muito apegada a ele. Quando tem qualquer problema, fico desesperada.

— Entendo. Acho que não viemos em boa hora. Mas, desde que você nos deixou, temos nos lembrado muito dos tempos que passamos juntos. Foi maravilhoso! Pensamos em repetir a dose.

— Naquele tempo, meu filho ainda não tinha nascido. Agora preciso cuidar dele e não posso ausentar-me durante muito tempo. Mas Henrique e eu teremos muito prazer em recebê-los em nossa casa esta noite para jantar. Assim poderemos conversar.

Jamille riu e respondeu:

— Está bem. Iremos. Mas estou notando que você mudou muito. Está mais caseira, dona de casa.

— Tem razão. O nascimento de meu filho mudou minha vida. Agora meu maior prazer é ficar com ele.

Jamille ficou calada alguns segundos, depois perguntou:

— Ele já deve estar grandinho. Quando nos encontramos em Paris você já estava grávida dele.

— Vou confessar-lhe uma coisa. Eu tive muita dificuldade para engravidar. Não que houvesse algum impedimento. Mas é que eu temia a deformidade do corpo. Tinha horror de engordar. Se por um lado desejava a maternidade, por outro não queria engordar.

— Pelo que me recordo, você estava grávida em Paris, não estava?

Naquele momento, Maria Eugênia pensou: “Ela sabe. Pierre lhe contou sobre a barriga postiça”.

Ela respondeu, procurando dar à voz um tom de brincadeira:

— Estava. Mas colocava uma cinta para dissimular e fingia

que não. Mas agora está tudo bem. Depois que Dionísio nasceu, meu corpo voltou ao normal.

— Ainda bem. Eu também nunca quis filhos por causa disso.

— Jantamos às oito. Estamos esperando vocês. Anote meu endereço.

Jamille fingiu que anotou. Depois que desligou o telefone, ficou pensativa. Pierre podia ter se enganado.

Uma hora depois, quando ele entrou, Jamille foi dizendo:

— Maria Eugênia ligou e nos convidou para jantar com eles esta noite.

Pierre lançou-lhe um olhar vitorioso.

— Ainda bem. Se ela não tivesse ligado, iríamos à sua casa assim mesmo. O que foi que ela disse?

Jamille relatou toda a conversa e finalizou:

— Estou pensando que embarcamos em uma canoa furada.

— Por quê? Quando liguei, ela ficou muito nervosa. Percebi que estava com medo.

— Pois hoje ela estava calma, alegre. Disse que, quando o filho adoece, ela fica desesperada. Essa pode ser a causa do nervosismo que você notou. Toda mãe fica neurótica quando o filho está doente.

— Que filho, que nada! Ela usava uma barriga postiça em Paris.

— Aliás, volto a lembrar que você nunca me contou como foi que descobriu isso.

— Não preciso dizer. Você pode imaginar perfeitamente.

Ela fez uma careta, fingindo ciúme:

— Traidor!

— Aquilo foi providencial. Pode tornar-se nossa salvação.

— E se você estiver enganado? Ela podia mesmo estar usando uma cinta para esconder a barriga. Afinal, nós circulávamos pela noite, íamos a lugares da moda. É compreensível que ela fizesse isso.

— O que eu vi não me pareceu uma cinta. Depois, ela ficou muito encabulada quando percebeu que eu vi. Pediu-me que guardasse segredo. Isso quer dizer que, se os outros soubessem, poderia ser perigoso.

Jamille meneou a cabeça negativamente e respondeu:

— Qualquer mulher no lugar dela ficaria envergonhada. Talvez estivesse interessada em conquistá-lo e queria encobrir essa cinta.

— Não creio. Se ela estivesse grávida, eu teria percebido. Não notei nada.

— Espero que esteja certo, porque nosso dinheiro está acabando. Não sei o que será de nós se não conseguirmos dela o que pretendemos.

— Eu sempre consigo o que quero. Acalme-se. Nesta noite temos que fingir que continuamos tão ricos como antigamente. Você vai a esse jantar com suas jóias e todos os seus atributos.

— Jóias que são tão falsas quanto nossa ostentação.

— Não gosto quando fala assim. Dá azar. Você precisa acreditar que vamos conseguir.

— Estou me esforçando. Mas esta história tem alguma coisa que não bate. Afinal, aonde você foi?

— Dar uma volta pela cidade. E não gostei nada. Estou fazendo um sacrifício imenso de estar aqui. Isso fará com que eu aumente o preço. Eles vão pagar caro por isso.

Jamille deu de ombros e retomou a revista que folheava.

***

Depois que falou com Jamille, Maria Eugênia ligou para Henrique informando-o que teriam convidados para o jantar. E justificou:

— Não tive alternativa. Eles estavam decididos a vir nos visitar. Então eu me antecipei. Assim eles nos visitam e vão embora. Não creio que se demorem por aqui.

— Está bem. Estarei em casa a tempo de recebê-los.

Pouco antes das sete, Henrique já havia retornado ao lar.

— Você levou Dionísio ao médico?

— Sim. O dr. Oscar disse que era apenas um resfriado e logo ficará bom.

— Como ele está?

— Dormindo tranqüilo. Acho que se recuperando.

— Ainda bem. Estava preocupado com ele.

— Eu também.

Maria Eugênia não contou que levara o menino à casa de Eunice. Preferiu não dizer nada.

Às oito, Pierre e Jamille chegaram. A criada conduziu-os à sala de estar, onde Henrique e Maria Eugênia estavam. Ambos levantaram-se para recebê-los. Após os cumprimentos, acomodados na sala, Pierre tornou:

— Fico feliz em vê-los tão bem. Maria Eugênia remoçou, está mais bonita. E que casa linda vocês têm!

— De fato. Estamos muito bem.

— A maternidade fez bem a Maria Eugênia — comentou Jamille.

Apesar de a visitante ter dito isso com naturalidade, Maria Eugênia notou uma ponta de ironia. Mas não se intimidou. Estava disposta a varrer aquele passado desagradável e desvencilhar-se daquela amizade.

— Você também está ótima — respondeu Maria Eugênia sorrindo.

Henrique ofereceu uma bebida. Eles aceitaram um copo de vinho. Enquanto bebericavam, saboreando alguns salgadinhos que a criada colocara sobre a mesinha, Henrique perguntou:

— É a primeira vez que vêm ao Brasil?

— Sim — respondeu Jamille, olhando nos olhos de Henrique ao mesmo tempo em que pensava:

"Como ele está bonito! Eu nunca havia notado. Esta viagem está começando a ficar interessante...".

— Quanto tempo pretendem ficar em nossa cidade? — indagou Henrique.

Nos olhos de Pierre havia um brilho indefinível quando disse:

— Depende.

— Do quê? — indagou Maria Eugênia.

— Do que encontrarmos aqui. Não temos pressa. Estamos passeando.

— Nossa cidade tem lugares muito bonitos. Tenho certeza de que saberão apreciar. Lamento não poder ciceroneá-los como gostaria. Infelizmente, no momento estamos empenhados em um projeto em nossa empresa que absorve todo o tempo.

— Mas Maria Eugênia poderá nos mostrar tudo — disse Jamille sorrindo.

— Verei o que posso fazer — respondeu ela. — Acontece que meu filho ainda é muito pequeno, muito apegado a mim, e está adoentado. Para ser sincera, atualmente estou desatualizada dos acontecimentos sociais. Desde que ele nasceu, afastei-me da vida social.

— Não é possível! — disse Pierre. — Você adorava a noite, os salões, o movimento. Sempre achei que a maternidade fosse uma prisão, mas não esperava que fizesse isso com você, sempre tão alegre.

— Mas eu continuo alegre. Agora mais do que antes. Meu filho trouxe uma motivação nova para minha vida.

Henrique aproximou-se, passou o braço sobre os ombros de Maria Eugênia e disse:

— É verdade. Dionísio trouxe-nos uma motivação maior para viver. Vocês nunca pensaram em ter filhos?

Jamille teve ligeiro sobressalto:

— Deus nos livre! Nem fale uma coisa dessas!

— Jamille não gosta de crianças. Enquanto pequenas dão muito trabalho; depois que crescem, muitos problemas. Eu concordo com ela. Nós optamos por não ter filhos. Vivemos muito bem, livres, sem precisar sacrificar nossos prazeres por causa deles.

— Vocês se enganam — tornou Maria Eugênia. — Nós não estamos nos sacrificando pelo nosso filho. Ao contrário: ficar com ele dá-nos um prazer muito grande, uma alegria que nunca encontrei nos salões que freqüentamos em nenhum lugar do mundo.

— Já vi que você está mesmo apaixonada pelo seu filho — disse Pierre.

— Estou mesmo. Ele é muito lindo e inteligente.

— Ele se parece com quem? — indagou Jamille.

Maria Eugênia apanhou um porta-retratos sobre uma das mesas e levou-o a Jamille:

— Veja você mesma. Com quem acha que se parece?

Ela segurou o porta-retratos por alguns segundos, depois disse:

— Ele é a cara do pai.

Maria Eugênia sorriu triunfante.

— Vou mostrar-lhe uma coisa.

Ela saiu da sala e voltou em seguida trazendo um álbum de fotografias. Abriu-o e deu-o a Jamille.

— Veja esta foto.

Jamille olhou. Era uma foto antiga de um menino pequeno. No rodapé da página estava escrito:

Henrique em seu primeiro aniversário

Maria Eugênia aproximou o porta-retratos com a foto de Dionísio e perguntou:

— E então?

— Parecem a mesma pessoa — comentou ela, admirada. — Como podem ser tão parecidos?

— Porque sou o pai dele, ora. Do que se admira? — disse Henrique, continuando: — Mas, se reparar bem, verá que possui a boca e a expressão dos olhos iguais às de Maria Eugênia.

Pierre aproximou-se da esposa. Os dois olharam as duas fotos e tiveram de concordar.

A criada avisou que o jantar ia ser servido, e eles se encaminharam para a sala de jantar. Pierre observava as obras de arte, o bom gosto da decoração, o luxo e o conforto daquela mansão. Seus olhos brilhavam de cobiça.

A semelhança das fotos deixou-o um tanto inseguro quanto à filiação do menino. Não havia dúvida de que ele era filho de Henrique. Mas a semelhança dele com Maria Eugênia não era nada evidente.

O jantar decorreu de maneira formal, uma vez que tanto Jamille quanto Pierre estavam com receio de que o plano que haviam idealizado não desse certo.

Henrique estava sendo absolutamente formal, fazendo as honras da casa, tentando ser educado com pessoas que não apreciava e as quais desejava que fossem embora o quanto antes. Maria Eugênia, atenta em fingir alegria e calma, não querendo que eles notassem o quanto a presença deles a incomodava, não estava nada comunicativa.

Após o jantar, os casais sentaram-se na sala para conversar. Pierre e Jamille faziam perguntas sobre os costumes brasileiros, fingindo interesse e tentando ao mesmo tempo descobrir o que pudessem sobre a vida do casal.

A certa altura, Elvira aproximou-se discretamente de Maria Eugênia e disse baixinho:

— Desculpe se a estou interrompendo, porém Dionísio acordou e está chorando, chamando pela senhora.

— Viu se está com febre?

— Ele está normal. Estava dormindo sereno, mas de repente acordou gritando e chamando pela senhora.

Maria Eugênia levantou-se:

— Com licença, preciso ver meu filho.

Jamille levantou-se imediatamente:

— Posso acompanhá-la? Gostaria muito de conhecê-lo.

Maria Eugênia hesitou um pouco, mas concordou:

— Venha comigo.

Elas subiram ao quarto do menino e Jamille, embora fingisse indiferença, observava todos os detalhes da casa. Dentro dela, um pensamento de raiva a incomodava. Por que eles tinham tudo aquilo, viviam no luxo, enquanto ela e o marido tinham de ficar sem nada? Não era justo. Maria Eugênia não sabia valorizar o que possuía. O mesmo se aplicava ao marido, um prosaico pai de família que, apesar de todo o poder que possuía, contentava-se em trabalhar e em viver aquela vidinha limitada, sem aproveitar tudo quanto o dinheiro podia lhes dar. Era bem verdade que viviam no luxo, tinham conforto, bom gosto. Mas para quê, se continuavam acomodados, sem aproveitar os bens que possuíam?

Ela e Pierre, sim, tinham gosto requintado, sabiam dar valor à posição, ao poder social, a tudo que o dinheiro pode comprar. Tinham como regra mais importante que as pessoas valem pelo que possuem. Para eles, não ter mais dinheiro, serem pobres, era o pior dos castigos, e fariam qualquer coisa para voltar a ter os bens que malbarataram.

Assim que elas entraram no quarto de Dionísio, ele, ainda soluçando, disse:

— Mamãe linda... "Quelo" você!

Maria Eugênia correu para ele e tomou-o nos braços. Beijando seu rostinho com carinho, foi dizendo:

— Estou aqui, meu filho. Acalme-se.

Aos poucos ele foi parando de chorar. Maria Eugênia continuava a acariciá-lo.

— Ele já comeu? — perguntou ela a Elvira.

— Eu trouxe a mamadeira, mas ele ainda não tomou. Acho que teve um pesadelo. Estava dormindo tranqüilo e de repente acordou gritando e chamando a senhora.

Maria Eugênia, lembrando-se de algumas frases que Eunice dissera, perguntava-se intimamente se aquele nervosismo do menino estava sendo ocasionado pela presença daquelas pessoas desagradáveis.

Devido às circunstâncias, sentia que o ambiente da casa estava um tanto pesado, pois dava para notar que nenhum dos quatro estavam à vontade.

— Ele precisa alimentar-se. Vamos ver se consigo que ele tome a mamadeira.

Sentou-se na poltrona, acomodou o menino no colo e ofereceu-lhe a mamadeira. Ele a olhava fixamente com adoração e logo começou a mamar.

Jamille observava tudo em silêncio. Era difícil imaginar que aquela criança não fosse filho deles. Era muito provável que Pierre houvesse se enganado.

— Desculpe, Jamille. Foi o que eu lhe disse: Dionísio é muito apegado a mim, mais do que ao pai. E agora, que está doente, exige mais minha presença. Foi por esse motivo que eu lhe disse que no momento não posso ausentar-me.

— Entendo — respondeu ela devagar. — Mas penso que você não pode se anular dessa forma. Ele está monopolizando você. Se está fazendo isso agora que é pequenino, já pensou o que fará quando estiver mais velho?

— Ele fez mais por mim do que estou fazendo por ele. Deu-me amor, felicidade, motivação para viver. Você não deve falar do que não conhece. Penso que, se você tivesse um filho, talvez não precisasse perambular pelos salões em busca de entretenimento para passar o tempo. Sei o que estou dizendo. Durante muito tempo foi o que fiz, mas, quando voltava para casa, na solidão do meu quarto, quando os ruídos dos salões desapareciam, eu sentia o peso da solidão, da infelicidade, do vazio que era minha vida naquele tempo.

Jamille remexeu-se na cadeira, inquieta. Ela muitas vezes sentira um vazio depois das orgias em que se envolvia na ânsia de encontrar alguma coisa que a motivasse a viver.

Na verdade, havia muito tempo chegara à conclusão de que a vida não valia a pena, de que tudo não passava de uma luta inglória, em que vence quem é mais forte, mas essa vitória era inútil, porquanto incapaz de dar-lhe felicidade.

De repente, sentiu uma ponta de inveja de Maria Eugênia, com sua vida de mãe, esposa, dona de casa, voltada ao amor de sua família. Ela não sabia o que era isso.

Desde muito cedo sua mãe, uma mulher rica, descendente de uma família importante, cujo casamento fora arranjado pelas conveniências das famílias, ensinara-lhe a valorizar o nome, o dinheiro, o poder, as aparências.

Seus pais relacionavam-se educadamente. Nunca os vira discutir nem trocar carinhos. Conheceu Pierre em uma festa e começaram a sair juntos. A família dele era muito rica. Freqüentavam os lugares da moda.

Até que, uma noite, o pai de Pierre fechou-se em seu gabinete e deu um tiro na cabeça. Ninguém nunca soube por quê. Ele deixou uma breve nota, despedindo-se da família.

A partir daí, a mãe de Pierre fechou-se em uma vila que possuíam na Itália e nunca mais freqüentou a sociedade. Três anos depois do casamento de Pierre e Jamille, em uma fria madrugada, eles receberam a notícia de que, vitimada por uma pneumonia, ela havia falecido.

Filho único, Pierre continuou vivendo a vida de sempre, em meio aos amigos, gastando muito em noitadas, levando vida frenética. Dessa forma, dilapidou toda a fortuna que herdara dos pais.

Todos esses pensamentos passavam pela mente de Jamille enquanto observava Maria Eugênia dando mamadeira ao filho, olhos brilhantes de afeto, coisa que em sua vida nunca conseguira sentir.

Seu relacionamento com o marido era o que esperava que fosse. Ambos gostavam de viver intensamente todas as sensações que a vida podia oferecer, sem desejar nada mais do que isso.

De repente, Jamille sentiu-se cansada de tudo isso. A intimidade com Pierre era morna, convencional, e por esse motivo ambos haviam combinado buscar em outros braços as sensações que não sentiam juntos.

Diante dos amigos, vangloriavam-se de ter um "casamento

aberto", moda que estava pegando na Europa. Aceitavam a vida como se não houvesse nada melhor do que estavam conseguindo obter.

A perda do dinheiro fizera-os sair um pouco desse comodismo e sentir medo do futuro pela primeira vez. Haviam perdido a única coisa que valorizavam: o dinheiro. Como suportar a pobreza, a humilhação?

Dionísio acabou de mamar e Maria Eugênia acariciava-o, murmurando palavras de carinho, querendo que ele se aquietasse.

Na sala, Henrique fazia o possível para manter conversa com Pierre, falando sobre livros, teatro, costumes. Eles não tinham nada em comum.

Por outro lado, Pierre procurava levar o assunto para as empresas de Henrique, na tentativa de saber o máximo a respeito. Mas como não dispunha de nenhum conhecimento sobre o assunto, que considerava monótono, não obtinha êxito.

Quando Maria Eugênia e Jamille desceram, acompanhadas de Elvira carregando Dionísio, ambos se levantaram educadamente.

— Ele está bem? — indagou Henrique.

— Sim — respondeu Maria Eugênia. — Não tem febre, mas continua muito nervoso, o que significa que ainda não está se sentindo tão bem.

Elvira sentou-se no chão ao lado do menino com alguns brinquedos, procurando entretê-lo.

— Ele não tira os olhos de você — comentou Jamille.

— Ele quer ver se estou aqui. Quando está indisposto, só se acalma quando estou por perto.

— Essa é questão de disciplina — comentou Pierre. — Meus pais, por exemplo, quando eu era criança, nunca permitiram minha presença quando recebiam visitas.

— Aqui em casa nós valorizamos o bem-estar do nosso filho. Tenho certeza de que nossos amigos, quando nos visitam, compreendem isso.

— Claro — apressou-se a dizer Jamille, sorrindo. — Também sou partidária da educação mais aberta. Quando eu era criança, fui muito discriminada pelos meus pais, exigentes, que nunca permitiram minha presença na mesa às refeições antes dos doze anos. E, mesmo depois, eu era proibida de falar, emitir opinião nas conversas dos adultos. Acho que é por isso que odeio minha infância. Só passei a existir e fazer parte da família depois dos dezoito anos.

— Felizmente, os costumes mudaram muito — comentou Maria Eugênia. — Mas eu só faço o que acho bom para nós. Meu filho vem sempre em primeiro lugar.

Meia hora depois, o casal despediu-se, para alívio de Henrique e Maria Eugênia. Quando se viram sozinhos, Henrique comentou:

— Ainda bem que se foram. Eu não sabia mais o que dizer.

— De fato. Eles não têm nada a ver conosco. Não entendo como pude estreitar tanto essa amizade em Paris. Acho que estava fora de mim.

— Eles não disseram até quando vão ficar. Certamente ainda voltarão a nos procurar.

— Não creio que fiquem muito tempo mais. Eles não têm nada o que fazer por aqui. Depois, nós não os encorajamos a ficar.

— Faço votos de que assim seja.

Assim que entraram no táxi que Henrique chamara para eles, Pierre desabafou:

— Que gente mal-educada! Com os carros na garagem, nem sequer tiveram a gentileza de nos levar para o hotel.

— Deu para ver que não gostam de nós.

— Isso não me importa. Eu também não gosto deles. Mas vão pagar muito caro por isso.

Jamille ficou pensativa por alguns segundos, depois disse:

— Quer saber? Acho que viemos ao lugar errado. Fizemos uma despesa inútil. Eles não têm segredo nenhum. Você está enganado. Não vamos conseguir nada.

Pierre fechou o cenho e respondeu:

— Você é que pensa. Não vou desistir.

— A criança é a cara dele, e o apego que o garoto tem com ela nos faz crer que é a verdadeira mãe. Depois, ela tem uma paixão por ele que certamente não teria se fosse filho adotivo.

— Mesmo que esse menino seja filho legítimo deles, eu possuo outros trunfos.

— Quais?

— Ele me parece careta e antiquado. O que diria se soubesse que sua mulher o traiu comigo?

— O que pretende fazer? Quer levar um tiro no traseiro? Acho que ele seria bem capaz de fazer isso.

Pierre olhou-a arqueando as sobrancelhas, sorrindo malicioso quando respondeu:

— Ele não vai precisar saber de nada. Quem vai nos dar o que precisamos é ela. Já pensou quanto vale para ela manter o casamento? Acha que Maria Eugênia gostaria que o marido descobrisse suas escapadas em Paris?

— Será que isso vai dar certo?

— Tenho certeza. Você vai ver só.

— Precisa ser rápido. Nosso dinheiro está no fim.

— Pode deixar. Sei como fazer.

Chegando ao hotel, Jamille foi para o quarto e Pierre desceu para o bar. Enquanto bebia seu vinho preferido, imaginava o que faria para conseguir o que pretendia.

12

Marina chegou em casa no fim da tarde e encontrou Ofélia preocupada.

— Aconteceu alguma coisa? — indagou.

— Sim. O Cícero chegou da escola indisposto e foi para o quarto. Fui atrás dele, procurei conversar, mas ele começou a chorar e dizer coisas sem sentido. A Rute chegou para a aula e Rosa lhe contou o que estava acontecendo. Ela foi até o quarto e pediu que a deixasse sozinha com ele. Estão lá há mais de dez minutos.

— Vou ver o que está havendo.

Marina subiu ao quarto do irmão e entrou. Cícero estava deitado e Rute, em pé ao lado da cama, mantinha a mão sobre a testa dele. Olhos fechados, parecia rezar.

Cícero, também de olhos fechados, estremecia de vez em quando. Marina, admirada, não entendeu nada. Rute abriu os olhos, fez-lhe ligeiro sinal para esperar e fechou novamente os olhos.

Depois de alguns minutos, Cícero abriu os olhos. Rute retirou a mão de sua testa e perguntou:

— Como se sente?

— Aliviado. Não sei o que foi. Senti uma angústia, parecia que eu ia morrer. O ar me faltava, não conseguia ficar parado.

— Já passou. Você tem mediunidade. Sabe o que é isso?

— Não.

— Há algum tempo você vem sentindo essas coisas, não é? Acho que desde os doze ou treze anos.

— É verdade. Mas antes não era forte. Passava logo. Agora parece que cresceu.

— Sua sensibilidade está se abrindo. Você é médium.

Marina interveio:

— Será? Custo a crer. Cícero sempre foi um menino muito equilibrado.

— Mediunidade não é sinal de desequilíbrio.

Marina lembrou-se das conversas que tivera sobre isso com Célia e Isaura quando estava na fazenda e dos livros que lera sobre o assunto.

— Desculpe. Não foi isso que quis dizer. É que nunca notei nada diferente em Cícero.

— Ele está muito sensível. Talvez a mudança de vida tenha apressado o desenvolvimento de sua sensibilidade. Mas, seja como for, noto que ele possui essa característica.

— Como pode saber?

— Hoje, quando cheguei aqui, ele estava sendo envolvido pelo espírito de uma mulher muito triste e chorosa. Ela conversou comigo e consegui acalmá-la. Com orações, ela foi socorrida e levada. Só então Cícero voltou a seu estado normal.

Marina sentou-se ao lado da cama, sem saber o que dizer. Sabia que essas coisas aconteciam, mas nunca imaginou que fosse ocorrer dentro de sua casa.

— Não sei o que dizer, Rute. Estou vendo que conhece o assunto. O que me aconselha?

— Estudar. Há muitos livros a respeito, pesquisas, centros de estudos onde há orientação prática de mediunidade.

Marina aproximou-se de Cícero, alisou-lhe os cabelos e disse:

— Por que você nunca me disse o que estava sentindo?

— Tive medo. Pensei que estivesse ficando louco. Tantos pensamentos estranhos passam pela minha cabeça. Há ocasiões em que estou bem, junto com meus amigos, mas de repente tudo muda. É como se eu fosse outra pessoa: sinto enjôo, raiva, vontade de brigar. Tento controlar, mas nem sempre consigo. Por favor, d. Rute, tire isso de mim. Não quero sentir essas coisas.

— Acalme-se. Não tenho e ninguém tem o poder de impedir que sua sensibilidade se manifeste. Ela é uma condição natural de todos, embora cada um tenha um tempo certo para que apareça. Mas ser médium é uma bênção. Você não precisa ter medo.

— Mas eu tenho. Não quero esse negócio de espíritos.

— É por esse motivo que o aconselho a estudar o assunto. É o único caminho para que você aprenda a lidar com sua sensibilidade e possa utilizá-la em seu benefício. Com o tempo, perceberá que ser médium é penetrar os segredos do Universo. É descobrir as leis da vida, é tornar-se mais lúcido e sábio.

Marina olhava-o dividida. Por um lado, sabia que Rute estava sendo sensata, aconselhando o melhor. Por outro, não queria que o irmão sofresse tantos conflitos.

Rute colocou a mão sobre o braço de Marina e disse:

— Ele é um espírito forte e tem como lidar com isso. Você precisa confiar e auxiliá-lo. Tenho certeza de que ele veio para o seu lado porque você pode fazer isso.

Marina suspirou e abraçou-a com carinho.

— Obrigada, Rute. Você tem sido uma amiga do coração. Seguirei seu conselho. Pode indicar-me alguns livros para começar?

— Posso. Mas gostaria de fazer mais. Tenho uma amiga que é uma médium muito boa, tem um grupo de estudos. Gostaria que vocês fossem a uma sessão lá para uma consulta espiritual.

— O que acha, Cícero? Vamos?

— Eu vou se d. Rute for junto.

— Está bem, irei. Mas antes preciso conversar com ela e saber quando poderemos ir. Agora, levante-se daí. Não pensa que vai escapar da nossa aula hoje.

— Isso mesmo — reforçou Marina. — Vamos descer. Estamos esperando você lá.

Elas saíram e imediatamente Cícero levantou-se, foi lavar-se e pentear-se para descer. Sentia-se leve, alegre. Nem se lembrava do mal-estar que sentira.

Mais tarde, sozinha em seu quarto, Marina lembrou-se daquela mulher com a qual sonhara duas vezes e que lhe falara sobre reencarnação. Tinha certeza de que não havia sido um sonho comum. Aquele contato fora tão real que ela nunca mais o esqueceu.

As conversas com Célia e Isaura na fazenda, sobre vida após

a morte, mediunidade, reencarnação, talvez não fossem coisas do acaso, mas mensagens que a vida estava lhe mandando para que estudasse o assunto.

O telefone tocou e ela atendeu. Era Rafael, convidando-a para ir ao teatro.

— Não sei se poderei ir. Cícero não passou bem hoje.

— Trata-se de uma comédia inteligente e muito boa. Vamos fazer o seguinte: passarei em sua casa às oito, então veremos; se não quiser ir, ficaremos conversando.

— Venha mesmo. Cícero adora você. Aliás, você já conquistou todos aqui em casa.

— Ainda bem, porque aí tem sido um oásis para mim. Adoro sua mãe.

Às oito em ponto, Rafael chegou e foi recebido com alegria. Rosa foi chamar Marina, que desceu em seguida. Depois dos cumprimentos, sentaram-se na sala e Rafael perguntou:

— Então, como está o Cícero?

O garoto apareceu no limiar sorrindo e respondeu:

— Estou ótimo. Tanto que vou dar uma volta.

Rafael olhou para Marina admirado:

— Ele não estava doente?

Ofélia entrou para cumprimentá-lo e Rafael levantou-se para abraçá-la. Desde que ele fora àquela casa pela primeira vez, havia mais de um ano, tinham ficado amigos.

Talvez por viver distante da própria família, Rafael sentia-se bem com o carinho de Ofélia, com a curiosidade de Cícero, sempre questionando as coisas, e com a inteligência esclarecida de Marina.

Ela era tão espontânea que diante dela ele não precisava recorrer às costumeiras análises de comportamento para saber logo o que ela queria dizer ou fazer. Nem se precaver contra os costumeiros jogos femininos, cheios de subterfúgios e intenções ocultas, que ele odiava.

Marina era direta, simples e prática, ao contrário dele, que questionava os menores gestos das pessoas, querendo descobrir o que havia atrás de cada uma de suas atitudes.

Habituado a ser muito valorizado pelas mulheres, a princípio Rafael ficara um pouco desapontado notando que ela não pretendia conquistá-lo, mas depois de algum tempo sentiu-se aliviado e à vontade.

Por outro lado, Marina gostava da companhia dele, de sua inteligência arguta, sua cultura, bom humor e discrição, nunca tendo enveredado pelo caminho da conquista.

Eles saíam juntos com freqüência e Marina apreciava poder freqüentar teatros, cinemas, concertos e restaurantes em sua companhia. Além de Rafael ser muito agradável, ela sentia-se bem por circular pela noite acompanhada.

Foi Ofélia quem respondeu:

— Cícero estava péssimo. Chegou em casa abatido, pálido, foi para o quarto e não queria ver ninguém. Quando Rute chegou para a aula, foi ao quarto dele ver como estava. Não sei o que ela fez, mas, depois que ela e Marina desceram, ele apareceu todo animado, como se não tivesse nada. Comeu muito bem e foi passear, coisa que só faz quando está de bom humor.

Rafael olhou para Marina e considerou:

— Deve ter sido uma crise emocional. Na idade dele acontece muito. Nesses casos, atenção e uma boa conversa costumam resolver.

— Desta vez foi mais do que isso — tornou Marina. — Sentese. Quero conversar sobre o que aconteceu.

— Vou fazer um café bem fresquinho — disse Ofélia, deixando a sala.

— Fale, Marina. O que foi?

— Em nossas conversas nunca falamos sobre isso. Você acredita que haja vida depois da morte?

— Acredito. Em meu trabalho tenho deparado com casos que me fizeram refletir muito sobre isso. Por que pergunta?

— Porque quando cheguei ao quarto de Cícero encontrei Rute com a mão na testa dele, conversando. Ele estava chorando, angustiado. Ela confortou-o, rezou e ele melhorou. Então ela explicou que ele é médium e que as emoções desagradáveis que ele estava sentindo eram de um espírito.

— E ele?

— Sentiu-se aliviado ao saber disso. Sem entender o que estava acontecendo, teve medo de estar enlouquecendo. Ainda bem que Rute entendia do assunto.

— O sexto sentido é uma realidade. Todos nós temos. Penso que precisamos aprender mais sobre nosso emocional e a espiritualidade.

— Os sonhos também são intrigantes. Por duas vezes sonhei com uma mulher que, embora não a tenha visto antes, pareceu-me muito familiar. Estávamos em um jardim lindo, onde as flores, a vegetação, possuíam cores muito vivas e belas. Conversamos, mas não me recordo de tudo o que falamos. Só sei que ela falou em reencarnação. Mas estou certa de que esses não foram sonhos comuns. Eram tão reais! Eu ainda me emociono quando me recordo deles.

— Os sonhos sempre me fascinaram. São estados diferenciados de consciência, em que muitas variáveis interferem. Na minha profissão são reveladores. Às vezes retratam situações que a pessoa prefere não ver. Estudá-los é parte do meu trabalho. Tenho lido sobre viagens astrais e tive alguns pacientes que chegaram a ver seu corpo dormindo na cama enquanto eles circulavam pelo quarto, com leveza e extraordinário bem-estar.

— Enquanto eu estava fora, tive ocasião de ler sobre isso, mas saber que meu irmão é médium e precisa aprender a lidar com sua sensibilidade me preocupa um pouco.

— É uma coisa nova para você. O desconhecido assusta um pouco. Por outro lado, poder descobrir os segredos da vida, obter provas de que a vida continua após a morte, é uma bênção. Ter essa certeza muda todos os nossos conceitos e atitudes. A reencarnação é uma chave maravilhosa para entender as desigualdades sociais, porque ela revela os resultados de nossas escolhas de outras vidas. Eu tive muitos casos que me fizeram pensar que tudo isso seja verdade. Mas há em mim ainda um lado que duvida um pouco.

— É o que acontece comigo. Eu não procurei esse caminho, mas já que aconteceu aqui, com meu irmão, estou disposta a buscar provas e aprender como essas coisas funcionam, para ajudar Cícero. Rute tem uma amiga médium que dirige um grupo de estudos espirituais. Inclusive, faz sessões espíritas. Ela quer nos levar para uma consulta.

— Nesse caso quero ir com vocês. Tenho muitas perguntas sem resposta dentro de mim. Casos que ocorreram com pessoas amigas, com pacientes, com a vida nos hospitais.

Ofélia voltou à sala com uma bandeja e serviu café com bolo. Depois foi para o quarto ver televisão.

— E sua mãe, o que pensa a respeito?

— Ela sempre freqüentou a Igreja Católica. Pensei que não fosse gostar do que aconteceu. Rodeei um pouco para contar-lhe, mas fiquei surpresa, porque, quando terminei, ela disse: "Sempre desconfiei que esse menino tinha mesmo algum encosto. Desde pequeno ele tem todos os sinais. Quando eu via que ele estava meio atormentado, precisava levá-lo a uma benzedeira. Ela rezava na cabeça dele e a melhora era imediata. No dia seguinte ele acordava bonzinho".

— A sabedoria popular... Sua mãe é uma grande mulher.

— Ela é uma mulher simples, cursou apenas o ensino fundamental, mas possui uma bondade que eu respeito e admiro. Tenho muito orgulho de ser sua filha.

— Estou muito interessado no caso de Cícero. Há certos fatos que presenciei que a medicina não explica e que sugerem a intervenção espiritual. Certa vez, quando fazia residência em um hospital, um paciente de meia-idade que sofreu um acidente de carro estava em coma. Sua esposa aproximou-se dele e disse palavras de carinho, pedindo que ele não a deixasse, que voltasse para ela e os filhos.

Marina ouvia com interesse e ele prosseguiu:

— Como médico, eu sabia que um paciente em coma não sabe o que acontece à sua volta. Querendo acalmá-la, pedi que saísse e afirmei que no estado em que ele se encontrava não poderia ouvir nada do que ela estava dizendo. Mas ela se recusou, afirmando que o traria de volta e que ele não iria embora. Como o estado dele era grave e já era madrugada, deixei-a ficar sentada ao lado da cama. Mais tarde, uma enfermeira me chamou dizendo que o paciente dera sinal de melhora. Corri a examiná-lo, e de fato ele estava saindo do coma. As primeiras palavras dele, ainda atordoado, foram: "Alzira, você me chamou e eu voltei. Agora não vou mais embora".

— Quer dizer que ele ouviu o que ela lhe dissera?

— Tudo indica que sim. Ela olhou-me triunfante, contente, como se dissesse: "Viu? Eu não disse?". Pela medicina, ele nunca poderia ter registrado as palavras dela. Muitas vezes fiquei me perguntando se realmente somos espíritos e desse modo podemos viver fora do corpo conservando todos os nossos sentidos.

— Essa seria a única explicação.

— Vi pacientes em fase terminal que diziam estar recebendo a visita de seus parentes mortos. Um deles até sabia o dia em que ia morrer. Viu o espírito de um tio que prometeu buscá-lo naquela data. E ele realmente morreu no dia previsto.

— Nesse caso, os médicos poderiam estudar esses fatos com mais facilidade.

— Alguns até o fazem, ou pelo menos respeitam quem crê na vida após a morte, mas infelizmente o preconceito ainda é grande e muitos não mencionam esses casos, com receio de serem confundidos com curandeiros. Depois que me especializei em psiquiatria, muitas vezes, durante o tratamento de um paciente, vi que ele se transformava, como se fosse outra pessoa: a postura, a voz. E alguns diziam coisas inteligentes que iam além da cultura e do conhecimento que eles possuíam. Havia um que, durante um acesso de fúria, começou a destruir tudo à sua volta e não conseguíamos contê-lo para colocar a camisa-de-força. Uma das enfermeiras chegou e entrou no quarto, apesar de querermos impedi-la. Ela estendeu a mão para ele e com voz firme mandou que parasse. Ele olhou-a e ela continuou falando, dizendo que não queria colocar a camisa-de-força, mas, se ele continuasse rebelde, querendo destruir tudo, ela seria forçada a fazer isso e a dopá-lo.

— Mulher corajosa!

— Na hora fiquei apavorado. Achei que ele ia agredi-la e me preparava para intervir quando surpreendentemente ele começou a chorar, soluçando e dizendo que ia embora porque ela era mais forte do que ele. Então ela tomou seu braço e conduziu-o para a cama. Ele soluçou durante algum tempo. Depois disse que ela o havia libertado. Que não era ele quem estava furioso, mas seu perseguidor, que queria acabar com ele. Contou que via o que estava acontecendo, mas não conseguia reagir. Disse que, quando ela entrou e o enfrentou, das mãos dela saíram raios de luz azul muito fortes, que o imobilizaram.

— Que coisa impressionante!

— De fato. Durante alguns dias não consegui pensar em outra coisa. Fui procurá-la. Então descobri que ela era espírita praticante. Seu guia espiritual a mandara ir e atender o caso. Ele a ajudara no processo.

— Temos muitas coisas a aprender. Não vou perder a chance.

— Nem eu. Afinal, é mesmo muito bom descobrir o que vai nos acontecer depois da morte, uma vez que esse é o caminho de todos nós.

Eles ainda continuaram conversando sobre o assunto. Quando Rafael se despediu, ficou combinado que ele os acompanharia ao centro de estudos espirituais.

***

O encontro foi marcado para dois dias depois. Rute, Marina, Rafael e Cícero deveriam estar lá pontualmente às oito da noite. Dez minutos antes, chegaram ao local.

Era um casarão antigo em um bairro de classe média. No portão, um moço os recebeu, fazendo-os entrar no jardim bem cuidado. Subiram os degraus que conduziam à varanda e entraram no *hall*, onde uma moça os recebeu e os conduziu a um salão com filas de cadeiras e ao fundo uma mesa grande, rodeada de cadeiras. Sobre a mesa, alguns livros, blocos de papel, canetas. Atrás, encostado na parede, um móvel sobre o qual havia um vaso com flores, bandeja com jarras de água e copos.

Cícero agarrou o braço de Rute. Marina viu e perguntou:

— O que foi, Cícero?

— Acho que não vou ficar. Estou todo arrepiado. Vocês ficam. Vou esperá-los no jardim.

— Nada disso — tornou Rute. — Não tenha medo. Aqui você está protegido. Nada de mau vai lhe acontecer.

Eles foram convidados a sentar-se em uma das fileiras. Quase todas as cadeiras estavam ocupadas. O ambiente era acolhedor e alegre.

Uma moça aproximou-se de Rute e perguntou:

— Quem vai passar com d. Eunice?

— Cícero — respondeu Rute. — Mas Marina, irmã dele, e o dr. Rafael gostariam de conversar com ela para uma orientação.

— Está bem. A reunião vai começar. Eu chamarei quando for o momento de vocês entrarem.

As luzes foram apagadas, ficando acesa apenas uma lâmpada azul. Uma música suave encheu o ar. Um senhor sentado à cabeceira da mesa pediu que todos se concentrassem e fez ligeira prece, solicitando a presença e a proteção dos amigos espirituais para os trabalhos da noite.

Depois, as luzes foram acesas e um rapaz levantou-se e começou a falar sobre a necessidade da oração como elemento de ligação com os espíritos de luz. Sua voz vibrante e emocionada, suas palavras ditas com convicção impressionavam, enquanto ele afirmava que a ajuda espiritual está à nossa volta o tempo todo, que somos nós que fechamos nosso coração a ela quando nos afundamos no negativismo e que a oração renova nossas energias e oferece campo para que ela possa atuar em nossas vidas.

Marina sentia uma alegria interior, um bem-estar muito grande. Parecia-lhe já haver estado em um lugar como aquele.

O rapaz sentou-se e logo depois uma moça se levantou e começou a contar uma experiência que tivera fora do corpo. Eles estavam muito interessados, porém naquele momento foram chamados para a consulta.

Eles acompanharam a moça por um corredor até uma pequena sala onde, atrás de uma mesa, Eunice estava sentada.

Rute ia ficar fora, mas a moça pediu que ela também entrasse. Eunice estendeu a mão a eles olhando nos olhos de cada um. Depois, pediu que se sentassem em frente da mesa.

Cícero olhava-a admirado. Ela sorriu:

— Você está vendo um amigo espiritual. Está aqui para nos ajudar.

— Ele está sorrindo para mim. Parece até que já o conheço.

— Vocês fazem parte do nosso grupo.

— Mas é a primeira vez que venho aqui — disse Cícero, admirado.

Eunice sorriu:

— Isso não quer dizer que não tenhamos nos encontrado antes. Você veio aqui por causa da sua sensibilidade. Está na hora de estudar as leis cósmicas e os fenômenos de influências. Você precisa aprender a equilibrar suas energias, a escolher bem seus caminhos.

— Eu também gostaria de estudar tudo isso — interveio Marina.

— Eu sei. Você está pronta, só precisa recordar um pouco. Quanto ao senhor, já poderia ter desenvolvido seu enorme potencial curador se não tivesse ignorado os chamados que a vida lhe fez.

Ela fez uma pausa, depois perguntou:

— Quem é Olinto ou Olívio?

— Olinto, meu avô paterno — respondeu Rafael.

— Um senhor alto, bonito, cabelos castanho-claros, queixo quadrado, olhos alegres.

— É ele! — exclamou Rafael, emocionado.

— Pois é... Ele diz que tem procurado auxiliar seu pai, mas que ele é teimoso e não atende aos conselhos que lhe dá. Diz que adora Diva porque ela tem muita paciência com ele.

Rafael não conseguiu impedir que algumas lágrimas rolassem pelas suas faces. Quando conseguiu falar, disse:

— Diva é minha mãe!

Marina e Cícero não continham a emoção. Naquele momento tiveram provas de que a vida continua após a morte. Não só a presença do avô de Rafael, mas também as palavras que ele dissera, mencionando o nome da nora, causaram-lhes grande impressão.

Eunice olhou fixamente para Marina e continuou:

— Está aqui o espírito de uma moça. Diz que se chama Norma. É sua amiga de outras vidas e pede que lhe diga o seguinte: "Está tudo certo. Não existe erro. Você cumpriu a promessa que me fez. Conte comigo sempre. Farei o que puder para que seja muito feliz".

Marina lembrou-se com muita clareza do sonho naquela tarde na sala de espera do dr. Moura, do jardim onde conversara com uma mulher que lhe dissera ser sua amiga de outras vidas e que quando chegasse o momento ela se recordaria da reencarnação.

Surpreendida, emudeceu. Eunice perguntou:

— O recado fez sentido para você?

— Sim — respondeu Marina.

Notando que os demais a olhavam curiosos, ela esclareceu:

— Certa vez sonhei com ela, que me disse as mesmas palavras. Nunca mais esqueci esse sonho.

— Foi uma viagem astral, não foi um sonho. Vocês se encontraram no astral enquanto seu corpo dormia. Eu gostaria que

Cícero se matriculasse em nosso curso de médiuns. Lá ele terá aulas teóricas sobre as leis cósmicas e práticas para conhecer as energias que nos rodeiam.

— Está bem — concordou ele.

Eunice prosseguiu:

— Quanto a vocês dois, vou indicar-lhes alguns livros e, se desejarem, poderão freqüentar nossa sessão de estudos uma vez por semana.

Os dois concordaram. Eunice levantou-se e estendeu-lhes a mão.

— Tive muito prazer em conhecê-los. Se quiserem, poderão tomar um passe na sala ao lado. Vão com Deus.

Eles agradeceram e saíram. Foram à sala indicada e cada um sentou-se onde lhes indicaram, enquanto duas pessoas — uma diante, outra atrás — levantaram as mãos e pouco depois as passaram pelo corpo deles sem os tocar. Uma música suave enchia o ar e um delicado perfume das rosas que estavam no vaso sobre a mesinha deu-lhes agradável sensação de bem-estar.

Enquanto Cícero teve uma crise de choro, Rafael intimamente prometia a si mesmo estudar a espiritualidade com persistência e Marina sentia que uma brisa gostosa a envolvia e que aquela energia lhe era familiar. Num misto de reconhecimento e de saudade que ela não podia traduzir em palavras, permitiu que duas lágrimas de felicidade lhe banhassem a face, na certeza de que finalmente havia reencontrado seu caminho.

Eles saíram em silêncio, cada um imerso em seus pensamentos. Uma vez na rua, Rute não se conteve:

— E então? Gostaram?

— Eu senti arrepios o tempo todo. Como é que ela sabia tudo sem eu dizer nada? — tornou Cícero.

— Como você está se sentindo agora? — perguntou Rute.

— Leve, muito bem — respondeu Cícero. — Tanto que estou até com fome.

— Nesse caso, vamos comer alguma coisa — convidou Rafael. — Aqui perto há um lugar muito bom.

Uma vez no carro, Rafael comentou:

— Essa mulher tem uma mediunidade espantosa! Depois das provas que ela nos deu, não há do que duvidar.

— De fato — interveio Marina. — Como ela poderia saber sobre a moça do meu sonho e das palavras que havíamos conversado?

— Vocês se admiram, mas para Eunice, que vê os espíritos e ouve o que eles dizem, é só narrar os fatos — respondeu Rute.

— Mas nem todos os médiuns são como ela. Eu mesmo já deparei com alguns que afirmam coisas que nunca aconteceram e até confundem a cabeça das pessoas ingênuas — aventou Rafael.

— De fato. Eunice é pessoa lúcida, íntegra e muito generosa, o que lhe garante a presença e a ajuda de espíritos iluminados. Além disso, seu temperamento prático e ativo não permite que se perca nas ilusões e nos dramas do mundo. Líder nata, as pessoas rendem-se ao seu carisma. Contudo, ela conserva a cabeça no lugar e tem uma enorme capacidade de trabalho.

— Ela passa mesmo uma sensação de confiança — tornou Rafael. — A partir de hoje, vou me dedicar a estudar esses fenômenos. Afinal, morrer é o destino de todos nós. Pensando nisso, não dá para entender por que a maioria das pessoas prefere ignorar esse assunto.

— Talvez o medo seja maior do que a necessidade — comentou Marina.

— O medo — interveio Rute —, quando não é provocado por uma situação real de risco, pode ser dissipado pelo conhecimento dos fatos. Há inúmeras provas da sobrevivência do espírito após a morte. Quando você as descobre, fica mais fácil vencer o medo e olhar o futuro com mais otimismo.

Durante todo o tempo em que estiveram juntos, comentaram os acontecimentos da noite.

Passava das onze quando Rafael, depois de deixar Rute em casa, levou Marina e Cícero. Este despediu-se rapidamente de Rafael, dizendo alegre:

— Mamãe deve estar nos esperando ansiosa. Vou contar-lhe as novidades.

Ele entrou depressa. Marina estendeu a mão a Rafael.

— Obrigada por nos ter acompanhado. Seu apoio foi muito importante para mim. Apesar de gostar de Rute, eu me sentia um pouco insegura. Cícero é um menino sensível; eu temia que ele se impressionasse demais.

— Você sabe quanto aprecio a companhia de vocês. Eu iria junto em qualquer lugar. Confesso, porém, que não esperava o que nos aconteceu. Sinto em meu coração uma sensação boa, que renovou minha motivação.

— Você nunca me pareceu desmotivado. Tem uma visão otimista de tudo.

— Esse é um trabalho que realizo diariamente, tentando melhorar minhas condições de vida. Tenho aprendido que o otimismo não só nos ajuda a viver melhor, mais felizes, como também contribui para a manutenção da saúde física e mental. Acontece que, lidando com os problemas humanos, sendo confidente de pessoas altamente iludidas, pessimistas, irresponsáveis, que se comprazem nas mesmas posturas sem que eu possa, por mais que tente, fazê-las perceber o que estão fazendo com suas vidas e assumir o comando de seu mundo interior, tudo isso acabou desgastando minha boa vontade.

Marina colocou a mão sobre o braço dele, olhando-o nos olhos.

— Nunca notei que você se sentia assim.

— Quando me formei, estava cheio de planos, de ideais, acreditando que meus conhecimentos, meu amor pela profissão e o desejo de tornar as pessoas mais felizes seriam suficientes para conseguir um bom desempenho.

— Mas você conseguiu. É um profissional respeitado, escreveu livros, tem ajudado as pessoas.

— Tenho tentado, mas a grande verdade é que ninguém muda ninguém. As pessoas me procuram em busca de orientação para suas vidas, porém poucas são as que realmente ouvem meus argumentos e tentam colocá-los em prática. A maioria vai à consulta em busca de algum remédio que em um passe de mágica a livre de todas as preocupações. Quando você identifica a origem dos problemas e sugere o que fazer para vencê-los, não aceitam.

Ele fez ligeira pausa e, notando que Marina o ouvia com atenção, continuou:

— Por comodismo, não querem reconhecer que foi sua maneira inadequada de ver as coisas que criou as situações problemáticas que as impedem de ter uma vida feliz.

— Isso não deve entristecê-lo. Você está dando o melhor

de si, usando seus conhecimentos para seus clientes. Mas a responsabilidade de fazer ou não o que você aconselha é deles. Não depende de você.

— Eu sei disso. O que quero lhe dizer é que, nesta noite, a descoberta da reencarnação como uma possibilidade de aprendizagem fez-me recobrar o entusiasmo pelo meu trabalho. Entendi que minha função é apenas mostrar as várias opções que a pessoa tem naquele momento. Se ela escolher o melhor, tudo bem. Mas, se continuar no mesmo caminho, um dia ela vai tomar consciência do que eu quis lhe mostrar e vai fazer o mais adequado. Esta noite descobri que minha função é apenas mostrar a quem se sente perdido um caminho mais adequado às circunstâncias, sem me preocupar com o que cada um escolheu. Esta noite tive a certeza de que a vida cuida de cada um muito melhor do que eu. Diante dos que me procuram, sou apenas uma chance de mudança que eles usam se quiserem.

Os olhos de Rafael brilhavam e Marina sentiu-se comovida com suas palavras. Geralmente ele não falava de seus sentimentos pessoais. Era a primeira vez que expunha seus pensamentos íntimos, suas expectativas diante do trabalho no qual dedicara toda a sua vida.

— Você é um homem maravilhoso — disse ela, levantando-se na ponta dos pés e beijando-o delicadamente na face.

Ele abraçou-a, respondendo comovido:

— Não. Você é que tem enchido minha vida de alegria e de felicidade.

Emocionado, beijou-a nos lábios. Marina sentiu o coração bater descompassado, enquanto uma sensação de prazer a invadia.

13

Maria Eugênia atendeu o telefone e, ouvindo a voz de Pierre, sentiu um aperto no peito.

— Preciso vê-la com urgência, a sós, não em sua casa — disse ele.

— Infelizmente, você sabe, não posso sair, por causa do meu filho.

— Dê um jeito. Tenho um assunto muito importante para conversar com você. Garanto que é do seu interesse.

— O que é? Pode me dizer por telefone?

— De forma alguma. Espero você esta tarde no meu hotel. Jamille vai sair em excursão e eu a estarei esperando.

Ela quis escapar:

— Eu não posso. Meu marido pode não gostar.

— Antes você não pensava assim. Se não vier, vou procurá-lo e contar tudo que houve entre nós em Paris.

Maria Eugênia sentiu as pernas bambas. O coração disparou.

— Está bem. Irei — respondeu com voz sumida.

— Às duas horas. Não se atrase. Estou em uma situação de emergência. Se não vier até as duas e quinze, vou procurar seu marido. Não estou brincando.

— Pode esperar. Irei.

Ela desligou o telefone e deixou-se cair em uma poltrona. Mais do que nunca lamentou a leviandade daqueles tempos. Mas era tarde. Precisava enfrentar a situação.

Não duvidava que Pierre estivesse procurando tirar vantagem da situação. Só não sabia como, se queria dinheiro ou se queria divertir-se à custa dela, exigindo que lhe desse a mesma atenção de antes.

Ela não aceitaria nenhuma das duas hipóteses. Mas o que fazer se ele levasse para a frente as ameaças?

Ela não queria de maneira alguma colocar em risco seu relacionamento com Henrique. Eles estavam vivendo a melhor fase de seu casamento. Maria Eugênia amava o marido e não queria perdê-lo.

Por um momento ocorreu-lhe que o mais sensato seria contar-lhe tudo e acabar de vez com a chantagem de Pierre. Mas como Henrique reagiria se soubesse que havia sido traído? Certamente a desprezaria, talvez até a deixasse.

Não. Henrique nunca poderia saber a verdade. Angustiada, Maria Eugênia compareceu ao hotel de Pierre na hora marcada. No saguão, pediu à recepcionista que o avisasse de sua chegada e foi aguardar na sala de estar.

Pouco depois, Pierre chegou, elegante como sempre, e cumprimentou-a sério, deixando transparecer tristeza em sua fisionomia.

— O que deseja de mim? — indagou ela.

— O que temos que conversar não pode ser dito aqui. Melhor irmos a meu quarto.

— Não. Prefiro outro lugar.

— Nesse caso, vamos ao jardim-de-inverno. A esta hora está vazio.

Maria Eugênia acompanhou-o, tentando controlar a inquietação. O local era muito bonito, cheio de plantas ornamentais e caprichada decoração. Realmente, não havia ninguém por perto.

Ele conduziu-a a um canto discreto, onde se sentaram nas aconchegantes poltronas.

— E então? — indagou ela.

Ele suspirou triste, depois disse:

— Resolvi vir ao Brasil conversar com você porque estamos

atravessando uma situação desesperadora. Eu perdi tudo, estou arruinado.

Ela não escondeu a surpresa:

— Não parece... Vocês estão vivendo como sempre. Este hotel é dos mais luxuosos.

— Para mim, é o estilo de vida que desfrutei durante toda a minha vida. Quando descobri que havia perdido tudo, pensei em suicídio. Jamille impediu-me no momento exato. Por ela, resolvi continuar vivendo, mas não tenho estrutura para viver na pobreza. Por tudo isso resolvi vir vê-la e pedir ajuda.

— A mim? Por mais que eu deseje ajudá-los, não sei como poderia. Minha mãe cuida de todo o nosso dinheiro.

— Informei-me sobre suas empresas. Elas possuem vastos recursos. Creia que, se não fosse pela aflitiva situação em que nos encontramos, nunca me atreveria a incomodá-la. Se quer saber, não temos nem dinheiro para pagar o hotel.

— Não sei o que dizer.

— Peça a seu marido.

— Você sabe que ele não simpatiza muito com você.

— Fale com sua mãe.

— Ela é uma mulher difícil. Nunca consegui enfrentá-la.

— Estou desesperado. Se não puder ajudar-me, vou procurar seu marido. Ele, apesar de não gostar de mim, diante dos fatos vai querer ver-me longe daqui.

Maria Eugênia empalideceu:

— O que pretende? Contar-lhe as loucuras que fiz em Paris?

— Se for preciso...

Maria Eugênia sentiu vontade de esbofeteá-lo, mas conteve-se. Ele continuou:

— Não quero apelar para o escândalo. Sei que sua mãe daria tudo para que eu não falasse sobre aquela barriga postiça que você usava em Paris.

Então era isso! Ele sabia o segredo de sua família e pretendia arrancar dinheiro deles. Maria Eugênia sentiu a cabeça turvar-se e esforçou-se para não desmaiar.

Pierre, notando sua palidez, teve certeza de que suas suspeitas tinham fundamento. Olhou em volta e foi até a mesinha, onde havia uma jarra de água e copos. Serviu-se e voltou até Maria Eugênia:

— Beba isto. Vai sentir-se mais calma.

Ela segurou o copo com mãos trêmulas e bebeu alguns goles. Estava tão assustada que não se atreveu a contestar o que ele dissera.

Pierre continuou:

— Olhe, eu não quero prejudicar ninguém, muito menos você, de quem guardo boas lembranças. Mas estou desesperado. Se me arranjar algum dinheiro, vou embora e nunca mais ouvirá falar de mim.

Maria Eugênia tomou o resto da água, tentando ganhar tempo. Não sabia o que dizer. Quando se acalmou um pouco, perguntou:

— Quanto você quer?

— Você sabe... Devido à situação, estou cheio de dívidas. Quero pagar tudo e ter dinheiro para recomeçar.

— Se você continuar levando a vida que sempre teve, não haverá dinheiro que chegue. Estará sempre pobre.

— Eu pretendo trabalhar — mentiu ele. — Tenho idéia de voltar a Paris e abrir um negócio. Jamille vai me ajudar.

— Quanto?

— Cinco milhões de dólares.

Maria Eugênia olhou-o assustada:

— Tudo isso? É impossível! Nunca conseguirei arranjar esse dinheiro.

— Pois é do que preciso. Esse valor não significa nada diante do patrimônio das empresas de sua família.

Maria Eugênia torcia as mãos desesperada. Pierre, então, continuou:

— Olhe, vou dar-lhe um prazo para conseguir o dinheiro. Mas lembre-se de que, quanto mais tempo eu ficar neste hotel, mais estarei gastando. Esse valor pode aumentar.

Maria Eugênia levantou-se. Apesar de sentir as pernas bambas, queria sair dali o quanto antes, não ver mais aquele olhar malicioso e falso de Pierre. Sua proximidade a enojava.

— Preciso ir embora. Meu filho ainda não está bem.

— Está certo. Daqui a dois dias volto a ligar para saber se já tem o dinheiro.

— É impossível arranjar tanto dinheiro em tão pouco tempo.

— Não posso esperar mais. Se não conseguir, irei procurar sua família.

— Não... Vou ver o que posso fazer. Não faça nada sem falar comigo.

— Está bem. Lembre-se: daqui a dois dias, neste mesmo horário.

Maria Eugênia saiu sem se despedir. Ao entrar no carro, o motorista perguntou:

— A senhora está bem? Está tão pálida!

— É um ligeiro mal-estar. Vamos para casa. Preciso descansar.

Durante o trajeto, Maria Eugênia procurava desesperadamente uma solução. Quanto mais refletia, menos acreditava na possibilidade de conseguir o que Pierre exigira.

Ela nunca precisou pensar em dinheiro porque sempre tivera tudo e todas as suas necessidades satisfeitas. Mas, apesar disso, sabia que cinco milhões de dólares era uma quantia vultosa até para os recursos de sua família.

Depois, que desculpas arranjar para solicitar essa soma? Tanto Henrique quanto Adele eram inteligentes e não se deixariam ludibriar com facilidade. Teria de lhes contar.

No entanto, preferia morrer a ter de contar ao marido que o traíra e à mãe que fora leviana a ponto de deixar que Pierre conhecesse tão importante segredo.

Sua cabeça doía e ela nem sequer conseguia raciocinar direito. Chegou em casa e foi diretamente para o quarto. Não queria que ninguém notasse seu nervosismo. Uma vez lá, atirou-se na cama e rompeu em soluços.

Elvira bateu à porta e Maria Eugênia não abriu. Ela bateu novamente.

— Quem é? — indagou Maria Eugênia.

— Elvira. Preciso falar com a senhora.

Maria Eugênia levantou-se rapidamente e foi abrir. Em sua perturbação, nem havia perguntado de Dionísio. Teria piorado?

Vendo sua fisionomia perturbada, Elvira perguntou:

— Aconteceu alguma coisa? A senhora está doente?

— Não. Estou com dor de cabeça. Dionísio está bem?

— Ele estava, até meia hora atrás. De repente, acordou chorando desesperado, chamando pela senhora. Custou para que se acalmasse. Mas ele está inquieto, estremece de vez em quando.

— Viu se a febre voltou?

— Ele não está com febre; só inquieto, nervoso, irritado.

— Vou vê-lo.

Elas foram ao quarto de Dionísio, que, em pé no berço, esforçava-se para sair. Vendo-as chegar, disse chorando:

— Mamãe, "quelo" você.

Maria Eugênia pegou-o no colo e acariciou- lhe os cabelos.

— Estou aqui, filho. Não chore. Estou aqui.

As lágrimas desceram pelo seu rosto e ela sentou-se, embalando o menino com carinho. Elvira não se conteve:

— Aconteceu alguma coisa? A senhora está muito abatida.

— Aconteceu, sim, Elvira. Mas, infelizmente, não posso lhe dizer o que é. E, por favor, não conte a ninguém que estou com problemas. Nem a Henrique.

— Mas ele vai perceber seu nervosismo.

— Preciso me controlar. Vou me deitar, levo Dionísio comigo. Quando Henrique chegar, diga-lhe que estou com dor de cabeça, tomei remédio e desejo dormir.

— Nesse caso, é melhor que eu fique com Dionísio.

— Ele vai chorar de novo. Sabe como é agarrado comigo.

— Então ficarei com a senhora.

— Está certo.

Elas voltaram para o quarto de Maria Eugênia com Dionísio. Ela deitou-se com o menino e Elvira sentou-se do lado da cama. O quarto em penumbra favorecia a calma.

Dionísio, abraçado a ela, sentia-se mais calmo, mas não dormia. Elvira colocou o cavalinho de pelúcia em suas mãos e ele sorriu.

— Nunca vi uma criança tão apegada à mãe — comentou Elvira. — A senhora não estava bem e ele sentiu. Só pode ser isso. Antes de a senhora sair, ele estava alegre, bem-disposto. Tudo começou de repente. Eu não conseguia descobrir por quê. Mas, quando a senhora chegou abatida, logo vi que ele havia pressentido alguma coisa.

— Eu preferia que ele não sentisse isso. Não quero que ele sofra por nada deste mundo.

— Eu também. Esse anjinho não merece sofrer.

— Se depender de mim, ele será sempre muito feliz.

Elvira ficou calada por alguns instantes. Depois, notando que apesar de aparentar calma Dionísio estremecia de vez em quando, ela disse:

— Acho que seria bom levá-lo a d. Eunice. Ele ainda está agitado.

— Agora não estou disposta a sair. Vamos ver. Se ele não melhorar, iremos amanhã.

Naquela noite, Maria Eugênia não desceu para jantar. Pretextando dor de cabeça, continuou deitada na penumbra, afirmando a Henrique que não era nada e logo estaria bem.

Ele cuidou pessoalmente de Dionísio e ficou largo tempo brincando com ele, tentando distraí-lo para que Maria Eugênia pudesse descansar.

Quando Henrique foi se deitar, ela fingiu que estava dormindo, porém não conseguiu pegar no sono naquela noite. De vez em quando, vencida pelo cansaço, ela adormecia, mas era acometida de pesadelos nos quais Pierre aparecia cobrando seu dinheiro, ameaçando ir aos jornais contar seu segredo. Ela acordava aflita, corpo coberto de suor, desesperada.

Apesar disso, na manhã seguinte levantou-se antes que Henrique acordasse, tomou um banho e maquiou-se, tentando dissimular seu abatimento.

Foi ver Dionísio.

— Então, Elvira, como ele passou a noite?

— Dormiu, mas seu sono não foi tranqüilo. Estremecia de vez em quando e acordava choroso. Eu o pegava no colo e o ninava. Quando ele adormecia, eu o recolocava na cama. Acho que fiz isso umas três vezes.

Maria Eugênia colocou a mão na testa dele. A temperatura estava normal. Lembrou-se de que Eunice lhe dissera que o menino era sensível às emoções dela. Precisava controlar os pensamentos. Mas como?

Esforçou-se por aparentar alegria. Durante o café da manhã, Henrique perguntou se ela estava melhor. Respondeu que estava muito bem.

Depois que ele saiu, Elvira comentou:

— A senhora não está bem. Quando chega perto de mim, sinto um desespero, uma angústia que não sei explicar. Acho que seria bom irmos conversar com d. Eunice.

— Talvez mais tarde. Não quero incomodá-la a esta hora da manhã.

— Ela é muito boa; não vai reparar. Eu falo por causa de Dionísio. Se ele estiver sentindo o que eu estou, seria bom aliviá-lo.

— Talvez você tenha razão. Acha mesmo que ela não vai se incomodar?

— Acho. Vou ligar para ela e contar o que está acontecendo.

— Faça isso.

Elvira se foi e voltou pouco depois:

— Ela disse que estava pensando em nós e esperando que fôssemos vê-la. Viu como ela é? Sentiu que não estamos bem.

— Então vamos agora mesmo.

Eunice recebeu-as com carinho. Depois de pedir que elas pensassem em Deus, aproximou-se de cada um, impondo as mãos em oração.

Depois pediu que Elvira fosse para outra sala com o menino, pois ela precisava conversar com Maria Eugênia.

Quando se viu a sós com ela, disse:

— Aconteceu o que você temia.

— Sim. Aconteceu e eu não sei o que fazer. Estou desesperada. Ele sabe meu segredo e pediu cinco milhões de dólares para não contar nada. Eu não tenho como arranjar esse dinheiro. Não sei o que fazer.

Eunice fechou os olhos por alguns instantes, depois disse:

— Estou vendo uma pessoa que pode ajudá-la. É uma mulher bonita, elegante, alta, cabelos escuros. Possui tanto carisma, que todos lhe obedecem.

— A senhora está descrevendo minha mãe.

— Essa mulher tem sentido prático, é habilidosa e muito poderosa.

— É mesmo minha mãe. Ela chama-se Adele.

— É essa mesmo. Vá procurá-la e conte-lhe tudo, sem omitir nada.

— Mas ela vai me recriminar. Vai ficar contra mim. Não terei forças para contar-lhe a verdade.

— É sua única saída.

Maria Eugênia chorava desesperada.

— Não terei coragem. Ela vai ficar desapontada comigo.

— Você está sofrendo as conseqüências de suas atitudes passadas. Falar com sua mãe, reconhecer seus enganos é uma forma de reabilitação diante de sua própria consciência.

— Minha mãe não vai entender.

— Ao contrário. Sua mãe a ama muito, embora sempre tenha sido rígida na disciplina. Querer tudo direito é o jeito dela. Vá imediatamente ter com ela, abra seu coração com sinceridade, fale dos seus sentimentos, de como ama seu marido e seu filho. Garanto que ela vai ficar do seu lado e vai ajudá-la a resolver tudo.

— Tremo só de pensar que terei de enfrentar seu julgamento.

— Deixe o orgulho de lado. Ele não serve para nada. Abra seu coração e verá que tudo vai dar certo.

Eunice colocou a mão sobre a cabeça de Maria Eugênia e murmurou sentida prece pedindo aos espíritos de luz que a ajudassem a ter coragem de enfrentar aquela situação.

Depois perguntou:

— Sente-se melhor?

— Sim. Aquele desespero desapareceu. Farei o que me aconselha. Irei procurar minha mãe agora mesmo.

Às duas da tarde, Maria Eugênia entrou no escritório de Adele. Desde que conversara com Eunice, refletira muito e acabara chegando à conclusão de que não lhe sobrava alternativa senão falar com a mãe.

Ao entrar na sala dela, sentia o coração oprimido, as pernas bambas, mas esforçava-se para controlar a ansiedade.

Vendo-a entrar, Adele levantou-se e, depois de trocarem leve beijo na face, ela fixou-a firme, dizendo:

— Você não parece bem. Aconteceu alguma coisa com Dionísio?

— Não. Ele está bem.

— Sente-se. Você nunca me procura aqui. Deve ter alguma coisa séria para me dizer. O que é?

Maria Eugênia teve vontade de arranjar uma desculpa, não dizer nada e ir embora. Mas a lembrança de Pierre e de suas ameaças a fez controlar-se.

— Sente-se. Você está pálida. Está doente?

— Não. Preciso conversar com você.

— Pode falar.

— Antes de chegar no ponto em que as coisas estão, preciso dizer que durante toda a minha vida sempre foi muito difícil contar-lhe meus pensamentos íntimos. E, se decidi falar-lhe agora, foi porque estou encrencada e preciso de sua ajuda. Peço que me ouça e não me interrompa, por favor.

— Fale. Seja clara.

— A senhora é uma pessoa brilhante, bonita, admirada, de sucesso, enquanto eu sempre fui uma sombra a seu lado. Eu a admiro, mas reconheço que não tenho sua capacidade e, por mais que tenha me esforçado, nunca consegui o que sempre desejei, que era poder ser melhor do que sou para que você me admirasse e sentisse orgulho de mim.

Adele olhava-a surpreendida, como se a estivesse vendo pela primeira vez. Maria Eugênia fez breve pausa e falou de sua infância, de sua frustração e revolta por não poder ser mãe, da inveja que sentia das outras mulheres.

— Foi muito penoso e difícil aceitar sua proposta para salvar a empresa. Ter de imaginar que Henrique ia manter relações com outra mulher, ainda que desconhecida, atormentou meus dias. Ter de usar aquela barriga postiça era uma humilhação e uma prova viva da minha incapacidade como mulher.

Adele teve vontade de intervir, porém se conteve. Sentia que Maria Eugênia precisava daquele desabafo.

— Quando fomos a Paris, a depressão tomou conta de mim. Eu não tinha vontade de sair nem de divertir-me. Uma noite saí para jantar com um casal de franceses que havíamos conhecido num desfile de moda. Os dois eram incuráveis apreciadores de bares, festas e eventos sociais. A paixão deles pela cena noturna parisiense acabou me contagiando, e então decidi esquecer tudo e aproveitar o tempo me divertindo, porque sabia que quando regressasse teria de suportar uma criança que era filho de Henrique com outra mulher. Henrique não gostou de meus novos amigos e não desejava sair com eles, mas, talvez não querendo que eu voltasse à depressão, permitiu que eu continuasse saindo sozinha com eles. Então mergulhei em noitadas nas quais bebia, divertia-me, esquecendo todos os problemas. Henrique tentou mostrar-me que eu estava exagerando, mas não lhe dei ouvidos. Eu estava cheia de ódio, de revolta contra ele, contra você, contra a empresa, contra o filho que queriam impingir-me. Pierre me envolvia com galanteios. Ele e Jamille, apesar de casados, permitiam-se relacionar-se com outros parceiros. Uma noite aconteceu o pior. Deixei-me envolver e acabei na cama com Pierre, em seu apartamento. Naquele momento eu não sentia culpa. Ao contrário: achava que tinha o direito de fazer isso, tanto quanto Henrique o fizera.

Maria Eugênia falava, olhos perdidos nas lembranças, lágrimas correndo livremente pelo seu rosto, e Adele, pálida, olhos marejados, não se atrevia a intervir. Ela continuou:

— Na ocasião, Pierre descobriu que eu não estava grávida. Mas eu não lhe disse por que usava uma barriga postiça. Pensei que tudo ficaria nisso. Pouco depois voltamos ao Brasil e Dionísio nasceu. Foi então que tudo mudou em minha vida. Essa criança fez o milagre de despertar em mim meu melhor lado. Seu apego, seu amor por mim, preferindo estar comigo a estar com qualquer outra pessoa, seus bracinhos em volta do meu pescoço, seus olhos brilhando de alegria e de amor quando me via, tudo isso fez com que eu o amasse de verdade, como se ele houvesse nascido de mim. Eu mudei. Hoje me envergonho das atitudes passadas. Você me deu tudo, Henrique sempre foi um marido carinhoso, adorável, educado, respeitoso, e eu reconheço hoje que amo minha família com sinceridade. Dionísio tornou-se indispensável à minha vida.

Adele aproximou-se e abraçou-a comovida. A sinceridade de

Maria Eugênia tocou seu espírito e ela reconheceu pela primeira vez que talvez houvesse subestimado os sentimentos da filha.

— Você falou que precisa de ajuda. O que está acontecendo agora? Por que está me contando tudo isso?

— Porque estou sendo ameaçada por Pierre. Eles vieram procurar-me. São de família rica, mas perderam todo o dinheiro. Estão na miséria. Pierre pediu-me cinco milhões de dólares. Se eu não pagar, ele vai procurar Henrique e contar-lhe tudo. Notei que ele andou investigando nossa família e, embora eu não houvesse lhe contado nada, descobriu nosso segredo.

Adele esforçou-se para controlar-se. Como de hábito, sempre que tinha um problema para resolver, ela não se permitia perder a calma. Sabia que as boas soluções só aparecem quando a pessoa não se descontrola.

— Ele está fazendo chantagem. Era de se esperar.

— Não quero que Henrique saiba o que fiz. Ele pode não querer mais viver comigo. Eu amo meu marido. Não quero perdê-lo. Eu estava louca. Estou muito arrependida.

— Acalme-se, minha filha. Não se deixe levar pelo desespero. Vamos pensar em uma forma de resolver isso.

— Você vai me ajudar?

— Claro! Sou sua mãe. Eu a amo. Depois, há nossas empresas. Não vou permitir que um casal de vigaristas destrua o que levamos uma vida para construir.

— Perdoe-me por ter sido tão ingênua e provocar tudo isso.

— Culpar-se agora não vai resolver nada. Precisamos buscar a saída.

— Ele me deu prazo até amanhã à tarde.

Adele pensou um pouco, depois disse:

— Vamos fazer o seguinte: você vai se recompor, arrumar-se, sair daqui muito bem. Imagino que não comeu nada hoje.

— Estou sem fome.

— Vou pedir um lanche e você vai se alimentar.

Adele ligou para a secretária e mandou trazer um lanche. Enquanto esperavam, ela levou Maria Eugênia à sala contígua, onde havia um lugar de descanso e um toucador, e colocou-a diante do espelho.

— Veja como você está. Aconteça o que acontecer, precisa manter a dignidade. Não pode se permitir esse descontrole, que sempre leva ao fracasso. Precisa reagir. Você errou, mas sua vida não acabou por causa disso. Ao contrário: você gosta da vida que tem, ama seu marido, seu filho. Essa é sua verdade agora. Não deve deixar-se destruir por um chantagista qualquer. Lave o rosto e trate de se maquiar.

Maria Eugênia abraçou a mãe, dizendo emocionada:

— Obrigada por ter me ouvido e não me condenar. Agora compreendo e admiro sua maneira de ser. O que eu pensava ser indiferença era equilíbrio, lucidez.

Adele sorriu e em seus olhos passou um brilho maior. Mas limitou-se a responder:

— Vamos, arrume-se. Fique linda e decente. Pense nas pessoas que você ama.

A secretária trouxe o lanche e Adele colocou tudo sobre a mesa onde costumava tomar suas refeições. Pouco depois, Maria Eugênia apareceu na sala bem maquiada e sua aparência estava bem melhor.

O fato de haver desabafado, de ter sido ouvida e compreendida a confortava. A ajuda da mãe tornava-a confiante de que haveriam de vencer esse problema.

Mais calma, sentou-se à mesa e comeu o lanche, tomou o suco de frutas e sentiu-se revigorada. Adele serviu-se de uma xícara de café e sentou-se ao lado dela.

— Agora você vai anotar o nome desse casal, o hotel onde estão.

— Você pretende ir falar com eles?

— Ainda não sei. Até amanhã à tarde temos tempo. Quero tomar algumas providências. Obter informações sobre eles. Enquanto isso, vá para casa e proceda como sempre. Seja natural. Nem eufórica nem preocupada.

— Se Pierre voltar a ligar, o que lhe direi?

— Ele deu-lhe um prazo. Não vai ligar, vai esperar. Em todo caso, se ele ligar a qualquer pretexto, não receba nem ele nem a esposa em sua casa. Espere, porque eu, assim que puder, irei vê-la para combinarmos o que vamos fazer.

Maria Eugênia despediu-se da mãe, aliviada e refeita, sentindo dentro de si uma força nova. Ela havia se tornado uma mulher feliz e saberia conservar essa conquista.

Depois que ela se foi, Adele ligou para um advogado que, além de amigo pessoal, era a quem ela confiava todos os seus segredos, pedindo que fosse imediatamente a seu escritório.

Quando ele chegou, meia hora depois, Adele recebeu-o com largo sorriso. O dr. Bernardo Gouveia era um homem de classe, bem-sucedido em sua carreira profissional, que havia sido colega de Adele na universidade.

Naquele tempo, ele fora apaixonado por ela, mas não chegou a declarar-se, porquanto Adele aceitou o pedido de casamento de Aurélio Carlos da Rocha, um rico empresário, e ele, embora de família de classe média alta, era recém-formado, estava iniciando a carreira e achava que ainda não tinha condições de dar a Adele a posição que ela merecia.

Além do mais, ela parecia apaixonada, feliz, e isso bastou para que ele ocultasse seus sentimentos. Apesar disso, continuaram amigos. Adele sabia que podia confiar nele.

Desde que assumira a direção da *holding* das empresas da família, Bernardo havia sido seu conselheiro e amigo, a ponto de Aurélio muitas vezes sentir-se enciumado. Quando isso acontecia, Aurélio procurava controlar-se, porque reconhecia que o carisma de Adele fazia com que as pessoas a admirassem e ele observava envaidecido a admiração que ela despertava, por sua classe, lucidez, facilidade com que sabia dizer as palavras certas no momento certo.

Depois dos cumprimentos, ela sentou-se no sofá ao lado de Bernardo e foi direto ao assunto, como era seu costume:

— Minha filha está sendo chantageada e eu preciso que nos ajude.

Ele colocou-se à disposição e Adele contou-lhe toda a verdade. Além de Célia, ele era o único que conhecia a origem de Dionísio. Quando ela terminou, ele perguntou apenas:

— O que quer que eu faça?

— Seria interessante investigar essas pessoas.

— Tenho alguns informantes. Temos pouco tempo.

— Se precisar, darei um jeito de dilatar o prazo.

Adele entregou-lhe os nomes, endereço do hotel, telefone, e ele saiu imediatamente para tratar do assunto.

Quando se viu sozinha, Adele continuou pensando, tentando descobrir a melhor solução.

14

Maria Eugênia chegou em casa e foi logo saber como Dionísio estava. O apoio que recebeu da mãe a deixara mais confiante. Durante o trajeto, foi pensando em quanto estivera enganada com relação a Adele.

Percebeu que suas atitudes de rebeldia muda, obedecendo passivamente às ordens da mãe, mas guardando a raiva no coração, eram fruto do orgulho, que a impedia de ver as coisas como são.

Ela sentia ciúme do sucesso de Adele porque se habituara a ver-se limitada e incapaz. Ela não era tão fraca quanto sempre pensara. Ao contrário: soubera enfrentar seus medos e desnudar seus sentimentos íntimos, sem receio da crítica que temera durante toda a vida. Reconhecia que Adele sabia mais, tinha mais experiência e, ao invés de recriminá-la, oferecera apoio, ajuda.

Apesar de a situação não haver se modificado, ela se sentia diferente: mais adulta, mais forte, mais confiante.

Dionísio brincava com um carrinho e, vendo-a, foi correndo abraçá-la.

— Mamãe linda!

O rosto de Maria Eugênia iluminou-se e ela pegou-o no colo, beijando suas faces rosadas.

— Como está meu príncipe hoje?

— "Tá" bem. Não tem cavalo "banco".

Maria Eugênia lembrou-se da história que lhe contara de um príncipe montado em um cavalo branco e sorriu encantada.

— Acho que temos de comprar um cavalo. Um príncipe não pode andar a pé.

Ela ficou brincando com ele até que Elvira foi buscá-lo para tomar banho. Maria Eugênia foi para o quarto e telefonou para Eunice.

— Estou ligando para agradecer seu conselho. Deu tudo certo.

— Eu sabia. Sua mãe a ama muito.

— Quando cheguei lá, estava nervosa, com medo, mas decidida a fazer o que a senhora disse. Comecei a falar, abri meu coração, coloquei meus sentimentos e, por fim, contei tudo. Ela ouviu em silêncio, não me recriminou, e até me abraçou. Nunca havíamos tido uma conversa tão sincera.

— Fico contente. Nunca se esqueça de que sua ligação espiritual com ela vem de outras vidas. Há muito ela vem trabalhando pelo seu progresso e para que encontre a felicidade. É hora de você perceber isso.

— Eu senti que ela me ama e apóia. Disse que vai me ajudar. Pediu o nome deles e o telefone do hotel. Mas quer pensar na maneira melhor de agir. Mandou-me para casa e ficou de dar notícias.

— Tenho certeza de que estamos sendo auxiliados pelos espíritos amigos. Vamos confiar e esperar que aconteça o melhor. Continuarei com minhas preces. Se houver alguma novidade, avise-me.

— Está bem. Mas quero lhe dizer que conhecer a senhora foi a melhor coisa que me aconteceu. Nunca vou esquecer o que está fazendo por mim.

— Vamos agradecer às forças divinas. Elas é que nos protegem e ensinam.

Maria Eugênia desligou o telefone e foi novamente brincar com Dionísio. Estar com ele ajudava-a a manter a calma e conter a ansiedade para esperar.

***

Após o almoço, Pierre entrou no quarto do hotel e encontrou Jamille mal-humorada.

— Acho que ela não vai ligar.

— Claro que vai.

— O que vai fazer se ela não quiser pagar?

— O que prometi. Falar com o marido, contar tudo. Depois, ainda há a mãe. Estive me informando sobre ela. Tem fama de grande dama, bem-vista na melhor sociedade.

— Onde conseguiu as informações?

— Com a moça do turismo. Ela sabe tudo sobre as pessoas.

— O que me preocupa é o que faremos se eles não derem o dinheiro.

Pierre sorriu e respondeu:

— Você vai ver, dará tudo certo. Logo mais, ela estará aqui com o dinheiro. Cuidaremos de transferir para nossas contas e iremos embora.

Passava das três quando o telefone tocou no quarto deles. Pierre correu a atender.

— Senhor Pierre?

— Sim.

— Estou no saguão do hotel e vim em nome de d. Maria Eugênia. Preciso falar com o senhor.

— É melhor vir a meu quarto.

— Está bem.

Pierre desligou o telefone e olhou triunfante para Jamille:

— Eu não disse? Ela mandou um portador, acho que para trazer o dinheiro. Vá para a outra sala. Vou recebê-lo sozinho.

Ela foi imediatamente, e Pierre olhou-se no espelho. Fazia questão de estar sempre impecável. Sorriu satisfeito.

A campainha tocou e ele foi abrir.

— Sou o dr. Bernardo Gouveia, advogado das Organizações Malta — disse ele em um francês perfeito.

— Entre, por favor. Queira sentar-se.

Uma vez acomodados, Bernardo disse com voz firme:

— O senhor está chantageando d. Maria Eugênia, minha cliente e sócia das empresas que represento.

Pierre sorriu, tentando dissimular a irritação:

— O senhor não deveria usar palavras tão fortes. Afinal,

apenas pedi a uma amiga, com a qual tive íntima ligação em Paris, que me socorresse em uma situação difícil.

— A pedido de minha cliente, fiz uma investigação sobre sua vida. E, pelo que descobri, acho até que estou sendo educado demais.

Pierre levantou-se nervoso:

— Vamos ao que interessa. Trouxe o dinheiro?

— Por que acha que vamos pagar?

— Porque posso revelar a origem daquele menino que ela diz ser seu filho, e isso pode mudar toda a situação financeira deles.

— Escute bem o que vou lhe dizer. Esse menino é filho legítimo de meus clientes e há o hospital, o médico, as enfermeiras que a atenderam na hora do parto, pessoas que, se for preciso, certamente não se negarão a testemunhar isso. Por outro lado, mediante as informações sobre você que me foram prestadas por nosso gerente em Paris, estive em seu consulado esta manhã e descobri que você está sendo procurado pela polícia francesa por haver se envolvido em algumas falcatruas.

Pierre empalideceu.

— Isso é mentira! Está querendo intimidar-me. Mas eu não vou aceitar. Se não me derem o dinheiro, vou procurar os jornais e contar tudo.

— Para seu próprio bem, é melhor não fazer nada disso. É bom saber que a Interpol está à sua procura com um mandado de prisão e o consulado está preparando tudo para mandá-lo de volta à França.

— Não pode ser! O senhor está mentindo!

— Estou dizendo a verdade. Pode crer. Depois, é bom saber que meus clientes são pessoas influentes, respeitadas, cuja palavra é sempre muito considerada. Se a esse mandado de prisão se juntar a queixa de extorsão, sua situação em nosso país talvez lhe valesse alguns anos de prisão aqui, antes de cumprir a pena na França.

Pierre a custo tentava controlar o nervosismo. Bernardo continuou:

— Contudo, d. Maria Eugênia é pessoa bondosa. Apesar de o senhor chantageá-la, não deseja seu mal e conseguiu que sua mãe, d. Adele, muito indignada, não desse queixa.

Pierre deixou-se cair em uma cadeira, passando a mão nos

cabelos, assustado. Nunca imaginou que eles pudessem descobrir o que fizera em Paris. Ele sabia que a polícia o estava procurando. Essa fora uma das razões que o fizeram vir ao Brasil, um país que para ele significava o fim do mundo, onde ninguém poderia encontrá-lo.

Ele não queria ser preso e deportado para a França, onde, além de trapaças e dívidas de jogo, havia crimes mais graves que ele temia que fossem descobertos. Se tivesse algum dinheiro para deixar o hotel e ir para outro país da América do Sul, onde ninguém pudesse encontrá-lo, ele se livraria da prisão.

— Quero falar com Maria Eugênia — disse ele, nervoso.

— Isso não é possível. Estou autorizado a cuidar de tudo.

— Estou sem dinheiro. Preciso pagar o hotel e ir para um lugar onde não possam me encontrar. Peça a ela que me ajude, que arranje algum dinheiro.

— Isso não será possível. O melhor que tem a fazer é voltar para seu país, responder pelo que fez e ficar livre. Então poderá recomeçar sua vida.

Pierre olhou-o com incredulidade. Ele nunca faria isso.

— Vou seguir seu conselho. Voltarei para a França. Não farei nada contra Maria Eugênia. Mas eu queria que o senhor lhe pedisse que em nome dos bons tempos em Paris ela me mandasse algum dinheiro para eu sair deste hotel de maneira civilizada, pagando as despesas.

Bernardo levantou-se:

— Está bem. Falarei com ela e verei o que posso fazer. Adeus, sr. Pierre.

Assim que ele saiu, Jamille voltou à sala. Ela tentara ouvir a conversa, mas conseguira captar apenas algumas palavras soltas.

— E então? Pelo jeito, ele não trouxe o dinheiro.

— Não. Nem vai trazer. Estamos perdidos.

— Como assim? Você não disse que ia conseguir?

— Eles foram investigar nossa vida e descobriram que a polícia está me procurando.

— Polícia? O que você fez desta vez?

— Deve ter sido por causa daquelas jóias de Nicole. Eles acham que fui eu quem as roubou.

Jamille estremeceu assustada:

— Foi você?

— Ela me deu as jóias. Você sabe que ela tinha uma queda por mim.

— Mas ela apareceu morta no apartamento. Afinal, o que foi que você fez?

— Nós dois já conversamos sobre isto em Paris. Dei-lhe minha palavra de que não tive nada com aquilo. Ela não escolhia suas amizades. Tinha outros amantes. Qualquer um deles pode tê-la matado.

— Espero mesmo que esteja falando a verdade. Não quero nem pensar que você possa ter feito uma besteira daquelas. E agora, o que faremos? Como vamos sair daqui?

— O advogado vai falar com Maria Eugênia e ver se consegue pelo menos algum dinheiro para podermos pagar o hotel e irmos embora.

— Acha que ela vai dar, depois do que você fez?

— Acho. Mas, em todo caso, vamos arrumar as malas e deixar tudo pronto para irmos embora.

Mais uma vez, Jamille arrependeu-se de ter continuado a viver com Pierre. Depois que ele perdeu tudo e meteu-se em complicações, várias vezes ela pensou em abandoná-lo. Jean, não era rico, mas ao lado dele ela pelo menos não passaria grandes necessidades.

Por que se deixara iludir, acreditando que Pierre poderia arranjar dinheiro com aquela história de Maria Eugênia?

Ainda havia o caso de Nicole. Se ele estivesse metido naquele crime, ela poderia ser considerada cúmplice. Estremeceu só de pensar nisso. Naquele momento, decidiu ir embora antes que tudo ficasse pior.

Foi para o quarto, arrumou todas as suas coisas. Ela havia escondido algum dinheiro. Mesmo assim, foi à valise onde ele guardava o que lhes restava e apanhou quase tudo. Depois, colocou suas duas malas na sala e disse:

— Já estou pronta. É melhor você ir arrumar suas coisas. Você não gosta do jeito que eu faço.

Ele foi para o quarto. Jamille pegou o telefone e chamou o camareiro. Foi até o quarto e disse a Pierre:

— Estou com fome. Vou descer e comer alguma coisa.

Voltou à sala, apanhou as malas e foi para o corredor, onde o camareiro já estava chegando.

— Vou viajar com uma amiga, mas meu marido vai ficar. Leve minhas malas para baixo.

Minutos depois, ela pegou o elevador e desceu. No saguão, recolheu as malas, dirigiu-se à porta de saída e tomou decidida o caminho da rua.

No quarto, Pierre arrumou as malas e foi verificar o dinheiro na valise. Assustado, percebeu que havia sumido. Nervoso, foi para a sala e viu que Jamille não estava, nem suas malas.

Imediatamente ligou para a recepção.

— Aqui fala Pierre, do 1512. Viu se minha esposa saiu?

— Sim. Faz cerca de cinco minutos.

Ele desligou nervoso. Jamille fora embora levando todo o dinheiro. Um acesso de raiva o dominou. Teve vontade de quebrar tudo à sua volta. Aquela ordinária merecia que ele lhe desse uma boa lição. Mas onde encontrá-la?

Ele precisava sair dali, ir embora, mas como? Chamou o camareiro. Quando ele chegou, disse com naturalidade:

— Você acompanhou minha esposa com as malas?

— Sim, senhor.

— O que ela lhe disse?

— Que ia viajar com uma amiga. O senhor não sabia? — estranhou ele.

— Claro que sabia. Só me esqueci de perguntar para onde.

— Isso ela não disse.

— Nesse caso, vou esperar que ela telefone. Pode ir.

Ele se foi e Pierre sentou-se sem saber o que fazer. A prudência lhe dizia que seria bom ir embora dali o quanto antes, mas como sair com as malas sem pagar o hotel?

Ele adorava suas roupas finas, não se conformava em ir embora e deixá-las no hotel. O melhor seria manter a calma e esperar alguma notícia de Maria Eugênia. O advogado deixara um cartão sobre a mesa para que ele ligasse. O homem não queria que Pierre falasse com Maria Eugênia. Em razão dos acontecimentos, ele achou melhor não irritar aquele advogado.

Bernardo saiu do hotel e foi direto ao escritório, onde Adele o aguardava.

— E então, como foi? — perguntou ela assim que o viu.

— Tudo bem. Acho que esse não nos incomodará mais.

Em poucas palavras, ele contou como fora seu encontro com Pierre. Finalizou:

— Trata-se de um escroque da pior espécie. Agora só falta o último telefonema para meu amigo Homero.

— Pode ligar agora.

— Se você me permite, é o que farei.

Ele apanhou o telefone, ligou e, depois dos cumprimentos, disse:

— Deu tudo certo. Trata-se de um sujeito perigoso. Acho que agora é hora de você ligar para aquele seu amigo do consulado e avisar, porque ele está pensando em fugir.

— Vou falar com ele já.

— Obrigado pela sua ajuda. Eu lhe devo essa.

— Você não deve nada. Já me ajudou tantas vezes...

Bernardo desligou o telefone sorrindo.

— Pronto, Adele. Acho que tudo está resolvido. Pode falar com Maria Eugênia.

— Obrigado, Bernardo. Não sei o que seria de mim sem você.

— Eu também não sei o que seria de mim sem você.

Ele disse isso sério, olhos brilhantes, nos quais Adele notou uma chama de emoção.

— Você é um grande amigo.

— Eu gostaria de ser mais do que isso.

Ela sorriu, pensou um pouco e disse:

— Apesar de tudo, só vou dar esse assunto por encerrado depois que esse canalha tiver sido levado de volta para a França.

— Deixei um dos meus homens no hotel vigiando. Se ele tentar escapar, saberemos. Os seguranças do hotel não vão deixá-lo sair com as malas. E, pelo que sei, Pierre está sem dinheiro para pagar as despesas.

— Ele pode deixar a bagagem e ir.

— Não creio que faça isso. Pelo que pude observar, ele é esnobe e apegado às aparências. Não vai querer ir embora só com a roupa do corpo.

— Temo que ele queira vingar-se de alguma forma.

— Não terá tempo para isso. Fique tranqüila. Agora preciso

ir. Mas antes penso que nossa vitória merece comemoração. Quer jantar comigo esta noite?

— Vamos ver. Se até a noite ele estiver devidamente preso, então aceitarei seu jantar de comemoração. Senão, fica transferido para quando realmente pudermos comemorar.

— Combinado. Mais tarde ligarei para dar-lhe notícias.

Depois que ele se foi, Adele ligou para Maria Eugênia contando tudo o que aconteceu e finalizou:

— Você pode ficar tranqüila. Esse homem não vai mais nos incomodar.

— Tem certeza? E se ele fugir e procurar Henrique? Não quero que ele saiba de nada.

— Não terá tempo para isso. Logo mais será preso e extraditado. Depois disso, nunca mais poderá entrar em nosso país.

— Só vou descansar quando souber que ele já está longe e não mais poderá voltar.

— Bernardo está a postos e, assim que tiver mais notícias, vai me ligar.

— Se souber algo mais, ligue-me.

— Não se preocupe. Tudo está sob controle.

Maria Eugênia desligou e foi para o quarto. Sentia-se aliviada. Ela receava o pior. Pensava que Deus não a ajudaria, uma vez que não era merecedora.

Entretanto, ela fora poupada, sinal de que Deus não a havia condenado por ter errado tanto. Nesse momento teve consciência de que precisava agradecer.

Não estava habituada a rezar, mas sentia que, tendo sido poupada, recebera perdão, talvez por ter se arrependido. Juntou as mãos e murmurou sentida prece na qual agradecia a Deus, aos espíritos superiores e a Eunice a ajuda que recebera. E, tocada por um sentimento de gratidão, decidiu que nunca mais faria nada do que pudesse se envergonhar. Ao mesmo tempo, procuraria estudar a espiritualidade, para entender melhor a vida.

***

Enquanto isso, no hotel, Pierre havia traçado um plano. Esperaria a noite descer e então tentaria fugir levando sua bagagem.

Arrumou-se e desceu ao restaurante para comer. Depois, passeou pelo hotel atento ao que precisaria fazer para escapar.

Havia notado que de madrugada o vigia da entrada de serviço dormia em sua cabine. Era por ali que ele pensava escapar. Depois, tomaria um táxi e iria para uma estação qualquer.

Para isso, o dinheiro ia dar. Venderia seu relógio ou talvez até seus anéis. Com isso contava ir para longe. O Brasil era muito grande. Talvez fosse para o Amazonas. Lá ninguém o acharia. Estando livre, decidiria o que fazer de sua vida. O importante era escapar da polícia francesa.

Voltou para o quarto disposto a descansar para estar bem-disposto quando chegasse a hora de partir. Colocou as malas ao lado do sofá e recostou-se nele. Estirou as pernas sobre uma banqueta e pegou no sono.

Acordou com o toque insistente da campainha. Levantou-se assustado e, ainda meio sonado, foi atender. Eram dois homens.

— O senhor é Pierre Legrand?

— Sim. O que querem?

Eles não responderam e foram entrando, olhando tudo. Pierre já havia saído do estado de dormência e logo percebeu que estava em perigo. Tentou sair, mas eles o seguraram.

— Interpol. Você está preso.

— Deve ser um engano. Sou um cidadão francês. Não pode prender-me desta forma. Não fiz nada.

— Isso você vai dizer lá.

— Veja as malas. É verdade. Ele estava preparado para fugir.

Um deles tirou um revólver e apontou-o para Pierre, que, pálido, não sabia o que fazer. O outro pegou as algemas, mas Pierre pediu:

— Por favor. Deixem-me calçar os sapatos e colocar o paletó.

— Se tentar qualquer gracinha, passo fogo.

Trêmulo, Pierre calçou os sapatos, vestiu o paletó e eles o algemaram.

— O que vão fazer com minhas malas?

— Ficarão guardadas no hotel. A não ser que tenha dinheiro para pagar a conta.

— Não tenho. O que vão fazer comigo?

— Chega de conversa. Estamos a serviço da polícia francesa.

— Mas preciso das minhas coisas.

— Vamos andando.

Entre os dois, com o revólver apontado em suas costas, Pierre arrependeu-se amargamente de haver procurado Maria Eugênia. Uma raiva surda invadiu-o e ele pensou: "Vou me vingar. Aquela maldita vai me pagar".

Quando eles saíram do hotel, despertando a curiosidade dos que estavam por perto, um rapaz que estava no saguão sorriu satisfeito. Acompanhou-os e viu quando puseram Pierre no carro e o levaram. Imediatamente, apanhou seu carro do outro lado da rua e os seguiu.

Dentro do carro, Pierre tentou sua última jogada:

— Vocês são meus compatriotas. Será que não haveria um jeito de resolvermos isso de outra maneira?

— O que você sugere? — indagou um.

— Bem, estou sem dinheiro, mas tenho este relógio de ouro que vale muito.

— Pensei que fosse nos oferecer alguns milhões — brincou o policial. — Pois saiba que nem mesmo se tivesse esses milhões deixaríamos de levá-lo. Nicole era minha prima e foi um prazer para mim ter vindo buscá-lo aqui.

— Você está enganado. Não tenho nada a ver com sua morte.

— É melhor calar essa boca, senão posso perder a calma. Estou louco para vingar a morte de minha querida prima. Seria um prazer acabar com sua raça aqui mesmo. Afinal, estamos tão longe... Quem iria saber?

Pierre calou-se assustado. Não havia nada a fazer. Dentro em breve estaria de volta à França, preso, sem dinheiro sequer para contratar um bom advogado.

O carro parou diante do consulado da França. O portão abriu-se e eles entraram. O rapaz que os seguia parou diante do portão. Viu quando eles desceram e entraram na casa. Ele colocou o carro em movimento e rapidamente afastou-se do local.

Pouco depois, Bernardo ligou para Adele:

— Pode se preparar para nosso jantar de comemoração.

— Verdade? Tudo certo?

— Tudo. Passarei em sua casa às oito e contarei todos os

detalhes. A esta hora nosso homem deve estar profundamente arrependido de haver se metido em nosso caminho.

— Isso merece mesmo uma comemoração. Estarei esperando.

Assim que desligou o telefone, Adele ligou para a filha.

Na casa de Maria Eugênia, o casal estava se dirigindo à mesa para jantar. Quando o telefone tocou, Henrique disse:

— Deixe que eu atendo.

Maria Eugênia apressou-se a dizer:

— Nada disso, querido. Eu mesma atendo. Pode se acomodar que já vou.

Ela apanhou o telefone:

— Como vai, mãe?

— Certamente você não pode falar agora. Mas deu tudo certo. Pode comemorar.

— Obrigada, mamãe. Não sabe como me sinto feliz.

— Eu também. Depois contarei os detalhes. Vou jantar com Bernardo para comemorar.

— Dê um abraço nele por mim.

Ela ia continuar, mas viu que Henrique se aproximava e conteve-se.

— Adeus, mamãe. Divirta-se.

— Ela vai a alguma festa?

— Vai jantar com o dr. Bernardo. Parece que ganharam uma causa e vão comemorar.

Henrique sorriu malicioso:

— Bernardo continua apaixonado por Adele. Não sei por que ele não se declara.

— Acho que tem medo de que ela não o aceite.

Henrique pensou um pouco, depois disse:

— Quer saber? Acho que ele tem grandes chances. É o homem perfeito para agradar Adele. Nem sei por que ela ainda não percebeu isso.

— Talvez mamãe não seja inclinada ao casamento. Com papai, apesar de viverem bem, nunca notei da parte dela vontade de dedicar-se ao lar. Ao contrário. Quando estavam juntos, ela era a cabeça de tudo. Foi por esse motivo que ele a colocou na presidência. Ele não fazia nada sem que ela aprovasse. Sempre duvidei que ela houvesse casado com ele por amor.

— Ele era muito apaixonado por ela. Via-se isso em seus olhos quando a fitava.

— Mas ela, apesar de ter sido uma esposa exemplar, não era dada a manifestações de afeto.

— Talvez você esteja enganada. Adele não me parece uma mulher indiferente. Ao contrário. Em tudo o que faz, coloca muita paixão, muita garra.

— Pode ser. Então talvez nunca tenha amado meu pai de verdade. Vamos jantar antes que a comida esfrie.

Abraçados, foram juntos para a sala de jantar.

15

Marina entrou em casa correndo, tentando controlar a emoção. Aquele beijo inesperado fizera seu coração descompassar. Uma incontrolável sensação de alegria a dominou.

Foi para o quarto, tirou os sapatos e sentou-se na cama, pensativa. Várias vezes Ofélia lhe dissera que Rafael se sentia atraído por ela, porém não levara a sério essa opinião. Eles eram apenas bons amigos. Gostavam de conversar, sair juntos, tinham afinidade, mas nunca notara nele algo mais.

Como haviam chegado àquele beijo? Por que se emocionara tanto? Por que correra para dentro de casa sem dizer nada? Não teria sido melhor ter esperado para conversar?

Mil pensamentos tumultuados a envolviam. Rafael era um homem maravilhoso. Bonito, elegante, culto e de temperamento encantador. Qualquer mulher se sentiria feliz em namorá-lo.

Quando saíam juntos, Marina notava quanto as mulheres tentavam atrair a atenção dele. Nesses momentos, ela sorria orgulhosa por ele preferir sua companhia. Mas isso era apenas vaidade, não amor. Estaria se apaixonando por ele?

A esse pensamento, recordou-se do beijo, e seu coração bateu mais forte. Certamente se sentia atraída por ele. Sua proximidade, seu perfume, seus olhos vivos, seu sorriso amigo, tudo isso a agradava muito.

Ela nunca havia amado. Lembrou-se do relacionamento com Henrique. Ela sentira prazer naquela relação, mesmo sem o amar. O que estava sentindo agora não seria a mesma coisa, apenas uma excitação dos sentidos?

Precisava pensar, analisar seus verdadeiros sentimentos. Depois, não tinha certeza de nada. O que aquele beijo teria representado para Rafael? Não teria sido somente uma tentação do momento pela proximidade?

Eles haviam tido uma noite muito agradável, tinham conversado muito, falado de sentimentos íntimos, da maneira de ver a vida agora diante da óptica da espiritualidade, que lhes abrira novas portas ao entendimento.

O beijo fora espontâneo, aconteceu naturalmente. Mas o que ele significava de fato?

Ela preparou-se para dormir, mas os pensamentos agitados continuavam e ela demorou a pegar no sono. Acordou um pouco mais tarde na manhã seguinte. Olhando a hora, levantou-se apressada.

Tomou um banho e desceu para o café. Cícero estava à mesa conversando com Ofélia, relatando as experiências da noite anterior. Vendo-a chegar, Ofélia comentou:

— Pelo que Cícero diz, essa senhora é boa mesmo.

— De fato. Gostei muito dela.

— Cícero me disse que vai freqüentar um curso de mediunidade. Quero ir com ele.

— Você? Nunca pensei que se interessasse por esse assunto.

— Eu nunca disse, mas de vez em quando vejo a alma de meu pai.

— Por que nunca disse nada?

— Você estudou, é formada. Não queria que risse de mim.

— Eu nunca faria isso.

Marina havia tomado uma xícara de café com leite, comido um pedaço de bolo. Levantou-se apressada. Ofélia cobrou:

— Não vai me contar o que ela disse a você?

— Agora estou atrasada. Depois conversaremos.

Ela saiu e Ofélia comentou:

— Não sei por que ela corre tanto. Desse jeito pode ficar doente. Não deu tempo nem para eu lhe dizer quanto você melhorou.

— Depois eu mesmo falo. Hoje, quando d. Rute vier, quero fazer-lhe algumas perguntas. Ela entende de mediunidade.

— Trate de estudar. Ela fica alegre quando você aprende a lição que lhe explica.

— Deixe comigo.

Ofélia sorriu. Ver os filhos contentes era seu melhor incentivo. Foi para a cozinha programar alguma coisa gostosa e diferente para o almoço.

***

Marina chegou ao escritório e já encontrou sobre sua mesa algumas petições e um contrato para analisar.

Guardou a bolsa e sentou-se disposta a colocar toda a atenção no trabalho. Não foi fácil. De vez em quando se surpreendia pensando em Rafael. Como seria o relacionamento deles dali para a frente? O que ele lhe diria sobre aquele beijo?

Talvez se justificasse, dizendo que fora uma tentação do momento e até se desculpasse, uma vez que era um homem muito educado. E tudo continuaria como antes.

Mas ela sabia que nada poderia ser como antes. Aquele beijo despertara nela uma necessidade de amar e ser amada. Ainda que fosse apenas uma necessidade física, ela existia e estaria presente entre eles.

Marina levantou-se, tomou um copo d'água, depois um café, e esforçou-se para focar sua atenção no trabalho. Precisou de todo o seu esforço para conseguir.

Ligou para a mãe e avisou que não iria almoçar em casa. Precisava adiantar seu trabalho, o que lhe valeu uma reprimenda de Ofélia, preocupada com sua saúde.

— Você não pode ficar sem almoçar. Trate de comer alguma coisa.

— Pode deixar. Vou mandar buscar um lanche.

Ela desligou o telefone e mergulhou no trabalho, tentando não desviar a atenção.

Passava das seis quando deixou o escritório e desceu. Ao sair à rua, encontrou Rafael a esperando.

— Rafael! Por que não subiu?

Ele beijou-a levemente na face e respondeu:

— Não quis atrapalhar. Vim porque temos que conversar.

Ela concordou e notou que ele estava tenso.

Caminharam até o carro em silêncio. Uma vez acomodados, ele disse:

— Depois eu a trarei de volta para apanhar seu carro.

Ele ligou o carro e foi dirigindo devagar.

— Aonde vamos? — indagou ela.

— Não sei.

— Noto que você está tenso. Talvez pelo que aconteceu ontem à noite.

Eles tinham entrado em uma rua sossegada. Rafael parou o carro, olhou para ela e disse:

— Não consegui dormir nada esta noite.

— Nem eu.

— Não sei o que está pensando a respeito de ontem. Preciso ser sincero. Há muito descobri que estou apaixonado por você. Como sei que você não sente o mesmo por mim, tentei conter-me o mais que pude, com medo de perder sua amizade. Ontem não resisti. Foi mágico, porque, ao contrário do que eu pensava, você correspondeu. Acha que estou sonhando demais?

Marina olhou o rosto emocionado de Rafael e sentiu desabrochar em seu peito um sentimento de amor imenso. Teve vontade de abraçá-lo, de beijá-lo. Olhando em seus olhos, respondeu:

— Não. Se isso for um sonho, não quero acordar.

Ele a abraçou e beijou seus lábios várias vezes. Permaneceram abraçados, em silêncio, sentindo o coração bater forte e uma sensação de plenitude que dispensava palavras.

Depois de beijá-la de novo, Rafael tornou:

— Você não imagina quanto desejei este momento. Nunca conheci uma mulher que me tocasse tanto quanto você. A seu lado sinto-me à vontade para ser eu mesmo, o que jamais aconteceu antes. É prazeroso estar com você, que respeita minhas opiniões mas fala o que pensa sem representar papéis tão a gosto das mulheres.

— Foi só por isso que se apaixonou por mim?

— Não. Sua beleza foi o que me atraiu a princípio. Não nego que desde o primeiro dia senti vontade de beijá-la. Mas você cortou logo qualquer chance, mostrando que não estava nem um pouco interessada em manter comigo um relação afetiva. Conformei-me e até gostei de ser apenas seu amigo. Tivemos momentos bons juntos, nos quais trocamos idéias, conhecemo-nos melhor. Mas uma noite em que fomos dançar, tendo-a nos braços, rosto alegre, cheio de vida, empolgada pela música, descobri quanto você representava para mim.

— Eu não sabia. Não notei nada.

— Foi difícil me controlar. Mas você em nenhum momento demonstrou nada além de amizade. Confesso que cheguei a um ponto em que tive muito medo de perdê-la. Então preferi não dizer nada.

Marina acariciou o rosto dele.

— Eu estava apaixonada e não sabia. Ontem, quando me beijou, senti muita emoção. Fiquei confusa, sem entender os meus sentimentos. Cheguei a imaginar que você o fizera cedendo a uma tentação do momento, o que pode acontecer entre um homem e uma mulher, mesmo quando não há amor.

Ele segurou a mão dela e levou-a aos lábios. Depois disse:

— Entre nós sempre houve muito mais do que isso.

— Passei a noite me perguntando o que você me diria a respeito. Mas, assim que nos vimos hoje, eu soube a verdade.

Ele beijou-a novamente e eles ficaram algum tempo abraçados em silêncio. Rafael cortou o silêncio dizendo baixinho:

— Quero passar o resto de minha vida com você.

Ela sorriu e perguntou:

— Está me pedindo em casamento?

— Entenda como quiser. Sei que essa palavra provoca em você uma reação contrária.

— Não é a palavra, mas o que as pessoas fazem quando se casam. Talvez porque eu tenha tido um exemplo triste dentro de casa. Meu pai nos abandonou para viver com outra mulher. Minha mãe era esposa dedicada, mas passiva, e ele sempre abusava dela, o que me enraivecia. Quando ele saiu de casa, dei graças a Deus. Mas eu era pequena, e mamãe estava grávida de Cícero. Mas, embora fôssemos pobres e mamãe trabalhasse muito para manter a casa, pudemos viver em paz. Foi naquele tempo que prometi a mim mesma que nunca me deixaria iludir por um homem, que dedicaria minha vida a estudar e me formar para poder dar conforto e bem-estar à minha família.

— O que você conseguiu brilhantemente.

Marina ficou pensativa por alguns instantes, lembrando-se do contrato com Adele.

— O que foi? Você ficou distante...

— Nada. Apenas algumas recordações do passado.

— O passado passou. Estamos vivendo hoje e temos todo um futuro pela frente. O que quero é viver a seu lado, com ou sem casamento. Você decide como deseja fazer isso.

— Vou pensar. Talvez um contrato sem data de vencimento, mas que possa ser desfeito se for o caso.

— Por que está dizendo isso? Eu quero ficar com você para sempre.

Ela riu e respondeu:

— Não fale assim. Eu amo você, você me ama. Hoje queremos ficar juntos para sempre. Se isso acontecer, será bom. Mas se em qualquer momento deixarmos de ter prazer em viver um ao lado do outro, teremos o direito de escolher outro caminho.

— Do jeito que você fala, parece que não confia em nossos sentimentos.

— Não é nada disso. O que quero dizer é que ficar junto só é bom enquanto há amor. Não quero que você se julgue preso a meu lado pelo resto de seus dias. Somos livres. Embora vivendo juntos, cada um precisa conservar sua individualidade, ser aquilo que é.

Ele beijou-a delicadamente na testa e respondeu:

— Você não existe! É por esse motivo que tenho certeza de que seremos muito felizes juntos.

Naquela noite, quando entraram em casa, Ofélia estudava na sala. Ela, notando o progresso de Cícero, que havia perdido quase todo o sotaque interiorano e adquiria vocabulário, decidira estudar também. Queria que os filhos se orgulhassem dela e pedira a Rute que a ensinasse.

Vendo-os entrar, Ofélia notou logo que estavam diferentes. Ela gostava de Rafael e suspeitava que por trás daquela amizade havia um sentimento maior. Em vista disso, não se surpreendeu quando Marina disse:

— Mãe, eu e Rafael estamos namorando.

Ofélia levantou-se e abraçou-os contente:

— Eu sabia que isso ainda ia dar casamento. Estou muito feliz por vocês.

— Como é que a senhora sabia? — indagou Rafael.

— Ora, meu filho... Você acha que não notei como você olhava para ela?

Ele riu bem-humorado e respondeu:

— E eu pensei que estivesse disfarçando bem... Mas mãe tem o sexto sentido.

— Marina nunca namorou sério, e eu temia que ela ficasse solteirona.

— Se depender de mim, isso não acontecerá.

— Isso é um acontecimento. Precisamos comemorar. Vou buscar uma garrafa de vinho.

Ofélia foi à despensa e Rafael abraçou Marina.

— Sua mãe ficou feliz.

— Ela o aprecia muito.

Pouco depois, Ofélia voltou com uma bandeja com copos e uma garrafa e pediu a Rafael que a abrisse. Ele obedeceu e serviu. Depois deu um copo a cada um, dizendo:

— Eu brindo a este momento de felicidade.

— Que nossas vidas continuem sempre assim felizes — completou Ofélia.

— Que nosso amor nos traga felicidade — tornou Marina.

Tocaram os copos e beberam. Depois Rafael abraçou as duas e beijou-as na face.

— Obrigado por me deixarem entrar para esta família, que eu adoro.

Ofélia trouxe alguns salgadinhos e eles continuaram conversando mais algum tempo. Rafael despediu-se e Marina o acompanhou até a porta.

Quando ela voltou, Ofélia disse alegre:

— Estou certa de que vocês serão muito felizes.

Marina foi para o quarto e preparou-se para dormir, porém um pensamento a incomodava: o segredo que guardava sobre seu contrato com Adele.

Rafael era um homem bom, sincero. Ela sentia que o amava. Seria justo para com ele não lhe contar a verdade?

Ele a admirava, orgulhava-se dela, julgava-a uma mulher vencedora. O que pensaria se um dia viesse a descobrir que ela se prestara a ter um filho em troca de dinheiro?

Pela primeira vez arrependeu-se de haver concordado com Adele. Decidiu que não contaria nada a ele. Não teria coragem. Mas como iniciar um relacionamento sério com uma mentira?

Talvez fosse melhor acabar com o namoro. Assim não teria de dizer nada. Eles continuariam amigos como sempre foram. Mas ao mesmo tempo, tendo encontrado o amor, deveria passar o resto da vida sozinha?

O que faria quando seu irmão assumisse a inteira responsabilidade por sua vida e sua mãe morresse?

Naquele momento percebeu o quanto amava Rafael e queria viver ao lado dele, usufruindo de sua companhia. Sua cabeça doía e ela permaneceu largo tempo virando na cama preocupada. Por fim, cansada, adormeceu.

Sonhou que estava em um jardim muito lindo. Lembrou-se de que já havia estado ali. Olhou em volta procurando alguém. Logo viu a mesma moça com a qual sonhara outras vezes, que a abraçou com carinho.

— Estou contente em vê-la.

— Não sei como vim parar aqui. Estava inquieta, e este lugar tem o dom de me acalmar.

— Vamos conversar e passear um pouco. Venha.

Ela a abraçou e juntas se elevaram, volitando sobre os jardins, à luz das estrelas. Marina sentia um prazer muito grande e uma sensação de que seu peito se dilatava, enquanto olhava as luzes lá embaixo, da cidade que dormia.

Depois, Marina notou que estavam na rua de sua casa. Desceram e entraram no quarto. Ela pôde ver o próprio corpo adormecido na cama.

Emocionada, agarrou-se à sua companheira, que lhe disse sorrindo:

— Não tenha medo. Tudo isso é natural. Você vai voltar para seu corpo e recordar nosso encontro. Lembre-se: tudo está certo. Você fez o que prometeu fazer. Não há nada errado.

Marina olhou-a preocupada e ela repetiu:

— Lembre-se: tudo está certo. Você fez o que prometeu fazer. Não há nada errado.

Marina remexeu-se na cama e acordou sentindo ainda o prazer que desfrutara no sonho. Em seus ouvidos ainda soavam as últimas palavras de sua amiga espiritual:

— Lembre-se: tudo está certo. Você fez o que prometeu fazer. Não há nada errado.

Ela sentou-se na cama emocionada, sentindo aquela sensação de felicidade, e pensou: "Não foi sonho. Eu a encontrei de novo. Suas palavras me confortaram. Conversamos sobre várias coisas. Por que não consigo me recordar de tudo?".

Marina deitou-se novamente, sentindo-se mais calma. Com relação a Rafael, decidiu não dizer nada, apenas esperar os acontecimentos. Antes precisava entender por que lhe diziam que não havia nada errado em sua atitude, apesar de haver recebido dinheiro de Adele, o que de certa forma era constrangedor.

Lembrou-se de Eunice. Ela talvez pudesse esclarecer suas dúvidas.

***

Dois dias depois, conforme haviam combinado, Marina e Rafael compareceram a uma reunião no centro de estudos espirituais dirigido por Eunice. Após a conversa que haviam tido com ela, eles resolveram começar a estudar.

Durante o trajeto, Marina contou-lhe da experiência astral em companhia da amiga espiritual que Eunice mencionara. Disse que na volta vira seu próprio corpo adormecido na cama.

— Fiquei assustada, mas minha companheira afirmou que não precisava ter medo, que aquilo era natural.

— Que maravilha! Eu gostaria muito de experimentar isso.

— É uma sensação maravilhosa, você deslizando sobre os lugares, sob a luz das estrelas, vendo a cidade lá embaixo, e ao mesmo tempo dentro do coração uma alegria que não dá para explicar em palavras.

— O que mais ela lhe disse?

— Durante o sonho eu entendia tudo que ela dizia, mas assim que acordei não consegui me lembrar de nada.

Ela não mencionou as palavras que ainda soavam claras aos seus ouvidos, para não chamar a atenção dele sobre o assunto que a preocupava.

Assim que entraram no prédio, inscreveram-se para participar do grupo de estudos. Como faltava meia hora para iniciar, passaram na pequena livraria na sala ao lado.

Eunice saiu de uma das salas e, vendo-os, aproximou-se para cumprimentá-los. Depois, perguntou por Cícero.

— Ele está muito bem — respondeu Marina. — Virá amanhã para o curso de mediunidade. Minha mãe decidiu vir com ele.

Eunice sorriu.

— Vai ser bom para ela, que já possui algum conhecimento sobre a vida espiritual.

— Fiquei surpresa quando ela disse que viria com ele. Nunca foi ligada aos assuntos religiosos.

— Não se admire. São coisas do espírito dela. Interessou-se porque sentiu que nós estamos aqui aprendendo sobre os fenômenos naturais da vida e não criando ou seguindo uma religião.

— Esse foi o motivo pelo qual decidi vir aprender aqui — considerou Rafael.

Marina consultou o relógio e viu que ainda faltavam vinte minutos para iniciar o curso. Perguntou:

— A senhora está muito ocupada agora?

— Não. Terminei o atendimento.

— Tive uma experiência fora do corpo anteontem e gostaria de fazer-lhe algumas perguntas. Serei rápida.

— Está bem. Vamos entrar.

Rafael fez menção de acompanhá-las, porém Eunice tornou:

— Prefiro falar com ela a sós. Também tenho um recado pessoal a dar-lhe.

— Fiquem à vontade. Vou escolher alguns livros.

Elas entraram e se acomodaram. Antes que Marina começasse a falar, Eunice disse:

— Vocês têm muita afinidade. Entendem-se bem e certamente terão uma união feliz e proveitosa. O amor de vocês vem de outras vidas. Quanto a isso, tudo bem. Você é uma pessoa leal e está preocupada porque guarda um segredo no coração e não tem coragem de lhe contar.

Marina olhou-a surpreendida.

— Como sabe?

— Sua amiga Norma está me contando. É com ela que você tem se encontrado quando sai do corpo.

— Isso mesmo. Rafael se declarou e eu descobri que o amava também. Meu segredo envolve outras pessoas e prometi não contar a ninguém. Mas as dúvidas me incomodam. Não quero começar um relacionamento com uma mentira.

— Norma está me dizendo que já lhe falou sobre isso.

— Ela diz que é grata porque eu lhe prestei um serviço e cumpri o que havia prometido. Afirmou que tudo está certo, não há nada errado.

— Ela está repetindo isso para mim. Então, qual é a dúvida?

— Mas é que recebi dinheiro para prestar esse serviço. É isso que me incomoda.

— Você prejudicou alguém?

— Não. Ao contrário: ajudei uma família a resolver um problema. Eu concordei em prestar esse serviço porque precisava do dinheiro. Meu pai nos abandonou quando eu era criança e minha mãe estava grávida de Cícero. Eles moravam no interior. Eu estudei, esforcei-me, sempre pensando em lhes proporcionar uma vida melhor. Minha mãe costurava até altas horas para nos sustentar. Eu queria que ela pudesse ter uma vida melhor e meu irmão pudesse estudar, ser alguém na vida.

— Os motivos são nobres. Sabe, minha filha, há ainda muito preconceito com relação a dinheiro. Entretanto, ele é necessário para fazer o bem, desenvolver a ciência, aliviar o sofrimento humano. Não há mal em querer melhorar de vida, ter dinheiro. Ele é valor, e em si não é bom nem mau. Depende do uso que fazemos dele. É um bem quando usado com inteligência a favor do progresso e um mal quando é acumulado sem proveito ou em prejuízo dos outros.

— Suas palavras me fazem bem.

— Norma está dizendo para você não se preocupar. Quando for oportuno, a vida resolverá isso para você. Guarde seu coração em paz. Viva sua vida e seja feliz.

Marina levantou-se, olhos marejados:

— Obrigada, d. Eunice. Suas palavras me devolveram a paz.

— Vá com Deus, minha filha.

Ao deixar a sala, Marina sentia-se alegre e bem-disposta. Rafael a esperava. Vendo-a, disse:

— Veio bem na hora. Comprei dois livros. Depois lhe mostro.

Ela segurou o braço dele e disse:

— Vamos. Não quero perder nada desta aula.

Alegres e bem-dispostos, entraram na sala, onde muitas pessoas já estavam acomodadas, esperando. Procuraram dois lugares e sentaram-se.

Um rapaz jovem, alto, claro, entrou na sala e postou-se diante de todos, dizendo:

— Vamos unir nossos pensamentos buscando alcançar nossos objetivos de progresso e luz. Juntos pedimos à Inteligência Universal que abra nossa mente a fim de que, mais lúcidos, possamos entender melhor o que a vida quer nos ensinar agora.

Ele fechou os olhos e ficou em silêncio durante alguns segundos. Depois, abriu-os e tornou:

— Hoje vamos falar sobre as mensagens que os fatos da vida nos trazem e como entendê-las.

Olhos brilhantes, ele começou a discorrer sobre o assunto, e tanto Rafael quanto Marina — que havia estranhado um professor tão jovem para um assunto tão profundo — ficaram presos a suas palavras, que os faziam pensar, maravilhados com a facilidade com que ele se expressava.

Durante quinze minutos ele discorreu e todos na sala, como que magnetizados, ouviram atentos. Depois, ele parou, sorriu e convidou:

— Agora vamos passar às perguntas.

Imediatamente, algumas pessoas levantaram a mão e ele as foi ouvindo uma a uma, esclarecendo dúvidas, expondo situações, deixando que tirassem a própria conclusão.

No fim, agradeceu a atenção de todos e encerrou a reunião com uma prece de gratidão aos amigos espirituais.

Rafael e Marina deixaram o local entusiasmados. Foram tomar um lanche e durante o tempo todo trocavam idéias sobre o tema da noite. Eles não viram que o espírito de Norma os abraçava satisfeito, envolvendo-os com pensamentos de alegria e paz.

16

Seis meses depois destes acontecimentos, voltamos a Paris, onde Pierre se encontrava preso, à espera de julgamento. As provas contra ele avolumavam-se dia a dia e ele estava desesperado.

Os amigos que antes o ajudavam a dissipar sua fortuna haviam desaparecido, o nome de sua família execrado e os parentes que lhe restavam o recriminavam, recusando-se a ajudá-lo.

Sem dinheiro para pagar um bom advogado para defender-se, Pierre a cada dia sentia mais medo de ser condenado. Era intolerável suportar os três companheiros de cela, a precariedade das instalações sem privacidade, sempre cheirando a desinfetante barato, e a humilhação do descaso e da maldade alheia.

Além do tráfico de drogas e da suspeita de assassinato de Nicole, a polícia suspeitava que ele também houvesse assassinado Jamille, uma vez que ela desaparecera sem deixar vestígios e Pierre dizia não saber de seu paradeiro.

Para eles era inadmissível que uma mulher que fora ao Brasil com o marido e desconhecia o idioma daquele país decidisse desaparecer sem um motivo justo. O mais provável era que ela soubesse demais e ele acabara por matá-la a fim de proteger-se.

Pierre, quando pensava nela, sentia seu ódio crescer. Jamille o abandonara no momento mais difícil de sua vida depois de haver desfrutado a seu lado de uma vida faustosa, freqüentando lugares de luxo.

Claro que o abandonara com medo de ser acusada de cumplicidade. No entanto, além de roubar todo o seu dinheiro, ela ainda o deixara em uma situação delicada. Como ele poderia provar que ela ainda estava viva, morando no Brasil?

A quantia de dinheiro que ela possuía daria quando muito para viver durante um mês, isso com muita economia, o que ele acreditava que ela não conseguiria fazer.

O que ela faria quando o dinheiro acabasse? Voltar à França seria impossível, uma vez que não dispunha de recursos. Como era incapaz de trabalhar, certamente acabaria se prostituindo.

O ódio de Pierre era ainda mais violento contra Maria Eugênia. Com aquele ar de pessoa de bem, havia lhe preparado aquela armadilha. Ela e certamente sua mãe, uma executiva esperta e experiente.

Quando pensava nelas, parecia-lhe sufocar. Então se levantava e andava pela cela de um lado para o outro como fera enjaulada, o que irritava os companheiros, que ameaçavam agredi-lo.

Aquilo não podia continuar. Ele precisava fazer alguma coisa. Enquanto ele sofria por viver naquele inferno, Maria Eugênia desfrutava de sua vidinha sossegada com a família, naquela mansão maravilhosa, posando de dama impoluta da melhor sociedade. Ele precisava agir. Eles tinham de pagar pelo que lhe fizeram.

Pensando em tudo, decidiu mudar sua atitude dentro da prisão. Tendo se mostrado agressivo, revoltado, ele só havia piorado a situação. Era vigiado constantemente e os carcereiros olhavam-no com raiva.

Tinha de engolir a raiva e procurar contornar os fatos. Sempre soubera lidar com as pessoas de qualquer nível. Começou por mostrar-se educado com todos, conformado com a situação, mostrando-se triste pela ingratidão da companheira.

Os carcereiros, aliviados por não terem de vigiá-lo constantemente, começaram a tratá-lo melhor. E aos poucos seus colegas de cela também foram mudando com ele.

Um dia foi procurado por Jacques, um advogado que a Justiça havia designado para defendê-lo no julgamento que estava marcado para dali a três meses.

Com a presença do advogado, Pierre pôde deixar a cela para conversar a sós com ele em sala privada. Contou-lhe sua versão dos fatos, dizendo-se inocente.

O advogado deixou claro que, como seu defensor, precisava saber toda a verdade. Pierre continuou negando aquele crime e afirmando que usava drogas para consumo próprio.

— Há o desaparecimento de sua esposa — insistiu Jacques.

— Ela me deixou quando descobriu que eu estava sendo procurado pela polícia. Não sei onde ela está.

— Acha que voltou à França?

— De modo algum! O dinheiro que tirou de mim não daria para tanto. Imagino que ela ainda deva estar no Brasil. Mas não sei onde.

Jacques coçou a cabeça desanimado.

— Diante das suspeitas que a polícia tem, sua palavra não vale nada. Temos que arranjar uma prova de que ela está viva.

— Não sei como fazer isso. O Brasil é um país muito grande.

— Você disse que tem amigos lá. Não poderia escrever, pedir informações dela? Ela pode ter ido procurá-los.

— Não creio. Eles não simpatizavam muito com ela.

— É sua única chance. Escreva uma carta a eles, peça informações. Talvez saibam de alguma coisa.

Pierre olhou-o pensativo. Uma idéia passou pela sua cabeça e ele respondeu:

— Está bem. Traga-me papel e envelope e escreverei.

Depois que Jacques se foi, Pierre voltou à cela pensativo. Sua situação continuava ruim, mas encontrara um meio de vingar-se de Maria Eugênia.

No dia seguinte, Jacques levou o que ele pedira e ficou de buscar a carta dali a um ou dois dias. Sentado em um canto da cela, Pierre colocou o papel sobre a mesa e começou a escrever.

Doutor Henrique Silveira Couto,

estou lhe escrevendo para fazer uma confissão. Estou apaixonado por Maria Eugênia e sei que sou correspondido. Quando vocês estavam em Paris, eu e ela nos apaixonamos e nos tornamos amantes. Em nossos momentos de intimidade, descobri que ela não estava grávida, usava uma barriga postiça.

Quando vocês voltaram ao Brasil, sofri muito com a separação. Desde então pensei em ir vê-la em seu país. Quando estivemos em sua casa meses atrás, eu pretendia reatar nossa ligação, porém ela não quis, por causa do menino que diz ser seu filho.

Fiquei desesperado. Minha mulher descobriu tudo e me abandonou. Deixou o hotel onde nos hospedávamos e levou todo o meu dinheiro.

Então fui procurado pelo advogado de sua sogra, que me ameaçou dizendo que, se eu não desistisse de interferir na vida de Maria Eugênia, eles me denunciariam à polícia francesa.

Não acreditei, mas na mesma noite fui procurado por dois policiais que me prenderam e me levaram ao consulado da França. Fui deportado e continuo preso, acusado de crimes que não cometi. Há inclusive suspeita de que eu tenha matado minha esposa.

Sem dinheiro, sem amigos, desprezado, estou esperando pelo julgamento. Recorro a você para que me ajude. Não tenho a quem pedir auxílio. Se não me ajudar, serei forçado no julgamento a contar toda a verdade. Só assim conseguirei provar minha inocência. Certamente os jornais não pouparão vocês, cuja empresa é muito conhecida por aqui. Afirmo que meu único crime foi amar uma mulher e não conseguir esquecê-la.

Aguardo uma resposta sua. Por favor, ajude-me.

Pierre Legrand

Leu tudo novamente e, satisfeito, colocou a carta no envelope já sobrescritado e o fechou. Maria Eugênia haveria de sentir o peso de sua vingança. Henrique era um homem sério e não toleraria a traição da mulher. Certamente a repudiaria.

No dia seguinte, o advogado chegou, Pierre entregou-lhe a carta e disse contente:

— Acho que vai dar certo.

— É bom mesmo, porque a amiga de Nicole vai testemunhar contra você e está disposta a vingar a morte dela.

— Ela tem raiva porque eu não quis ter relações com ela. Está mentindo por causa do ciúme.

— Acho bom você pensar bem, ver se descobre um álibi, porque sua situação neste caso não é das melhores.

Pierre ficou sério.

— Vou pensar, doutor. Vou pensar.

Depois que o advogado se foi, Pierre sorriu satisfeito. Além de vingar-se, certamente Henrique tentaria abafar o escândalo e se empenharia em livrá-lo da condenação.

***

Dois dias depois, uma sexta-feira, Henrique ligou para Adele satisfeito, para comunicar-lhe a boa notícia: finalmente, depois de meses de negociação, havia fechado vultoso negócio com uma empresa alemã de grande porte.

— Eles assinaram o contrato do jeito que nós queríamos. Deu tudo certo.

— Ótimo. Parabéns! Você conseguiu! Temos que comemorar. Venham jantar comigo esta noite. Quero saber todos os detalhes.

— Falarei com Maria Eugênia.

— Diga-lhe para trazer Dionísio. Estou com saudade. Vou convidar Bernardo. Ele nos ajudou muito nesta negociação.

— Está bem. Iremos.

Adele desligou o telefone e ligou para Bernardo, que ficou radiante, não só com a notícia, mas com o convite.

O jantar na casa de Adele era servido às oito horas. Às sete e meia, Bernardo já havia chegado, tendo levado uma belíssima caixa com rosas. Pouco depois, Henrique e Maria Eugênia também chegaram, trazendo Elvira e Dionísio.

O clima era de festa. Antes do jantar, o menino atraiu todas as atenções com suas gracinhas, seu linguajar muito particular, seu jeito carinhoso de tratar a todos.

Depois, Elvira levou-o à copa, onde deveria servir-lhe o jantar, enquanto na sala os adultos se acomodavam para comer.

A conversa fluiu alegre. Na hora da sobremesa, brindaram com champanhe. Todos estavam felizes. Maria Eugênia, depois do problema que havia enfrentado com Pierre, tinha mudado sua maneira de relacionar-se com a mãe.

Ela começara a interessar-se pelos negócios e a dar opinião, demonstrando inteligência e clareza, o que estreitou ainda mais a amizade entre elas.

Finalmente, Maria Eugênia entendera que uma empresa não era como imaginara, apenas uma máquina de fazer dinheiro, mas sim uma organização que dava oportunidade de emprego para muitas pessoas, que no trabalho desenvolviam sua capacidade de inteligência e ao mesmo tempo ganhavam seu dinheiro para sustentar a família com dignidade.

Ela descobriu que Adele geria aquela organização exigindo disciplina e esforço próprio, mas atuando com generosidade e justiça, oferecendo cursos de especialização aos mais esforçados e apoio nos momentos em que alguém estivesse em um momento difícil.

Sentiu-se orgulhosa ao perceber que Adele era muito respeitada por seus funcionários, que se sentiam bem por trabalhar para uma pessoa que admiravam.

Passava das dez quando Maria Eugênia quis ir embora. Eles se despediram, porém Adele, que estava particularmente alegre naquela noite, pediu a Bernardo que ficasse mais um pouco.

— Estou sem sono. Vamos conversar.

— Você não gostaria de sair um pouco? Poderíamos ir dançar em algum lugar.

— Não. Prefiro ficar em casa. Vamos ao jardim de inverno ouvir música.

Uma vez lá, Bernardo perguntou:

— O que você quer ouvir?

— Escolha você.

Ela sentou-se em uma poltrona e logo um *blues* encheu o ar. Bernardo parou diante dela, depois curvou-se, dizendo:

— Quer dançar comigo?

Ela levantou-se e começaram a dançar. A música os envolveu e Bernardo disse emocionado:

— Parece que o tempo não passou, que estamos no clube, dançando como antigamente. Eu fico me perguntando: o que teria acontecido se eu não fosse tão tímido?

Adele riu contente.

— Quer fazer crer que naquele tempo estava interessado em mim?

— Eu estava muito apaixonado.

Adele afastou-se um pouco e olhou-o nos olhos:

— Por que nunca me disse nada?

— Acho que você sempre soube.

— Na verdade, houve um tempo em que desconfiei, mas

depois achei que estava enganada. Você sempre foi discreto, nunca demonstrou.

A música acabou. Adele serviu-se de mais champanhe enquanto ele escolhia outro disco. Logo, Sinatra começou a cantar uma música romântica e Bernardo enlaçou-a novamente. Dançaram alguns instantes em silêncio, até que Bernardo disse:

— Esconder esse amor foi difícil para mim.

— Você teve vários relacionamentos. Por que nunca se casou?

Ele apertou-a de encontro ao peito e disse ao seu ouvido:

— Porque nunca consegui amar outra mulher.

Havia tanta paixão na voz dele que Adele estremeceu. Separou-se de Bernardo e foi sentar-se no sofá. Ele a seguiu e sentou-se a seu lado, preocupado.

— Desculpe. Acho que me excedi. Você não me deu liberdade para isso.

Adele olhou-o séria e respondeu:

— Não se desculpe. Saber que você me amou desse jeito me emociona e me leva de volta ao passado. Talvez, se você tivesse sido mais ousado, minha vida tivesse sido diferente.

Bernardo olhou-a admirado:

— Por que está dizendo isso? Acha que eu teria alguma chance?

— Não sei. O que sei é que meu casamento não foi o que todos pensam.

Bernardo surpreendeu-se:

— Por quê? Vocês pareciam tão felizes! Aliás, foi esse pensamento que me confortou. Apesar de tudo, o que eu mais desejava era que você fosse feliz. O dr. Aurélio era um homem de sucesso, bonito, respeitado, rico.

— Aurélio era tudo isso mesmo, socialmente. Na intimidade era frio, insensível. Tudo que ele fazia era planejado. Para poder viver com ele, precisei sepultar meu lado apaixonado, meu temperamento ardente, cheio de vida.

Bernardo segurou a mão dela na tentativa de apoiá-la. Olhos perdidos no tempo, Adele continuou:

— Já na lua-de-mel ele mostrava-se irritado sempre que eu tinha alguma atitude exuberante, espontânea. Dizia que era falta de educação. Ensinava a maneira e a hora de rir, de falar, até de chorar. Mas você me conhece, sabe que sou uma mulher prática. Coloquei meus sentimentos de lado e procurei analisar a personalidade dele. Jurei a mim mesma que ele haveria de mudar o tom que falava comigo e me fazer respeitar. Eu sabia que para ele os negócios eram mais importantes e ele admirava as pessoas que conseguiam obter sucesso em seus empreendimentos.

Ela fez ligeira pausa e, notando que Bernardo a ouvia com interesse, continuou:

— Estudei, preparei-me e, aos poucos, fui tomando conta dos negócios. A princípio ele não me levou a sério, até que provei que sabia o que estava fazendo e consegui inverter a situação. Ele passou a não fazer nada sem me consultar e acabou confiando em minha capacidade, deixando a parte mais importante em minhas mãos. Quando ele adoeceu, falou-me do testamento de seu pai e da esperança que colocava sobre Maria Eugênia. Para ele, essas empresas eram mais importantes do que a própria família.

— Foi por tudo isso que você contratou Marina?

— Não. Se Renato fosse um homem capaz, talvez eu houvesse lhe proposto uma sociedade. Mas, irresponsável e jogador, ele iria causar muitos problemas.

— De fato. Tem razão.

— Acontece que gostei de ter dirigido as empresas. Aprendi muito com isso, desenvolvi minha criatividade, observei melhor o ser humano, pude exercitar meus conhecimentos e desenvolver um bom trabalho, dando oportunidade a outras pessoas de crescerem comigo.

— Sempre admirei a forma como você lidera todos os seus funcionários.

— Eu os respeito. Foi mais para continuar a fazer este trabalho que eu quis ficar na presidência da nossa organização.

Bernardo apertou a mão dela com carinho, levou-a aos lábios e beijou-a.

— É por tudo isso que eu ainda amo você.

— Eu me tornei uma mulher sem amor.

— É engano seu. Tudo o que você faz é com amor. O capricho, a dedicação, o gosto pela arte, tudo revela sensibilidade.

— Esta é uma noite de comemoração. Vamos dançar, Bernardo, esquecer o passado.

Ela levantou-se e ele a enlaçou com carinho. A música suave os embalou enquanto dançavam em silêncio.

Bernardo sentia o coração bater descompassado, e a emoção tomou conta dele. Aquele amor tanto tempo guardado desejava expressar-se e ele cedeu.

Apertou-a de encontro ao peito e beijou seus lábios com paixão. A emoção contagiou Adele, que se entregou àquelas sensações, que faziam seu corpo estremecer de prazer. Abraçou-o também, correspondendo a suas carícias.

Continuaram se beijando até que Adele, puxando-o pela mão, levou-o até seu quarto, onde, inebriado, Bernardo lhe disse, com voz que a paixão enrouquecia:

— Se soubesse como sonhei com este momento! Ter você em meus braços era o que eu mais desejava na vida.

Emocionada, Adele sentiu que estava despertando novamente para o amor, como nunca imaginou que conseguiria.

Beijou-o com carinho. Fechou a porta enquanto ele a esperava com os braços abertos. Ela aninhou-se neles e juntos foram para a cama viver aquele momento de amor.

Na manhã seguinte, Adele acordou e olhou Bernardo adormecido a seu lado. Sentou-se na cama pensativa. A lembrança dos momentos de amor que tinham desfrutado encheu seu peito de calor.

Lembrava-se de ter tomado mais champanhe que o habitual, o que certamente a fizera romper a barreira do convencional.

Bernardo abriu os olhos e, vendo-a, sorriu.

— Estou sonhando ou aconteceu mesmo?

— Aconteceu. Nós dançamos, tomamos champanhe, conversamos, e acabamos aqui.

Ele sentou-se na cama, olhando-a sério:

— Está arrependida?

— Não. Mas me assusta um pouco notar que perdi o controle.

Ele alisou o rosto dela com carinho.

— O amor precisa ser celebrado.

— Quero ser bem sincera com você. O que aconteceu ontem foi inesperado. Preciso pensar, avaliar melhor meus sentimentos.

— Pois eu estou seguro do que sinto. Nunca lhe falei do meu amor porque você não deu chance. Sempre tratou-me como amigo. Eu não queria estragar essa amizade. Mas ontem senti que você também me quer. Talvez seja difícil a uma mulher como você entregar-se ao amor. Habituada a liderar, a falar de acordo com o momento e agir conforme seus objetivos, pode ser assustador deixar fluir livremente as emoções, perder o controle. Contudo, você continua a ser a mesma pessoa, capaz de agir como sempre fez, só que mais completa, capaz de amar e ser amada. Isso não a deixa feliz?

Adele sorriu:

— É verdade. Quando acordei e o vi deitado ao meu lado, senti um pouco de medo de perder minha liberdade, minha privacidade, conquistada duramente. Mas agora começo a pensar que pode valer a pena deixar um pouco de lado a líder e ser apenas mulher.

Bernardo abraçou-a e beijou-a nos lábios diversas vezes.

— A vida não é apenas trabalho, sucesso profissional, manter acesa a chama de um ideal, mas também alegria, prazer, amor. São momentos como os que vivemos ontem que nos impulsionam a produzir mais e melhor em todos os outros objetivos. Hoje me sinto como um leão, cheio de força, de otimismo. Estou certo de que tudo o que eu fizer hoje vai dar certo.

— Eu também.

— Hoje é sábado. Que tal passarmos o fim de semana em algum lugar agradável, longe de tudo e de todos?

Os olhos de Adele brilharam maliciosos.

— Seria maravilhoso. Aonde iremos?

— Você escolhe. Podemos tomar um avião e ir ao Rio de Janeiro ou a alguma cidade do sul, ou ainda sairmos de carro, sem destino, parando onde nos parecer melhor.

— Gostei da última opção.

— Quanto tempo vai levar para se arrumar?

— Meia hora. Mas antes vamos tomar o café da manhã.

— Faremos isso pelo caminho. Vamos nos arrumar rapidamente. Conheço um lugar delicioso, onde tomaremos nosso café da manhã. Então, passaremos em meu apartamento, onde pegarei algumas coisas. Depois, sairemos pelo mundo, sem rumo. Apenas nós dois, livres para fazermos o que nos der vontade.

Ambos saíram da cama e arrumaram-se rapidamente. Adele, rosto corado de prazer, parecia uma adolescente rumo à aventura.

Havia muitos anos que não se lembrava de haver sentido tanta motivação e alegria para um passeio.

Era muito bom não ter de pensar em atender aos compromissos do dia, buscar soluções para os problemas empresariais que se multiplicavam, desafiando sua criatividade e sua eficiente equipe.

Antes de meia hora, estavam saindo. Adele chamou a criada e disse:

— Vou viajar e só volto amanhã à noite. Cuide para que tudo esteja sob controle.

Depois, juntos, foram para o carro, olhos brilhantes, rostos corados, sorriso fácil, alegria no coração.

17

Na segunda-feira, Henrique chegou ao escritório antes das nove. Tinha um encontro importante com um importador e precisava estudar a proposta que ele lhe fizera.

Sua secretária colocara algumas cartas abertas sobre a mesa, incluindo uma que, por ser pessoal, ela não abrira. Henrique apanhou o envelope manuscrito e, não reconhecendo a letra, olhou o remetente e estremeceu:

PIERRE LEGRAND

O carimbo era de uma prisão em Lyon. Revirou a carta entre os dedos, pensativo. A carta fora enviada de uma prisão. Pierre estaria preso? Por que lhe escreveria?

Curioso, rasgou o envelope, apanhou a folha de papel dobrada, abriu-a e começou a ler. À medida que lia, seu rosto foi enrubescendo e seu cenho foi se fechando. Quando terminou, estava pálido.

Então era isso? Maria Eugênia chegara a apaixonar-se por aquele patife? Entregara-se a ele, traindo sua confiança?

Talvez Pierre estivesse mentindo. Mas como duvidar, se ele sabia que Maria Eugênia não estava grávida? Só podia ter descoberto isso se tivesse mesmo tido intimidade com ela.

Henrique passou a mão trêmula nos cabelos, como para afastar aqueles pensamentos dolorosos que o deixavam arrasado.

Maria Eugênia mudara muito depois do nascimento de Dionísio. Mas essa história escabrosa ocorrera antes, quando ela se mostrara insensível, fútil, revoltada.

Algumas lágrimas corriam pelo rosto de Henrique, e ele não se importava em enxugá-las. Ele fora um marido fiel. Aceitara relacionar-se com Marina para ajudar Adele e também, por que não dizer, pela possibilidade de poder ser pai, o que de outra forma seria impossível.

Maria Eugênia teria feito isso para vingar-se dele? Quando em Paris, ela deixara transparecer sua revolta por ele haver aceitado a proposta de Adele. Mas Pierre dizia que ela estava apaixonada; que, quando ele estivera no Brasil tentando reconquistá-la, ela só não foi com ele para não deixar Dionísio.

Henrique reconhecia que ela, de fato, apegara-se muito ao menino. Essa justificativa era perfeitamente provável. Nesse caso, ela não o amava mais. Preferia o amor daquele patife desclassificado ao dele, que sempre fora um marido dedicado e honesto.

Pierre estava preso, dizendo-se inocente, mas Henrique não acreditava nisso. Além do mais, ameaçava-o, pretendendo contar essa história infeliz aos jornais de Paris, cidade onde eles tinham uma filial da empresa, eram conhecidos e respeitados.

Uma raiva surda tomou conta de Henrique. Se naquele momento Pierre aparecesse em sua frente, certamente não responderia pela sua vida.

Ele precisava tomar uma atitude. Mas qual? De que adiantaria pressionar Maria Eugênia, jogar em seu rosto toda a sua revolta, se ela era mãe dedicada de seu filho e, além disso, Dionísio só se sentia bem ao lado dela?

Por causa do menino, deveria Henrique engolir a raiva e fazer de conta que nada havia acontecido? Certamente não conseguiria. De uma forma ou de outra, acabaria falando.

Poderia separar-se de Maria Eugênia, mas tinha certeza de que Dionísio sofreria muito com isso. Ele amava muito o menino e desejava que ele fosse feliz. Por outro lado, ele não queria deixar a casa e perder a convivência com seu único filho.

Agoniado, Henrique levantou-se, andando de um lado para o outro da sala. Mil pensamentos contraditórios passavam pela sua mente.

E se Pierre fizesse mesmo o que estava prometendo? Se ele fosse aos jornais contar a triste história, além do escândalo havia a possibilidade de descobrirem que Dionísio não era filho de Maria Eugênia, portanto Adele teria de deixar a presidência das empresas e talvez até tivessem de responder na Justiça por haverem burlado a lei.

Ele precisava fazer alguma coisa, mas não podia assumir essa responsabilidade sozinho. Por mais que lhe doesse, teria de procurar Adele e contar-lhe tudo. Juntos, talvez pudessem encontrar uma saída.

Queria fazer isso imediatamente, porém tinha aquela entrevista importante logo mais. Sentiu vontade de cancelar aquele encontro, mas controlou-se. A pessoa havia vindo de longe e ele não podia deixar de atendê-la. Cancelar a entrevista daria impressão de desorganização, e ele não poderia fazer isso.

Respirou fundo e decidiu ver Adele depois que se livrasse do compromisso. Estava difícil esperar, mas não tinha outro recurso.

Apanhou a proposta de negócio e tentou examiná-la novamente, mas estava difícil. Não conseguia entender o que estava lendo. Precisou de um esforço muito grande para conseguir fixar a atenção no trabalho, atender a pessoa, mostrar-se amável e bem-disposto, quando se sentia angustiado, aflito, inquieto.

Respirou aliviado quando deu a tarefa por terminada. Apesar das circunstâncias, embora não houvesse sido brilhante, tinha conseguido o indispensável.

Olhou o relógio. Estava na hora do almoço e Adele gostava de almoçar em paz e não tratar de nenhum assunto desagradável nessa hora.

Henrique ficou indeciso. Seria melhor esperar um pouco mais, porém sua ansiedade não o deixou. Foi procurá-la.

Encontrou a sogra na sala de refeições, contígua à sala em que ela trabalhava. Vendo-o, ela disse:

— Henrique! Se tivesse vindo um pouco mais cedo, me faria companhia. Você já almoçou?

— Não, obrigado.

— Nesse caso, vou mandar trazer algo para você.

— Não é preciso. Estou sem fome. Vim porque temos um assunto muito sério para conversar.

Adele lançou um olhar sobre ele e considerou:

— Você não parece bem. Aconteceu alguma coisa?

— Sim. Mas não quero interromper seu almoço. Vou esperar na outra sala.

— Já terminei — disse ela, levantando-se. — Venha, vamos conversar.

Foram para a outra sala e sentaram-se um diante do outro.

— E então? — indagou Adele.

— Aconteceu uma coisa horrível. Nem sei como começar...

— Pelo começo, com certeza.

— Quando estávamos em Paris, antes de Dionísio nascer, conhecemos um casal de franceses. Eu não os apreciava, porém Maria Eugênia tornou-se muito amiga deles.

— Eu sei. Esse casal esteve aqui alguns meses atrás.

— Sim. Eles foram nos visitar uma vez, depois desapareceram sem se despedir, o que me deixou aliviado. Nunca gostei de Pierre. Hoje, ao chegar ao escritório, encontrei uma carta dele que me perturbou muito.

Adele sentiu que alguma coisa grave estava acontecendo. Disse apenas:

— Deixe-me lê-la.

Sem dizer mais nada, Henrique tirou a carta do bolso e entregou-a em silêncio. Adele começou a ler e procurou conservar a calma. Quando terminou, olhou para Henrique séria e perguntou:

— Você não acreditou no que esse patife disse, acreditou?

— Eu gostaria que fosse mentira, porém os detalhes mencionados me fizeram crer que está dizendo a verdade.

— Ele mente. Deseja vingar-se de nós porque o entregamos à polícia francesa, com a qual ele tinha contas a ajustar.

Henrique admirou-se:

— Vocês o mandaram prender? Por que não me contaram nada?

— Achamos que não valia a pena perturbá-lo com esse mau-caráter. Ele procurou Maria Eugênia, tentou fazer chantagem. Pediu cinco milhões de dólares. Quando estavam em Paris, ele descobriu que Maria Eugênia não estava grávida, pesquisou e soube quanto era importante para nós o nascimento de um filho. Descobriu que ela tivera um menino e pela idade deduziu que ele não era legítimo. Pressionado pelas dívidas, veio à procura dela para arranjar dinheiro.

— Por que vocês não me contaram? Como puderam esconder tudo isso de mim?

— Eu pedi a ela que não lhe contasse nada. Não queria que você pensasse que Maria Eugênia pudesse ter tido um caso com esse sujeito.

— Mas eu penso que ela teve, sim. Ele só poderia ter percebido que ela não estava grávida se tivesse tido relacionamento íntimo.

— Não acredite nisso. Você sabe como Maria Eugênia era descuidada. Não pode esquecer que minha filha era amiga da esposa dele, que pode ter notado isso e contado a ele.

— Mas Pierre diz que tiveram um caso e que Maria Eugênia o amava.

— Não posso crer em um disparate desses. Maria Eugênia casou-se com você por amor e nunca deixou de amá-lo.

— Você não sabe, eu nunca lhe contei, mas quando estávamos em Paris ela mudou muito. Vivia revoltada, juntou-se a esse casal e a outros amigos, saía todas as noites e voltava de madrugada.

— Você não a acompanhava?

— A princípio, sim, mas eu não gostava desses amigos e não queria sair com eles. Ela andava mal-humorada, enciumada por causa de nosso projeto. Naquele tempo cheguei a pensar que ela nunca perdoaria o fato de eu ter tido relacionamento com outra, ainda que não fosse por amor. Eu não queria sair com esses amigos, trabalhava o dia inteiro e não podia ir dormir de madrugada todas as noites.

— Você não podia ter permitido que ela levasse essa vida.

— Acho que tem razão, mas naquele tempo ela queixava-se de ficar sozinha no apartamento o dia inteiro. À noite queria sair, espairecer. Eu também gosto de sair à noite, mas não para ficar até a madrugada, tendo que trabalhar no dia seguinte. Deixei de acompanhá-la, permiti que ela saísse com eles. Acho que foi um erro. Revoltada como estava com nossa situação, ela deixou-se envolver por Pierre, que se aproveitou.

— Eu não acredito que ela tenha chegado a tanto.

— O que ele diz na carta é muito plausível e de acordo com

os problemas que vivemos naquele tempo. O que me dói foi ele dizer que Maria Eugênia o ama e só não o acompanhou por causa de Dionísio. Como ele podia saber quanto ela é apegada a ele?

— Ele esteve em sua casa, viu como é o relacionamento deles. Aproveitou a deixa.

— Estou desesperado. Eu amo minha esposa. Estamos casados há oito anos e nunca a traí. Como ela pôde fazer isso comigo?

— Repito: ela o ama, sempre o amou. Quando ele fez a chantagem, ela ficou desesperada e me procurou. Então chamei Bernardo, contei o que estava acontecendo e lhe pedi que tomasse informações de Pierre. Ele entrou em contato com nossa filial em Paris e pediu a Marcel que investigasse a vida dele. Descobrimos que era procurado pela polícia francesa, por suspeita de assassinato, inclusive.

— Assassinato?

— Sim. De uma moça com a qual se relacionava. Desconheço os detalhes. Mas isso foi o suficiente para podermos nos livrar dele. Bernardo procurou-o no hotel, disse que sabíamos de tudo a respeito dele e que a polícia francesa já tinha ordem de prisão contra ele. Bernardo aconselhou-o a ir embora o quanto antes, a fim de evitar a prisão. Disse que não íamos dar-lhe nenhum dinheiro, mesmo porque ele estava enganado e Dionísio era filho de Maria Eugênia.

— Ele acreditou?

— Não sei. Mas, assim que Bernardo saiu de lá, deixou um segurança vigiando o hotel e veio para cá. Telefonou a um amigo seu no consulado avisando onde Pierre estava. Ele foi preso e deportado. Alguns dias depois, soubemos que a polícia francesa estava suspeitando que ele houvesse assassinado Jamille, sua mulher.

— Ela veio com ele. Não a levaram também?

— Não. Nosso vigia viu que, logo que Bernardo deixou o hotel, Jamille saiu carregando uma mala, tomou um ônibus e desapareceu. Como ninguém sabe onde ela está, a polícia suspeita de Pierre, mas nós sabemos que ele não a matou.

— Estou perplexo. Apesar de tudo isso, ele está nos ameaçando. Se ele levantar suspeita sobre a origem de Dionísio, pode nos prejudicar.

— Eu sei. Temos que impedir isso de qualquer maneira.

— Ele quer que o ajudemos. Mas penso que isso está fora de cogitação.

— Eu também não estou disposta a ajudar esse canalha. Vou ligar para Bernardo e pedir que venha aqui agora. Juntos encontraremos a solução.

Meia hora depois do telefonema, Bernardo chegou. Colocado a par dos acontecimentos, leu a carta de Pierre com atenção. Depois comentou:

— Esse sujeito é pior do que eu pensava. Espero que você não tenha acreditado no que ele escreveu.

— Confesso que estou transtornado. Quando estávamos em Paris, Maria Eugênia mudou muito de comportamento. Estava revoltada, maldosa, fútil, irreconhecível. Ela saía com eles todas as noites. Bebia demais. Deve ter se deixado envolver por esse canalha.

Bernardo colocou a mão no braço de Henrique e disse em tom firme:

— Está claro que ele está com raiva e desejou vingar-se. Além de não haver conseguido o dinheiro, Maria Eugênia nos procurou e ele acabou preso. Acha pouco? Eu não acredito em nada do que está nesta carta.

Henrique suspirou nervoso. Só de imaginar Maria Eugênia nos braços daquele pilantra já o deixava fora de si.

— Eu também não acredito nele — interveio Adele. — Estou certa de que Maria Eugênia saberá desmentir tudo isso. O que me preocupa agora é o que vamos fazer para evitar que ele cumpra a ameaça.

— Vou entrar em contato com meu amigo do consulado. Trata-se de um advogado muito capaz, de confiança. Posso procurá-lo, falar da carta. Depois vou investigar os passos da esposa de Pierre. Penso que ainda está no Brasil. Sem dinheiro, não acredito que ela tenha voltado a Paris.

— O que pretende com isso? — perguntou Adele.

— Penso que, se ela deixou o marido, deve estar com medo ou com raiva dele. Pierre contou à polícia que ela havia ido embora e levado todo o dinheiro que lhes restava. Acredito que ela poderá nos ser de grande valia.

— Acha mesmo? — perguntou Henrique.

— Ela pode saber tudo sobre ele e nos contar.

— Talvez — tornou Adele.

— Não sabemos quanto dinheiro ela tinha. Pode até já ter acabado. Além disso, não fala nossa língua e pode estar em dificuldade — afirmou Bernardo.

Henrique ficou alguns instantes pensativo, depois disse:

— Quanto à carta, é melhor não responder.

— Também acho — concordou Bernardo.

— Não será perigoso? — indagou Adele, temerosa. — E se ele optar pelo escândalo? É um maneira de consolidar sua vingança.

— Não creio — tornou Bernardo. — Ele teria muito a perder agindo assim. Estou certo de que vai dar um tempo, talvez mandar outra carta. Precisamos agir depressa. Vou sair agora e tomar todas as providências.

— Boa sorte — desejou Adele.

— Mantenha-nos informados — pediu Henrique.

Bernardo concordou, despediu-se e saiu. A fisionomia triste de Henrique, sentado na poltrona, preocupou Adele.

— Vamos tomar um café — disse ela. — Você precisa reagir. Não pode deixar-se levar pelas maldades daquele canalha.

— Estou tentando. Mas está difícil.

— Procure se acalmar antes de falar com Maria Eugênia.

— Não vai ser fácil. Sempre que penso nisso, meu sangue ferve.

— Não está sendo precipitado?

— Não. Em Paris, várias vezes tentei mostrar a ela que Pierre era um escroque, mas ela o defendia ardorosamente. Nunca aceitou minhas ponderações. Devia mesmo estar apaixonada por ele.

— Por que se martiriza dessa forma? Esse sujeito, como todo malandro, devia ser bom de conversa. É fácil imaginar que ele deve ter coberto Maria Eugênia de elogios, fazendo-a deslumbrar-se. Ela sempre foi retraída. Bonita, mas não acreditava na própria beleza.

— Pode ser. Lá ela parecia outra pessoa: altiva, vaidosa, ousada, provocante, segura de si.

— Ele soube envolvê-la, pensando em tirar proveito do nosso dinheiro. Não acredito nessa história de amor dele, e dela muito menos. Pense nisso, Henrique. Mesmo que ela tenha se deixado envolver, isso passou. Depois que Dionísio nasceu, ela tornou-se outra pessoa, mas desta vez para melhor. Isso você não pode negar.

— De fato. Mas é isso que dói mais. Nosso relacionamento nunca esteve tão bom. Ela é perfeita em tudo, carinhosa, e além do mais ama Dionísio de verdade. Confesso que eu temia que ela nunca viesse a aceitá-lo.

— Pense nisso. Acalme-se. Maria Eugênia o ama de verdade. Ninguém pode fingir um sentimento desses o tempo todo. Ela tem dado constantes provas de quanto ama você e Dionísio. Não é justo que você esqueça isso e acredite nas palavras de um desclassificado.

Ela levantou-se, aproximou-se do genro, colocou a mão em seu ombro e continuou:

— Venha, vamos tomar um café. Você precisa comer alguma coisa.

Ele acompanhou-a pensativo. Tomaram café. Para contentá-la, Henrique comeu alguns biscoitos.

Adele desviou o assunto, perguntando sobre o encontro de negócios que ele tivera pela manhã. Com isso, mergulharam nos assuntos das empresas.

Uma hora depois, Bernardo voltou. Adele e Henrique o rodearam ansiosos.

— Primeiro fui falar com Adauto e o encarreguei de procurar Jamille. Foi ele quem ficou vigiando o hotel e viu quando ela saiu e tomou o ônibus. Ele foi até a empresa de ônibus ver se descobre alguma coisa. Depois fui ver meu amigo no consulado. René ouviu-me atentamente. Em seguida ligou para Paris e falou com a polícia. Pierre continua preso, e parece que a suspeita de assassinato está cada dia mais forte. Há uma amiga da moça morta que prestou depoimento contra ele. Pierre está encrencado e não sairá tão cedo.

— O que faremos agora? — perguntou Adele.

— Temos que esperar — respondeu Bernardo. — Vamos ver se Adauto descobre alguma coisa.

— Vou esperar no escritório. Preciso me ocupar — disse Henrique. — Se souberem de mais alguma coisa, liguem-me.

— Fique calmo, tudo vai ficar bem — disse Adele.

— Isso mesmo, acalme-se — reforçou Bernardo. — Enquanto

as notícias não chegam, vamos continuar tentando achar uma solução melhor.

Henrique os abraçou e saiu. O apoio de Adele, a ajuda de Bernardo tiveram o dom de acalmá-lo um pouco. Talvez tivesse se precipitado, dado demasiado crédito às palavras de Pierre. Ele não merecia confiança.

Maria Eugênia, ao contrário, depois que voltaram de Paris, nunca lhe dera motivos para suspeitar de seu afeto.

Durante o trajeto, pensou que talvez fosse melhor não contar nada a ela. Mas não sabia se conseguiria ficar calado. De volta ao escritório, esforçou-se para mergulhar no trabalho e esquecer um pouco a preocupação.

Passava das cinco quando Bernardo ligou.

— E então? — indagou Henrique.

— Bem, Adauto conversou com o motorista que trabalha no horário em que Jamille deixou o hotel. Ele lembrou-se dela porque ela foi até o fim da linha e tentou conversar com o cobrador, que teve dificuldade para entender o que ela dizia. Por fim, um dos passageiros, que ouviu a conversa, entendeu que ela perguntava se sabiam de uma pensão modesta. Eles indicaram uma nas proximidades. Mas o motorista não sabe se ela foi mesmo para lá.

— E Adauto foi até a tal pensão?

— Sim. De fato, ele encontrou-a, mas não a abordou porque não fala francês e pediu-me que arranjasse um tradutor. Não deseja assustá-la.

— Eu gostaria de falar com ela.

— Eu também. Passarei aí em quinze minutos e iremos juntos.

Henrique desligou o telefone satisfeito. Avisou a secretária que iria embora e desceu para esperar Bernardo. Ele chegou antes do tempo previsto e ambos se dirigiram ao local onde Adauto os esperava.

— E então? Ela está lá dentro? — indagou Bernardo.

— Está. Saiu, comprou algumas coisas e voltou.

— Nós dois vamos entrar — disse Bernardo. — Você continua vigiando. Não sei se convém que ela o veja, pelo menos por enquanto.

Eles entraram e perguntaram por Jamille, mas a mulher que os recebeu disse que não conhecia ninguém com esse nome. Então Henrique explicou que era uma mulher francesa e descreveu-a.

— Ah! Vocês estão falando da professora Claire.

— Professora?

— Ela dá aulas de francês. De português sabe pouco, mas dizem que é ótima para ensinar francês. Tem muitos alunos.

— Ela está? — indagou Bernardo.

— Está. Quer que vá chamá-la?

Henrique interveio:

— Sou amigo dela há muito tempo. Temos muitas coisas para conversar. Prefiro ir ao quarto dela. Onde é?

— Venham comigo.

Eles a acompanharam, subiram a escada e seguiram por um corredor. Pararam diante de uma porta. A mulher bateu, dizendo:

— Claire, visita para você.

Ninguém respondeu. Ela bateu mais forte e por fim a porta abriu um pouco e o rosto de Jamille apareceu pela fresta. Ela perguntou:

— Quem é?

Henrique adiantou-se, dizendo em francês:

— Sou eu, Jamille, o marido de Maria Eugênia. Preciso muito falar com você.

— Vá embora — respondeu ela em francês. — Não tenho nada a dizer. Há muito me separei de Pierre. Seja o que for que ele tenha feito, não tenho nada com isso.

— Eu sei — respondeu Henrique. — Não desejamos fazer-lhe mal. Precisamos da sua ajuda, e podemos ajudá-la também.

Ela abriu a porta e eles entraram. O quarto modesto, as roupas de Jamille não lembravam nem de longe a vida faustosa que levava em Paris.

Ela fechou a porta e olhou em volta dizendo:

— Vejam a que ponto fiquei reduzida por causa de Pierre. Eu o odeio. Ele desgraçou minha vida.

— Este é o dr. Bernardo, advogado, meu amigo.

Bernardo apertou a mão que ela lhe estendia e disse:

— Não estou aqui como advogado, mas como amigo.

— Sentem-se, por favor — pediu ela, designando um sofá onde eles se acomodaram.

Jamille pegou uma cadeira e sentou-se na frente deles. Dirigindo-se a Bernardo, comentou:

— Quando eu ainda estava com Pierre no hotel, você foi falar com ele.

— Sim — respondeu ele. — Você deve saber que ele inventou uma história para arrancar dinheiro de Maria Eugênia.

— Sei. Mas nunca concordei com isso. Eu sabia que não ia dar certo. Fiz muitas coisas em minha vida, mas nunca fiz nada contra a lei. Não quero me envolver com a polícia. Quando escutei o que você dizia a Pierre, descobri que a polícia francesa estava atrás dele e fiquei apavorada. Foi então que tomei a decisão de deixá-lo.

— Você sabe por que a polícia o estava procurando?

— Sei. Suspeita de assassinato. Ele se diz inocente. Houve um tempo em que acreditei. Mas depois comecei a juntar os fatos e cheguei à conclusão de que ele pode ser culpado. Tive medo de ser enquadrada como cúmplice.

— Se você tivesse ficado com ele, isso realmente poderia ter acontecido. Mas seu desaparecimento preocupou a polícia. Eles suspeitam de que você tenha sido assassinada também.

Ela persignou-se, dizendo:

— Deus me ajude! Que horror!

— Felizmente isso não aconteceu — disse Henrique.

— O que aconteceu com ele?

— Está preso em Lyon, à espera do julgamento. A polícia está juntando provas. Você acha que ele assassinou a moça?

Ela deu de ombros:

— Não sei. Ele teve um caso com ela. Ficou enrabichado. Nosso casamento era livre. Tanto eu quanto ele podíamos manter relações sexuais com outros parceiros. Isso não significava nada para nós. Mas com ela Pierre se enrolou. Ele só queria ficar com Nicole, deu na vista e eu cheguei a chamar a atenção dele. Ela era livre e não gostava que ele ficasse pegando no pé, vigiando com quem ela saía. Até que um dia ela apareceu morta no quarto onde morava.

— Como ele reagiu? — indagou Bernardo.

— Ficou assustado. Eu perguntei se havia sido ele. Na véspera eu o tinha visto muito nervoso, andando de um lado para o outro, não se podia falar com ele. Naquela noite, saí com algumas amigas e quando voltei o dia já estava amanhecendo. Ele não estava em casa. Chegou pouco depois, eu já estava deitada. Ele fechou-se no banheiro e ficou lá durante muito tempo. Ouvi o barulho do chuveiro. Depois, não se deitou. Ficou sentado na poltrona da sala. Eu peguei no sono, estava cansada.

— O que aconteceu depois? — indagou Henrique.

— Dois dias depois estourou a bomba. O corpo dela foi encontrado no quarto, mas, segundo o laudo da polícia, ela havia sido morta na noite a que me referi. Confesso que isso mexeu muito comigo. Tive medo de que ele houvesse cometido aquele crime. Falei com ele, que negou tudo e me proibiu de falar sobre isso. Ele segurou meu braço e disse: "Nunca mais repita isso. Sou inocente. Quer que a polícia suspeite de mim? Ninguém pode saber do meu relacionamento com ela". Pensei que talvez eu estivesse errada. Pierre não me parecia capaz de cometer um crime daqueles. Mas um mês depois ele foi intimado para depor e ficou apavorado. Então preparou nossa vinda para o Brasil.

— O que ele lhe disse na ocasião? — perguntou Henrique.

— Bem, ele contou a história da barriga falsa de Maria Eugênia e disse que poderia lucrar muito dinheiro com isso. Eu duvidei. Nunca acreditei muito nisso. Quando estivemos em sua casa, vi como Maria Eugênia tratava o filho. Jamais teria tanto apego se o menino fosse de outra mulher. Pierre estava blefando. Fiz tudo para demovê-lo, mas ele insistia. E deu no que deu.

— O que pretendiam fazer se recebessem o dinheiro? — indagou Bernardo.

— Voltar à França não estava nos planos dele. Pretendia procurar um lugar onde pudéssemos ter uma vida boa, luxuosa, como sempre tivemos.

— Mas você preferiu deixá-lo e trabalhar para viver — lembrou Henrique.

— É. Quando deixei o hotel, não sabia o que fazer, nem para onde ir. Antes eu peguei o dinheiro todo. Achei certo, uma vez que foi ele quem botou fora todo o nosso dinheiro, no jogo e em outras coisas mais. Quando cheguei aqui, fui recebida por pessoas simples, mas bondosas, que me acolheram com simpatia, ajudaram-me. Eu nunca trabalhei e não sabia como fazer isso. Uma estudante que mora aqui sugeriu que eu desse aulas e eu aceitei. Ela mesma arranjou-me alguns alunos. Foi então que comecei a aprender o que é viver.

— Você sentiu-se útil — disse Henrique.

— Mais do que isso. O dinheiro que ganhei não era muito, mas teve um sabor diferente. Eu me senti viva, digna. As pessoas me tratavam com respeito, convidavam-me para participar de suas vidas, fiz amigos, conheci famílias. Eu mudei.

— Você está com uma aparência melhor, remoçou — tornou Henrique.

— Por isso peço-lhes que me deixem em paz. Não quero mais me envolver com Pierre nem viver nada daquela vida. Estou feliz aqui como nunca fui em toda a minha vida. Tenho pensado muito e hoje percebo quanto eu estava errada.

— Como eu disse, não queremos prejudicá-la — disse Henrique, estendendo-lhe a carta de Pierre.

Ela a apanhou e, à medida que lia, seu rosto se contraía. Por fim, entregou-a a Henrique, dizendo:

— Isso é bem dele. É bom em inventar histórias, desde que possa tirar algum proveito delas. Espero que não acredite em nada do que ele diz aí.

— O que sabe a respeito? — perguntou Henrique.

— O suficiente para dizer que Maria Eugênia jamais gostou de Pierre. Ela gostava de sair, divertir-se, conhecer a noite de Paris, brilhar nas festas e nos teatros da moda, mas não era uma mulher devassa. Ao contrário. Muitas vezes eu a vi rodeada por homens que se sentiam atraídos pelo seu brilho. Mas ela apenas ria, e nunca se interessou por nenhum deles.

— Acha que ele está mentindo?

— Tenho certeza. Ele inventou isso para vingar-se dela por não lhe ter dado o dinheiro. Isso é muito dele.

Henrique respirou aliviado. O que Jamille dizia combinava mais com o temperamento de Maria Eugênia.

— Obrigado por nos ter recebido. Gostaria de retribuir sua gentileza, oferecer-lhe uma ajuda. Talvez uma casa em um lugar melhor, mais de acordo com seu nível.

— Não faça isso comigo. Eu preciso viver aqui, aprender lições de simplicidade. Não quero dizer que morar bem, no luxo, no conforto seja um mal, ao contrário. Mas no momento, para mim, é muito proveitoso viver aqui, onde tenho aprendido a apreciar amigos sinceros, que têm prazer em ficar do meu lado. Obrigada por querer me ajudar. Se Maria Eugênia me perdoar, eu gostaria até de conservar sua amizade. Mas, no momento, prefiro viver aqui.

Henrique levantou-se:

— Vou deixar meu cartão. Se precisar de alguma coisa, ligue.

Eles despediram-se e saíram.

— Vamos embora — disse Bernardo a Adauto. — Não temos mais nada a fazer aqui.

Pouco depois, Bernardo e Henrique despediram-se de Adauto e foram para o carro. Bernardo deixou Henrique no escritório e despediu-se, dizendo:

— Esqueça este desagradável incidente. Vá para casa em paz, abrace sua mulher com o carinho de sempre.

Ele se foi e, pouco depois, Henrique pegou o carro e foi para casa. Ainda não estava seguro sobre qual atitude tomar. Pensaria quando chegasse ao lar.

18

Rafael e Marina saíram do centro de estudos espirituais comentando a aula da noite. Fazia alguns meses que eles estavam freqüentando essas aulas, e a cada dia sentiam-se mais entusiasmados.

Durante esse tempo, eles ficaram mais unidos e apaixonados. Marina nunca havia amado antes, e o fato de ser correspondida enchia seu coração de alegria. A cada dia apreciava mais as qualidades de Rafael, sua inteligência, sua maneira carinhosa de ser que não anulava sua firmeza quando necessário.

Naquela noite, como faziam quando saíam da aula, foram tomar um lanche, durante o qual a conversa decorreu animada. Foi na volta, dentro do carro parado diante da casa dela, que ele a abraçou e beijou seus lábios com amor. Depois disse, olhando nos olhos dela:

— Quero casar com você. A cada dia fica mais difícil ir embora. Quero passar a seu lado o resto dos meus dias. Vamos marcar a data.

Marina hesitou um pouco e ele perguntou:

— Você não quer?

— Quero. Eu amo você.

— Senti que você hesitou um pouco, mas disse que quer. Há alguma coisa que a está preocupando?

— Eu trabalhei toda a minha vida para reunir a família, e agora não gostaria de separar-me deles.

— Não pretendo separá-la deles. Eu adoro aqueles dois. Tenho possibilidade de comprar uma casa maior, onde poderemos viver todos juntos e com mais conforto. O que me diz?

Ela sorriu satisfeita e respondeu:

— Eles também o adoram. Acho que será a solução perfeita.

— Amanhã falaremos com eles e combinaremos os detalhes.

Trocaram mais alguns beijos e depois se despediram. Marina entrou e a casa estava às escuras. Foi direto para o quarto, mas sentia-se inquieta. Preparou-se para dormir e deitou-se. Um pensamento, porém, incomodava-a.

Ela amava Rafael, tinha certeza de que seria feliz com ele, mas o que ele pensaria se um dia descobrisse seu segredo?

Ele a tinha em conta de uma mulher de coragem que havia batalhado e conquistado posição com o próprio esforço. Mostrava-se orgulhoso de vê-la obter sucesso profissional. O que diria se descobrisse que ela fizera aquele contrato com Adele, sujeitando-se a ter um filho com um desconhecido e renunciar ao bebê em troca de dinheiro?

Havia algum tempo que esse pensamento a incomodava. Entendia-se tão bem com Rafael, eram tão afins, que um falava o que o outro estava pensando. Guardar esse segredo até para ele começou a ficar pesado, fazendo-a sentir-se mal. Várias vezes pensou em abrir seu coração, em contar-lhe tudo, mas recuava. Era um segredo que prometera guardar por toda a vida e que envolvia outras pessoas.

E se um dia ela e Rafael não se entendessem mais, se separassem, não correria o risco de que ele, por qualquer razão, acabasse falando demais?

Tinha certeza de que ele era um homem sério, honesto, interessado em agir no bem. Mas em sua profissão havia visto vários casos de separação judicial em que um casamento que começara perfeito acabara em brigas e muitos sofrimentos.

Ela não queria ocultar dele seu segredo, mas ao mesmo tempo temia as conseqüências de dizer a verdade. E se ele não aceitasse e rompesse o compromisso?

Mil pensamentos passavam pela sua mente e ela revirava-se

no leito, insone. Por fim, decidiu rezar, pedir ajuda aos espíritos de luz. Sentou-se na cama, elevou o pensamento e fez sentida prece, pedindo inspiração.

Depois, deitou-se novamente. Então lembrou-se de Eunice, em quem confiava, e decidiu procurá-la no dia seguinte para pedir-lhe ajuda. Tinha certeza de que ela saberia mostrar-lhe o que precisava fazer.

Tendo decidido isso, sentiu-se mais calma, virou-se para o lado e finalmente adormeceu.

***

Henrique chegou em casa e encontrou Maria Eugênia bem-disposta, brincando com Dionísio. Beijou-os ligeiramente na face e foi para o quarto.

Ela pediu que Elvira tomasse conta de Dionísio e foi ter com ele. Aproximou-se dizendo:

— Você não está bem. Aconteceu alguma coisa?

— Não aconteceu nada. Estou um pouco indisposto.

Ela aproximou-se mais, abraçando-o e encostando o rosto em seu peito.

— Parece triste. Não gosto de vê-lo assim.

— Vai passar. Vou tomar um banho.

Ele foi ao banheiro e ela ficou esperando. Mais tarde, enquanto ele se vestia, ela ficou falando, contando as últimas gracinhas de Dionísio. Mas Henrique, olhar distante, parecia nem ouvir.

Ela aproximou-se dele, abraçando-o de novo, e tentou beijá-lo nos lábios. Henrique não suportou e desvencilhou-se dela.

Chocada, Maria Eugênia disse:

— Por que fez isso? Está zangado comigo?

Sem poder conter-se mais, Henrique tirou a carta de Pierre do bolso do paletó e entregou-a a ela, dizendo:

— Veja você mesma.

Com mãos trêmulas, ela apanhou a carta e, à medida que lia, seu rosto cobria-se de palidez. A surpresa foi tanta que ela se sentou na cama para não cair. Depois, começou a chorar convulsivamente.

Henrique não se conteve:

— Você não tem nada para dizer? Isso me faz pensar que é verdade. Você ama aquele patife.

Essas palavras tiveram o dom de arrancar Maria Eugênia do choque e ela rebateu:

— Isso é mentira! Eu nunca amei Pierre. Ele quis vingar-se porque nós não quisemos dar-lhe dinheiro. Mamãe e o dr. Bernardo sabem de tudo.

Henrique aproximou-se dela e colocou-lhe a mão nos ombros:

— Você diz que não o ama, mas pode me jurar que nunca teve um caso com ele?

Ela soluçava desesperada, sem conseguir falar, e ele continuou:

— Naquele tempo você estava irreconhecível. Parecia outra mulher, com raiva de mim por causa da gravidez arranjada. Várias vezes notei que você me odiava. Isso veio-me à lembrança ao ler esta carta.

Maria Eugênia meneou a cabeça negativamente e respondeu:

— Não é verdade. Eu sempre amei você. Eu estava com ciúme.

— É absurdo. Eu nem conhecia a moça. Se a vir na rua, nem saberei que é ela. Tudo foi feito de modo a não pôr em perigo nosso relacionamento. Foi apenas um negócio.

— Agora eu entendo isso. Mas naquele tempo eu morria de ciúme. Ficava imaginando você nos braços dela. Isso me atormentava. Mas eu nunca amei outro homem além de você.

Ele pareceu mais calmo e ficou pensativo por alguns instantes. Depois perguntou:

— Você não o amava, mas responda: teve um caso com ele? Foi assim que ele descobriu que usava barriga postiça?

Maria Eugênia levantou-se, respirou fundo, aproximou-se do marido e respondeu:

— Sim. Não posso negar isso. Eu estava revoltada, havíamos bebido. Fazia tempo que ele estava me cortejando. Uma noite, cedi aos seus impulsos. Acho que fiz isso por vingança, porque depois me senti menos rancorosa com relação a nosso caso. Mas eu juro: nunca amei Pierre.

Henrique sentou-se na cama, cabisbaixo e triste. Maria Eugênia apressou-se em dizer:

— Foi apenas uma vez. Mais tarde, arrependi-me muito. Odiei o que aconteceu. Depois que Dionísio nasceu, dei-me conta de quanto eu fora mal-agradecida. Você me deu o privilégio da maternidade. Esse menino é tudo que eu mais amo nesta vida. Por favor, Henrique, perdoe-me. Estou envergonhada, arrependida. Você sempre foi um ótimo marido. Eu é que me comportei como uma criança mimada e caprichosa.

As lágrimas desciam pelo rosto dela, mas Henrique, perdido em seu mundo íntimo, arrasado, triste, abalado, nem notava.

Ela colocou a mão sobre o ombro dele.

— Olhe para mim, Henrique. Diga que me perdoa.

— Deixe-me, Maria Eugênia. Preciso pensar.

— Por favor, sei que cometi um erro muito grave, mas naquele tempo eu estava louca. Você é testemunha de que eu mudei. Voltei a ser a pessoa que sempre fui, ou ainda muito melhor do que antes. Diga que me perdoa.

— Agora não posso. Vou sair um pouco, esfriar a cabeça. Depois conversaremos.

Ele levantou-se, apanhou o paletó e saiu. Maria Eugênia atirou-se na cama, soluçando desconsolada.

***

Os dias que se seguiram foram um tormento para Maria Eugênia. Henrique não voltara a falar no assunto, mas afastara-se dela, indo dormir no quarto de hóspedes.

Ela tentara várias vezes quebrar o gelo, aproximar-se, conversar com ele, mas Henrique evitava-a e pedia que o deixasse em paz.

Não sabendo mais como proceder, Maria Eugênia foi à procura de Adele, para desabafar e pedir conselhos.

— Ele não fala comigo, mãe. Sai de manhã muito cedo e só volta tarde da noite. Não tem comido em casa. Vai para o quarto de hóspedes e não atende quando bato à porta. Estou desesperada. Ele não quer mais saber de mim.

— Calma, minha filha. Precisa ter paciência. Infelizmente, ele descobriu o que você fez e está sofrendo com isso. Perdeu a confiança. Questiona os próprios sentimentos.

— Se ele não me perdoar, não poderei mais viver.

— Não seja dramática. O que esperava depois do que fez? Desesperar-se não vai melhorar a situação. Pense que Henrique a ama, a admira por ser uma boa mãe. Dê um tempo para que ele reencontre o equilíbrio.

— Acha que isso vai acontecer?

— Henrique é um homem inteligente. Tem discernimento. Ama a família. Acredito que não vai destruir tudo por um momento de loucura que você cometeu. Depois, ele sabe que você está arrependida, que não voltará a fazer novamente. Tudo isso vai pesar e ele acabará perdoando. Nesses casos, o tempo é o melhor remédio. Você precisa ser paciente, esperar.

Apesar dos conselhos de Adele, Maria Eugênia não se acalmou. Chegou em casa e Dionísio correu a abraçá-la, querendo brincar. Ela, porém, não se sentia disposta para isso.

Abatida pelas noites maldormidas, rosto vincado de preocupação, ela sentou-se no quarto do menino enquanto as lágrimas desciam pelo seu rosto.

Dionísio abraçou-a, dizendo triste:

— Mamãe "tá" zangada comigo?

Ela abraçou-o e apressou-se a responder:

— Não, querido. Estou com dor de cabeça.

— Mamãe "tá dodói" — respondeu ele, alisando o rosto dela com carinho.

Elvira aproximou-se e Maria Eugênia pediu que ela levasse Dionísio para tomar lanche e depois o colocasse para dormir, como ele fazia todas as tardes. Depois foi para o quarto. Elvira levou o menino e depois de algum tempo foi procurá-la:

— Ele dormiu. A senhora não almoçou, não comeu nada. Posso buscar um lanche, um suco?

— Estou sem fome.

— Não pode ficar sem comer. Vou buscar assim mesmo.

Pouco depois, Elvira voltou e colocou a bandeja sobre a mesinha.

— Desculpe me meter, mas é que eu gosto muito da senhora. Vi que o dr. Henrique tem dormido no quarto de hóspedes e que os dois estão tristes. Até Dionísio anda choroso e irritado.

— As coisas não estão bem entre nós — respondeu Maria Eugênia, triste.

— Tenho sentido que o ambiente aqui está bastante tumultuado, triste. Por que a senhora não procura d. Eunice? Ela pode ajudá-la.

— Acho que não tem remédio.

— Tudo tem remédio quando Deus ajuda. A senhora gostou tanto dela.

— Gostei. Ela deu-me bons conselhos. Ela me passou o número do telefone, mas não sei se ainda o tenho.

— Eu sei de cor. Vou ligar e a senhora conversa com ela.

Elvira fez a ligação e passou o telefone para Maria Eugênia.

— Dona Eunice? É Maria Eugênia, mãe de Dionísio. Lembra-se de mim?

— Claro, minha filha.

— Aconteceram algumas coisas e eu gostaria de conversar com a senhora. Posso ir à sua casa?

— Você está angustiada, aflita... Prefiro que vá ao centro de estudos. Lá terei mais recursos para ajudá-la.

— A que horas poderei ir?

— Esteja lá às sete e meia. Vou dar-lhe o endereço. Não é longe daqui.

Maria Eugênia anotou tudo.

— Não deixe de ir — pediu Eunice. — Estarei esperando.

Ela agradeceu e desligou. Depois perguntou a Elvira:

— Sabe como funciona esse centro de estudos?

— É um lugar onde ela atende as pessoas. Eu já estive lá fazendo um tratamento espiritual. Foi muito bom. Se eu pudesse, iria com a senhora.

— Não. Você precisa ficar com Dionísio.

Cinco minutos antes da hora combinada, Maria Eugênia entrou no centro de estudos. Atendida por uma moça, deu o nome e foi conduzida a uma sala onde Eunice a esperava.

Vendo-a entrar, abraçou-a dizendo:

— Como está, minha filha?

— Mal, d. Eunice. Meu casamento está desmoronando e não sei o que fazer.

— Sente-se. Vamos conversar.

— A culpa foi minha. Eu errei, agora estou pagando pelo meu erro.

— Não diga isso. Você está apenas aprendendo uma lição dura, porém necessária.

— Mas estou arrependida. Tenho certeza de que nunca mais farei aquilo novamente. Isso não basta?

— Não. A experiência, o conhecimento, têm seu preço. Ninguém conquista a sabedoria sem aprender o valor de cada sentimento.

— Preciso de seus conselhos. Não sei o que fazer.

Em poucas palavras, Maria Eugênia contou-lhe tudo entre lágrimas. Depois finalizou:

— Ele não fala comigo, está dormindo no quarto de hóspedes. Não quer me perdoar. Eu o amo muito. Nós vivíamos tão felizes!

— Vocês são felizes. Amam-se e o amor cobre a multidão de pecados. Vamos confiar. Você está sendo sincera. Não se desespere. Não deixe que um momento de desvario do passado se transforme em uma tragédia.

— Mas ele não me perdoa.

— Por acaso você já se perdoou?

— Eu?! Claro que não!

— Esse é o primeiro passo.

— Mas eu não posso me perdoar. Como pude ser tão cega? Tinha um marido maravilhoso e não valorizei isso; acabei me envolvendo com um patife, chantagista, interesseiro.

— Não seja tão rigorosa com você. Agora tem o propósito de não cometer novamente o mesmo erro. É sinal de que já entendeu o que a vida quis ensinar-lhe. Essa atitude é fundamental.

— Mas Henrique não pensa assim.

— Essa é a cabeça dele. Vamos ver como ele reage. É bom saber que não adianta você insistir, querer que ele mude a forma de ver. O que poderá funcionar é você mudar sua atitude interior para com você. No momento em que compreender que você foi fraca porque ainda não tinha discernimento para agir melhor, que hoje agiria de outra forma, e deixar que sua generosidade a perdoe, vai se sentir aliviada. O desespero desaparecerá, dando lugar a uma espera serena dos acontecimentos.

— É claro que hoje eu não faria mais. Tenho certeza disso.

— Então, minha filha, seja benevolente. Compreenda que você cresceu. Você era uma menina ingênua, mimada, tímida, que não tinha coragem de ousar diante da personalidade de sua mãe, uma mulher que brilha porque tem carisma, beleza, luz. Mas você também tem dentro de si mesma tudo isso. Seu espírito é luz, beleza, brilho, capacidade. Basta aprender a valorizar seus potenciais e permitir que eles venham para fora.

Maria Eugênia soluçava sem parar, e Eunice continuou:

— Você não pode sentir-se diminuída porque errou. Esse foi o preço do crescimento. Agora você é uma mulher mais experiente, e isso deve confortá-la.

— Como seria bom que Henrique pensasse como a senhora!

— Faça sua parte. Mostre a ele que está consciente e sabe o que quer daqui para a frente.

— Como farei isso?

— Não se condene mais. Respeite-se. Pense em você com amor. Não force a situação com seu marido. Dê a ele tempo para refletir. Aja como se não houvesse acontecido nada. Tenha uma postura digna.

— Sinto que tem razão. Acha que conseguirei?

— Tenho certeza. Vou encaminhá-la a um tratamento para reequilibrar suas energias. Quero que venha duas vezes por semana receber o tratamento. Estou certa de que esta noite dormirá melhor.

Ela fez algumas anotações e entregou-lhe o papel.

— Vamos confiar em Deus.

Maria Eugênia agradeceu e saiu.

Uma moça esperava-a do lado de fora e ela mostrou-lhe o papel. Em silêncio foi conduzida a uma sala em penumbra, iluminada apenas por uma luz azul, onde havia algumas cadeiras atrás das quais se encontrava uma pessoa em pé, em oração. Uma música suave enchia o ar, transmitindo paz ao ambiente.

Maria Eugênia foi conduzida a uma cadeira e sentou-se. A moça que estava atrás dela postou-se em sua frente, estendeu as mãos para o alto por alguns instantes, depois colocou-as sobre a cabeça de Maria Eugênia.

Essa moça era Marina. Havia algum tempo que trabalhava como voluntária no centro de estudos, doando energias, e sentia-se muito bem participando desse trabalho.

Olhos fechados, concentrada na oração, ao postar-se diante da pessoa a quem deveria doar energias, ela foi envolvida por forte emoção. Controlou-se e procurou mentalizar luz e amor sobre a paciente, que soluçava sentidamente.

Quando terminou a doação foi que abriu os olhos e assustada reconheceu que, já um pouco mais calma, sentada à sua frente estava Maria Eugênia, olhos molhados pelas lágrimas.

Emocionada, Marina tocou levemente o braço de Maria Eugênia para indicar que o tratamento havia terminado. Ela levantou-se e Marina perguntou baixinho:

— Sente-se melhor?

— Sim. Obrigada.

Depois que ela saiu, Marina não pôde continuar.

— Vou sair um pouco — explicou à dirigente da reunião.

Ela deixou a sala e foi até o toalete, buscando se acalmar. Assim que entrou, viu Maria Eugênia, que diante do espelho tentava refazer a maquiagem. Fez menção de sair, porém ela já a tinha visto e perguntou:

— Foi você quem me atendeu naquela sala?

— Foi.

— Preciso lhe agradecer. Quando cheguei aqui hoje, estava desesperada. Agora, graças a d. Eunice e a você, estou muito melhor. Que Deus as abençoe.

Comovida, Marina respondeu:

— Não precisa agradecer-me. Vindo aqui, eu também tenho recebido muito mais do que poderia imaginar.

Maria Eugênia parou em frente a Marina e perguntou:

— Ainda parece que chorei?

Marina sorriu.

— Melhorou bem.

— Obrigada. Preciso ir. Estou fora de casa há muito tempo e meu filho é muito apegado a mim. Deve estar sentindo minha falta. Você tem filhos?

— Ainda não. Mas vou me casar logo e pretendo ter.

— É maravilhoso. Vou indo, mas em breve nos veremos novamente. Vou fazer meu tratamento certinho.

— Vá com Deus.

Depois que ela se foi, Marina respirou fundo. O que a vida

estava fazendo com ela, colocando Maria Eugênia em seu caminho? Com tantos lugares para ir, tantas pessoas naquela casa, porque Maria Eugênia se sentara exatamente onde ela estava?

O que estaria acontecendo para que ela estivesse tão aflita e tivesse chorado tanto?

Mil pensamentos sem resposta brotavam em sua mente. Tentou afastá-los. Elas nunca poderiam aproximar-se. Havia prometido a Adele que nunca faria contato com eles.

Acontecera por acaso, e ela não deveria dar tanta importância a isso. O fato de Maria Eugênia freqüentar o centro de estudos não significava que manteriam uma relação de amizade. Isso nunca poderia acontecer entre elas.

Um sentimento de perda envolveu-a e ela procurou empurrá-lo para fora. Maria Eugênia dissera que o filho era apegado a ela. Sinal de que se amavam de verdade. Esse pensamento confortou-a.

Talvez fosse melhor deixar de ir ao centro de estudos por algum tempo. Mas tanto ela quanto o resto da família estavam tão entrosados lá, que logo ela descartou essa idéia.

Ofélia e Cícero estavam na escola estudando mediunidade e sentindo-se muito felizes. Rafael e ela preferiam as pesquisas científicas e sentiam-se bem doando energias como voluntários.

Marina esforçou-se para não dar demasiada importância àquele encontro. Ninguém poderia saber, e tudo ficaria como estava.

Quando deixou o toalete, encontrou Rafael no corredor.

— Você está bem? Disseram que saiu antes de acabar.

— Não foi nada. Eu me comovi no atendimento a uma pessoa e fui espairecer um pouco. Estou bem.

Ele a abraçou e saíram. Foi mais tarde, deitada em sua cama, que Marina voltou a pensar em Maria Eugênia.

Apesar de não querer dar importância àquele encontro, intimamente se perguntava:

"Por que a vida colocara Maria Eugênia em seu caminho?".

Talvez fosse para lembrá-la de que, mesmo tentando esquecer, ela tivera aquele filho. Por que faria isso?

Nos últimos tempos ela se questionava se seria justo para com Rafael casar-se com ele sem lhe contar esse segredo. O que ele pensaria dela se um dia a verdade viesse à tona? Como conservar a confiança sabendo que ela mentira sobre um fato tão importante?

Sua cabeça estava cheia de dúvidas. Ela ainda não tinha a certeza de que seria melhor contar e enfrentar a reação dele. Tinha medo de fazê-lo partilhar desse segredo que não lhe pertencia, e depois, se algum dia se separassem, ele pudesse revelá-lo a outros. Rafael era confiável. Mas, ao mesmo tempo, ela sabia que a garantia de um segredo está em nunca o confiar a ninguém.

— Não vou contar nada — decidiu.

Esforçou-se para dormir.

19

Maria Eugênia chegou em casa decidida a conversar com Henrique. Como no dia anterior, ele esteve fora durante o dia inteiro e não foi para casa na hora de jantar.

Apesar de triste, ela procurou agir como de costume: brincou com Dionísio, esforçou-se para expulsar da mente os pensamentos de medo e de insegurança.

Ela havia errado, mas entendia que naquele tempo era inexperiente e estava insegura, julgando-se menos pelo fato de ser estéril, querendo provar a si mesma que era capaz de ser amada mesmo assim.

Era vaidade, ilusão. Mas reconhecia que, dentro desse processo, não conseguira agir melhor. Já agora, depois de tudo, estava certa de que não teria se deixado levar por Pierre nem por ninguém. Arrependia-se, mas isso não mudaria o fato em si e seria impossível voltar atrás. Por tudo isso não adiantava nada continuar martirizando-se pelo que não tinha remédio.

Ela estava certa de que durante todos aqueles anos de casamento tinha dado provas suficientes de amor ao marido. Se ele não pudesse perdoá-la, compreender seu momento de fraqueza, ela não poderia fazer mais nada. Apesar da tristeza que esse pensamento lhe provocava, Maria Eugênia sentia que não lhe restaria outro caminho.

Passava das onze quando finalmente Henrique chegou. Vendo-a lendo na sala, disse um boa-noite e subiu para o quarto de hóspedes.

Maria Eugênia levantou-se e foi atrás dele. Bateu à porta e entrou. Ele havia tirado o paletó e olhou-a surpreendido.

— Quero falar com você — disse ela com voz calma.

— Estou cansado. Quero dormir.

— Serei rápida.

— Está bem.

Ele designou uma poltrona e sentou-se na outra.

— Pensei em tudo quanto aconteceu e preciso dizer-lhe que lamento muito ter agido daquela forma. Essa atitude fez-me rever toda a minha adolescência e juventude, quando me sentia incapaz de ser para meus pais a pessoa que eles esperavam que eu fosse. O brilho e o sucesso de minha mãe, a quem eu sempre admirei, faziam-me desejar ser igual a ela, mas ao mesmo tempo eu olhava para mim e acreditava não ter capacidade para isso.

— Você sempre foi tímida — comentou ele.

— Não era timidez, era falta de fé em minha capacidade. Eu pensava que, por mais que fizesse, nunca conseguiria ser o que ela gostaria que eu fosse.

— Mas Adele nunca exigiu nada de você. Sempre a amou e a aceitou como você é.

— Isso eu percebi há bem pouco tempo. Mas na minha cabeça eu imaginava que para ser amada teria de ser igual ou melhor do que ela. Eu queria que ela me admirasse. Quando o conheci, apaixonei-me, superei um pouco isso. Seu amor deu-me alegria e certa segurança, embora eu não houvesse mudado minha maneira de me ver. Depois do nosso casamento, ao invés de querer brilhar para agradá-la, acrescentei essa necessidade como condição a que você continuasse me amando.

— Eu não sabia que você se sentia assim...

— Eu dissimulava até para mim mesma. Quando descobri que não poderia ser mãe, fiquei arrasada. Senti-me aleijada e inútil. O fato de precisar ter um filho para assegurar a continuidade de mamãe como presidente das empresas fez-me sentir a última das mulheres. Pela primeira vez minha mãe dependia de mim para alguma coisa, e eu não tinha como atendê-la.

— Você não é culpada por isso.

— Mas eu me senti muito mal. A custo dominei o ciúme, a raiva daquela desconhecida que era mais competente do que eu, que podia dar-lhe o filho que tanto queríamos. Quando estávamos em Paris, eu odiava aquela barriga postiça, porque ela lembrava minha incapacidade.

— Por que nunca se abriu comigo? Eu teria compreendido.

— Era humilhante. E, depois, eu estava revoltada com a vida, com a situação, impotente para mudar os fatos.

Henrique passou a mão nos cabelos, pensativo, e pediu:

— Continue.

— Com o que estou dizendo não pretendo justificar o que fiz. A vontade de provar a mim mesma que as pessoas poderiam gostar de mim fez-me mergulhar na vaidade. Quando me recordo das festas, onde bebia demais, provocava a atenção dos homens propositadamente, sinto vergonha. A verdade, porém, é que nunca aceitei a corte de nenhum deles. O que aconteceu com Pierre foi um envolvimento ocasional, eu diria até certa curiosidade, que eu justificava como vingança por você ter se relacionado com outra.

— Isso me machucou muito, porquanto jamais imaginei que pudesse acontecer.

Maria Eugênia suspirou fundo e considerou:

— Em mim também está doendo. Principalmente agora, que posso ver com clareza quanto estava iludida, enganada. Descobri que dentro de mim há uma mulher que ama a família. Que, apesar de minhas fraquezas, tenho sido uma boa esposa, me dedicado a você, oferecendo o melhor de mim, principalmente depois que Dionísio nasceu e eu aprendi o valor do amor materno. É um sentimento que encheu minha alma de felicidade, desde que tomei essa criança em meus braços e ele segurou meu dedo com sua mãozinha pequenina.

Henrique baixou os olhos, tentando encobrir uma lágrima prestes a cair. Maria Eugênia, com os olhos brilhantes de emoção, continuou:

— Com ele descobri que o mais importante é o amor, porque ele alimenta nossa vida, dá-nos motivação e faz com que tudo fique mais belo.

— Foi pena ter acontecido o que aconteceu.

— Eu lamento ter machucado você, mas ao mesmo tempo reconheço que essa experiência fez-me crescer e enxergar as coisas boas que a vida me deu e que antes eu não via. Você, mamãe e até a desconhecida que concordou em emprestar seu corpo para que eu pudesse desfrutar esta conquista merecem minha gratidão. Dionísio ensinou-me a viver e a valorizar minha vida.

Henrique, cabeça baixa para que Maria Eugênia não percebesse sua emoção, não sabia o que responder.

— Era isso que eu precisava dizer-lhe. Eu continuo sempre a mesma mulher que o ama e que ama nosso filho. Nada é mais importante para mim do que continuarmos juntos como sempre. Mas eu sei que essa é uma decisão que depende de você. Pense, analise. Se puder entender e perdoar, estarei esperando. Mas, se sentir que não é capaz de esquecer, então aceitarei sua decisão sem reclamar. Só peço que não me separe de Dionísio. Isso eu não poderia suportar. A minha parte eu já fiz, agora fica com você. Tem todo o tempo para decidir.

Ela levantou-se e deixou o quarto. Henrique, tomado de emoção, deixou que o pranto corresse pelo seu rosto e os soluços desabafassem sua mágoa durante algum tempo.

Depois, um tanto aliviado, sentiu-se cansado, foi ao banheiro, lavou o rosto, colocou o pijama e deitou-se. Queria dormir, descansar. Parecia-lhe que estava vazio, incapaz de raciocinar. Fechou os olhos e em seguida adormeceu.

Maria Eugênia passou no quarto de Dionísio, que dormia, beijou seu rostinho corado e foi para seu quarto.

Apesar de a situação continuar a mesma, ela sentia-se diferente. Dentro dela despontara uma força viva que a fazia levantar a cabeça com dignidade. Pela primeira vez estava segura de que adotara a postura adequada.

A consciência de seu erro, a análise de seus sentimentos haviam acabado com o peso da culpa que a atormentava, deixando em seu lugar a certeza de que ela não era mais a criança dependente da aprovação da mãe, incapaz de resolver seus próprios conflitos, mas sim uma mulher corajosa, consciente de sua própria força para escolher o caminho mais adequado.

O que ela mais queria era que Henrique a compreendesse e

perdoasse. Mas se ele não conseguisse fazer isso, ela seria forte o bastante para aceitar sua decisão.

A certeza de seu amor por ele confortava-a e ao mesmo tempo dava-lhe coragem para continuar esperando que ele conseguisse vencer o orgulho e deixasse o amor falar mais alto. Pensando no amor que os unia, ela sentia um brando calor envolver seu coração.

Aprontou-se para dormir. Antes de deitar-se, ajoelhou-se ao lado da cama e fez uma oração, agradecendo a Deus por haver lhe mostrado todas essas coisas e haver lhe permitido experimentar a grandeza do amor em sua vida. Depois, deitou-se e em seguida adormeceu.

***

Nos dias que se seguiram, Maria Eugênia procurou ser natural, fazendo tudo que sempre fizera. Henrique continuou calado, só conversando o essencial, não vindo almoçar em casa.

Em seus encontros de trabalho com Adele e Bernardo, ele não mencionara mais o assunto. Ela, discreta, esperava que ele se abrisse.

Uma tarde, Henrique estava no escritório de Adele quando Bernardo chegou dizendo:

— Hoje conversei com René. Tenho notícias de Pierre.

Os dois o olharam curiosos e ele continuou:

— Parece que a situação dele se complicou. A testemunha de acusação foi concludente e seu depoimento coincide com alguns dados que a polícia tinha. O julgamento está marcado para daqui a uma semana.

Adele ficou pensativa por alguns instantes, depois disse:

— Ele deve estar com medo. Você acha que ele poderá cumprir a ameaça que fez contra nós?

— Não creio. Primeiro, é a palavra de um marginal, possível assassino, contra a de pessoas de bem, como vocês. Depois, ele deve estar tão preocupado em defender-se que não terá tempo de pensar em outra coisa.

— Você acha que, se descobrirem que Jamille está viva, isso poderá ajudá-lo em sua defesa?

— Quanto ao crime em julgamento, não. Eu conversei com René sobre ela, mas ele prefere só falar sobre isso à polícia francesa depois do julgamento. Por enquanto, apesar das dúvidas quanto ao paradeiro de Jamille, não há ainda uma acusação formal sobre seu desaparecimento.

Adele voltou-se para Henrique e perguntou:

— Você está tão calado... O que acha?

— Quero esquecer que esse sujeito existe.

— Eu também, mas no momento ele está nos ameaçando. Mesmo que não o faça, é uma possibilidade que não podemos ainda desprezar.

— Esse sujeito nunca me enganou. Mesmo sob o verniz social, nunca o aceitei.

— Noto que você ainda não superou o que aconteceu — tornou Adele. — Conversou com Maria Eugênia sobre isso?

— Sim. Mostrei-lhe a carta de Pierre naquele mesmo dia.

Adele olhou-o, tentando penetrar seus pensamentos. Como ele continuasse calado, ela disse:

— Ela não me procurou, pensei que você não lhe tivesse dito nada. Mas, se ela sabe e não veio falar comigo, deve estar tão arrasada que não tem coragem para nada.

Henrique olhou-a sério e respondeu:

— Você está enganada. Quando lhe contei, ela ficou desesperada. Mas eu precisava refletir. Então, decidi me afastar dela durante o dia e ficar no quarto de hóspedes à noite.

— Não entendo por que Maria Eugênia não me procurou. Ela deve estar doente, deprimida.

— Não está. Uma noite ela quis conversar comigo. Abriu-se, falou de seus conflitos íntimos na juventude e, por fim, disse que lamenta seu erro, porque machucou a nós dois, mas entendeu também que esse erro a fez amadurecer, perceber todas as coisas boas que a vida lhe deu. Por fim, disse que não ia me pressionar para perdoá-la porque isso é uma coisa que só depende de mim. Disse que ela sempre foi uma esposa boa, fiel, mãe dedicada do Dionísio, a quem ama como filho, e que está disposta a aceitar qualquer que seja minha decisão. Só me pediu que não a separe do menino.

Quando ele se calou, Adele, que ouvia surpreendida, olhos brilhantes de emoção, respondeu:

— Finalmente minha filha se tornou mulher!

— Ela me surpreendeu — continuou Henrique. — Mas, por outro lado, jogou todo o peso da decisão sobre mim. Foi ela quem errou. Eu não fiz nada.

— Mas ela já se colocou, e o fez com dignidade. Tenho certeza de que o que Maria Eugênia mais deseja é que você esqueça o que aconteceu e volte para sua família com o mesmo carinho. Mas ela sabe que isso só poderá acontecer quando você vencer seu orgulho, seu ciúme, sua mágoa. E isso é um trabalho interior que só depende de você. Ela não tem como fazer isso.

— Do jeito que você fala, parece fácil, mas eu não sei o que fazer. Quando penso nela com aquele patife, meu sangue ferve.

Adele aproximou-se e colocou a mão em seu braço.

— Dê um tempo para você. Enquanto não tiver certeza do que fazer, não faça nada.

— Sei que é um assunto de família — interrompeu Bernardo —, mas, como vou fazer parte dela, posso dar uma sugestão?

Henrique olhou-o surpreendido.

— Pode, claro. Como amigo, é como se você já fosse mesmo da família.

Bernardo olhou para Adele e pediu:

— Posso contar?

— Eu conto. Eu e Bernardo decidimos viver um namoro que não pudemos ter na juventude. Vamos nos casar.

O rosto de Henrique iluminou-se um pouco.

— Ainda bem que temos uma boa notícia! Eu sempre me perguntei por que vocês ainda não tinham percebido quanto seriam felizes juntos. Parabéns!

— Obrigado. Mas vamos à minha sugestão. Tenho um amigo psiquiatra, o dr. Rafael Vilardi. Ele é maravilhoso na solução de problemas emocionais.

— Eu não estou doente. Estou arrasado, mas não louco — reclamou Henrique.

— Não seja preconceituoso. Ele é um profissional experiente que pode ajudá-lo a entender melhor suas emoções. Depois, sinto que você e Maria Eugênia se amam. E têm um filho maravilhoso que precisa do apoio de ambos. Vocês estão sofrendo por um acontecimento que, apesar de doloroso, passou e não tem nenhuma possibilidade de se repetir. Tomar uma decisão errada neste momento pode fazer com que sejam infelizes pelo resto da vida.

— Eu não sei se quero me separar dela.

— Ótimo. Mas que vida será a de vocês se continuarem juntos e você guardar no coração tanta mágoa? Acha que seriam felizes?

— Bernardo tem razão. Maria Eugênia, não sei como, conseguiu manter uma atitude firme, mas você está muito machucado. Nunca passou por um problema emocional mais grave e não sabe como lidar com isso. Seja humilde, Henrique. Procure a ajuda de um bom profissional para recuperar o equilíbrio.

Henrique ficou pensativo e Bernardo interveio:

— Vamos falar com ele. Além de um profissional competente, é uma pessoa agradável. Você vai gostar de conversar com ele.

— Está bem. Irei.

Adele abraçou-o satisfeita:

— O que mais desejo é que todos sejamos felizes. Estou certa de que conseguiremos.

— Vou ligar para ele e saber quando poderá receber-nos.

Bernardo apanhou sua pasta, procurou a agenda e ligou. A secretária atendeu e passou o telefone para Rafael. Depois dos cumprimentos, Bernardo disse:

— Tenho um amigo que está passando por um problema difícil e eu gostaria que você conversasse com ele e o ajudasse.

— Está bem. Preciso consultar minha agenda.

— Sei que ela está lotada, como sempre, mas o caso é urgente. Veja o que pode fazer.

— Um momento.

Bernardo ficou esperando. Pouco depois, Rafael disse:

— Se é urgente, posso atendê-lo depois do meu expediente. Lá pelas sete horas. Tudo bem?

— Obrigado. Eu sabia que podia contar com você. Estaremos aí às sete. Vou aproveitar a ocasião para abraçá-lo e apresentar Henrique pessoalmente.

Bernardo despediu-se e desligou o telefone, satisfeito.

— Geralmente, o consultório do dr. Vilardi vive lotado. A espera para consulta costuma ser de um a dois meses.

— Ele foi muito gentil de estender o horário para atendê-los — considerou Adele.

— De fato. Somos amigos há alguns anos, desde quando ele tratou de um empresário que faliu, caiu em depressão e tentou o suicídio. Felizmente, não conseguiu seu intento. Na época eu prestava serviço para aquela empresa. Acompanhei o trabalho de Rafael, cujo resultado me surpreendeu. O empresário conseguiu aceitar a situação e ter motivação para recomeçar.

— É mais fácil quando se trata de perda material — comentou Henrique. — Mas, quando se trata do coração, é pior.

— Isso para você, que valoriza mais a família do que o dinheiro — comentou Bernardo. — Mas para aquele empresário, cujo poder, dinheiro, vinha em primeiro lugar, foi terrível.

Adele convidou-os para um café na sala ao lado.

— Você precisa cuidar da saúde — disse ela a Henrique. — Suspeito que não esteja se alimentando bem. Vou pedir um lanche para nós.

— Não é preciso. Apenas um café — respondeu Henrique.

— Eu também estou com fome — mentiu ela. — Quase não almocei. Vocês vão fazer-me companhia. Depois, há alguns assuntos da empresa sobre os quais eu gostaria de conversar com vocês.

Henrique, depois de receber apoio deles e ter se alimentado um pouco, sentiu-se melhor.

***

Pouco antes das sete, Henrique e Bernardo entraram na clínica de Rafael. Meia hora depois, foram conduzidos à sala do médico.

Rafael abraçou Bernardo, que apresentou Henrique. A sala era espaçosa e decorada com bom gosto. Rafael pediu que se sentassem em um canto da sala, onde havia poltronas confortáveis. Uma vez acomodados, Bernardo disse:

— É melhor deixá-los à vontade. Vou esperar lá fora.

— Não é preciso — tornou Henrique. — Você sabe mais da minha vida do que eu mesmo. Prefiro que fique.

Bernardo olhou indeciso para Rafael, que concordou.

— Fique. Quero conhecer a situação, e você poderá ajudar.

Henrique hesitou. Ele não queria contar o segredo de Adele.

Mas como explicar o caso omitindo esse detalhe? Rafael esperava com tranqüilidade.

— Não sei como começar — disse Henrique, por fim. — Acontece que há em nossas vidas um assunto delicado, um segredo que não posso mencionar porque envolve a vida de outras pessoas.

Bernardo interveio:

— Talvez você não possa omitir esse ponto. É importante que Rafael conheça toda a verdade. Tenho certeza de que o que você lhe contar jamais sairá destas quatro paredes. Eu o conheço e sei que pode confiar nele.

— Sua dúvida é natural. Você não me conhece. Mas posso garantir que saberei respeitar sua vontade. O objetivo do meu trabalho é facilitar que você perceba todos os lados da questão e possa tomar a melhor decisão. Para isso, preciso conhecer todos os fatos, descobrir e mostrar-lhe até aqueles que você ainda não percebeu.

Bernardo completou:

— Quando estamos envolvidos em uma situação desagradável, não enxergamos com clareza. O dr. Rafael é mestre em nos abrir os olhos nessas horas. Agora, penso que ficará mais à vontade sozinho com ele. Vou esperar lá fora.

Bernardo levantou-se e saiu. Rafael esperou calmo que Henrique falasse. Este começou a contar como conhecera Maria Eugênia, o namoro, o apoio de Adele, o casamento. Contou tudo.

Rafael ouvia em silêncio. Quando Henrique fazia uma pausa, ele mostrava-se interessado, dizendo:

— Continue, por favor.

Aos poucos, Henrique foi sentindo que Rafael o estava apoiando e foi perdendo a inibição. Nos momentos em que ele hesitava, Rafael colocava a mão em seu braço para dar-lhe forças e ele prosseguia. Contou tudo, sem omitir nenhum detalhe.

Terminou falando de sua decepção, do medo de perder o amor de Maria Eugênia, da raiva que sentia quando imaginava a esposa nos braços de Pierre.

Por fim, calou-se. O desabafo fez-lhe bem. Mas sentia-se vazio, incapaz de qualquer sentimento.

Rafael levantou-se, colocou-se diante de Henrique e disse:

— Você está sem energias, mas foi bom ter falado sobre seus sentimentos. Primeiro, vou ministrar-lhe energias de refazimento.

Feche os olhos e relaxe. Você está cansado, muito cansado. Não precisa tomar nenhuma decisão agora. Eu estou aqui e vou ajudá-lo. Comece imaginando uma bola de luz azul muito brilhante. Ela está em sua frente. Concentre-se nela enquanto vou ajudá-lo a receber energias vitalizantes.

Rafael levantou as mãos e elevou seu pensamento, pedindo ajuda espiritual para Henrique. Depois, colocou as mãos sobre sua cabeça, irradiando luz, calma, força, alegria, paz.

Continuou mentalizando isso, passando as mãos em volta do corpo de Henrique, sem tocá-lo, durante alguns segundos. Depois, levantou novamente as mãos, recebeu novas energias e colocou-as sobre a cabeça de Henrique. Tocou levemente no braço dele, que abriu os olhos e disse:

— Que coisa boa! Senti um calor agradável, como se alguém estivesse me abraçando e dizendo que era para eu ficar em paz. Nunca senti nada assim.

Rafael sorriu:

— Meditação, relaxamento, oração ajudam mesmo.

— O que me aconselha?

— Devo dizer-lhe que está casado com uma mulher esclarecida. Em meio ao conflito, ela conseguiu tomar a atitude adequada. Raras conseguem. Esse é o ponto positivo de tudo quanto me contou.

— Ela me surpreendeu. Falou comigo não como uma pessoa culpada, errada, aflita, mas como quem reconhece que cometeu um erro, arrependeu-se e tomou a decisão de nunca mais repeti-lo. Além disso, lembrou sua dedicação como esposa e mãe e afirmou que eu deveria levar isso em consideração.

— Ela está certíssima.

— Eu reconheço tudo isso. Mas, quando penso nela nos braços de Pierre, a raiva reaparece com toda a força.

— É isso que vamos precisar trabalhar. Por hoje é melhor ficarmos por aqui. Vá para casa, descanse. Quando se lembrar desse fato desagradável, leve seu pensamento para outra coisa, de preferência algo que lhe seja agradável.

— Meu filho! Ele é para mim a alegria maior.

— Isso mesmo. Aproxime-se dele, sinta seu amor, dê seu afeto. Vai fazer-lhe bem. Desejo vê-lo daqui a três dias. Pode ser às sete, como hoje. Aqui tem meus telefones. Se não se sentir bem durante esse tempo, ligue-me, seja a hora que for.

Henrique despediu-se e saiu. Do lado de fora, Bernardo, vendo-o, perguntou:

— Como você está?

— Cansado, porém mais calmo. Devo voltar daqui a três dias.

— Quer jantar, ir a algum lugar?

— Não. Se você me deixar no estacionamento, eu agradeço. Desejo ir para casa.

Uma vez no carro, Bernardo perguntou:

— Você gostou dele?

— Teve a paciência de me ouvir. Ao final, disse que eu estava precisando receber energias positivas. Mandou-me pensar em uma bola de luz, fechar os olhos, e fez uma imposição de mãos.

— Não sabia que os médicos usavam esse tipo de tratamento. O que você sentiu?

— No início, nada. Depois comecei a sentir um calor agradável, que foi muito bom. Depois da tensão dos últimos dias, acho que relaxei. Sinto-me vazio, cansado, e não vejo a hora de estender-me na cama e descansar.

— Acho que, para um primeiro encontro, foi muito bom. Tenho confiança de que estamos no caminho certo.

Henrique chegou em casa mais cedo do que nas noites anteriores e, apesar de cansado, foi procurar Dionísio, que, vendo-o, correu para ele de braços abertos.

— Papai! Papai!

Henrique abraçou-o com carinho, enquanto Dionísio dizia:

— Tem saudade. Você tem "pesente"?

Sempre que Henrique se ausentava por alguns dias por causa do trabalho, ao voltar costumava trazer um presentinho para ele. Lembrou-se então de que, tendo chegado tarde todas as noites, o menino imaginara que ele estivesse viajando.

— Hoje não trouxe nada. Mas terei uma surpresa para amanhã.

— Oba! Viu, mamãe? Amanhã tem "pesente".

Maria Eugênia, que observava a cena, sorriu.

— Já jantamos. Eu não sabia se você viria para o jantar. Mas vou mandar esquentar e servir.

— Obrigado, mas não precisa. Estou sem fome.

— Vou à copa preparar um lanche. Acho que você não comeu nada.

Ela saiu e Henrique ficou brincando com o filho. Ele não olhara diretamente para Maria Eugênia, mas notou que ela estava arrumada e seu rosto sereno. Henrique não sabia por quê, mas não conseguia encará-la.

Aquilo era uma bobagem, porquanto fora ela quem cometera o erro, não ele. Por que se sentia envergonhado? Talvez por julgar que por amá-la muito estava sendo condescendente demais com o que ela fizera. Afinal, um marido traído precisa reagir, mostrar-se ofendido, provar que tem brios. Mas ele não se sentia com forças para isso.

Lembrou-se das palavras de Rafael e procurou concentrar toda a sua atenção em Dionísio, que tentava mostrar-lhe como funcionava um brinquedo novo que a mãe comprara.

O menino, em sua linguagem engraçada, tentava descrever como o brinquedo funcionava e Henrique acabou rindo porque, quando ele não encontrava as palavras, fazia gestos eloqüentes, demonstrando seu entusiasmo.

Quando Maria Eugênia voltou e convidou-o a comer, Dionísio foi junto. Henrique dividiu com ele parte do sanduíche. Depois perguntou ao garoto:

— Já são quase dez horas. Você não devia estar dormindo?

— Eu "tava" com sono, mas você "chegô" e eu esqueci.

— Vou levá-lo para a cama.

Eles subiram e Maria Eugênia os acompanhou, preparando Dionísio para dormir. Henrique deu um beijo na testa do menino, um boa-noite para Maria Eugênia e Elvira, que estavam no quarto, e foi para o quarto de hóspedes.

Depois de acomodar Dionísio, Maria Eugênia foi para o quarto. Notando que Henrique parecia melhor, por um momento ela alimentou a esperança de que ele fosse dormir no quarto do casal. Mas isso não aconteceu.

Ela suspirou triste. Precisava ser paciente. Ele ter voltado mais cedo, ter brincado com o menino e aceitado o lanche que ela havia preparado indicava que sua atitude estava se modificando. Ela sabia que não poderia fazer outra coisa senão esperar.

20

A partir daquela noite, Henrique voltou a almoçar em casa e chegar na hora do jantar. Sua atitude, porém, com Maria Eugênia continuava a mesma: só conversava o essencial e continuava dormindo no quarto de hóspedes. Em contrapartida, ele apegara-se mais a Dionísio, ficando com o menino durante a maior parte do tempo em que estava em casa.

Maria Eugênia continuava indo ao centro de estudos espirituais, onde recebia o tratamento de renovação energética. Quando se sentia triste, procurava Eunice para desabafar e buscar conselhos.

Colocada a par dos acontecimentos, a médium dissera:

— Seja paciente. Ele precisa desse tempo e está amparado pelos espíritos de luz.

— Bom, de certa forma, ele melhorou. Pelo menos agora almoça, janta em casa e brinca com Dionísio. Mas de mim ele não se aproxima. Às vezes penso que deixou de me amar.

— Não é verdade. Por amá-la é que ele sente dificuldade em entender o que houve. Ainda ontem, um amigo espiritual a quem pedi que auxiliasse seu caso me disse que ele está sendo ajudado. Eu peço-lhe que evite pensamentos de medo, de insegurança. Para obtermos bons resultados, é preciso que você coopere. Pensamentos de confiança na intervenção espiritual facilitam a ligação dos espíritos de luz com vocês. Lembre-se de que você valoriza sua família e merece que a harmonia seja restabelecida em seu lar. Fique firme na sua postura, confie em Deus e espere.

Esses encontros com Eunice, as energias que recebia naquela casa acalmavam Maria Eugênia e davam-lhe forças para ficar firme e esperar. Contudo, ela começou a observar que uma vez por semana, às quartas-feiras, Henrique avisava que não iria jantar. Isso começou a intrigá-la. Aonde Henrique estaria indo?

Ele comparecia às sessões de terapia com Rafael, que por vezes duravam mais de uma hora. Ao sair de lá, preferia jantar em algum lugar, para não incomodar a rotina da casa. Era também uma forma de respirar um pouco, ter momentos de reflexão sobre as conversas que estava tendo em terapia.

Naquela noite, a sessão fora mais fundo e ele conseguira perceber melhor o próprio conflito.

Rafael lhe perguntara como estava seu relacionamento com a esposa, ao que ele respondeu:

— Não mudou nada. Eu só converso com ela o essencial. Assim mesmo, não consigo olhar nos olhos dela.

— O que aconteceria se você a encarasse?

— Não sei. Algo desagradável.

— Entre nisso e sinta como é.

— Não quero. Me sinto um fraco. Ela é culpada e eu é que sinto vergonha. Porque sou uma pessoa sincera, honesta, enquanto ela...

— Ela traiu sua confiança.

— Isso mesmo.

— E, por isso, ela precisa ser castigada. Um marido não pode aceitar uma atitude dessas. Ela tem que sofrer, pagar pelo que fez.

— Eu sei disso. Se eu tivesse coragem, já a teria deixado.

— Mas seu coração não deseja separar-se dela. Você a ama!

Os olhos de Henrique encheram-se de lágrimas e ele gritou desesperado:

— Eu a amo, apesar de tudo! Sou um fraco! Tenho que reagir.

— Não. Você tem que amar. Essa é sua verdade. Você a ama.

— Mas eu não quero isso. Eu não posso amá-la!

— Por quê? É isso que sua alma quer.

— Não, eu não posso. Não é direito.

— Você perdeu a confiança e teme que ela faça a mesma coisa de novo?

Ele pensou um pouco e meneou a cabeça negativamente.

— Isso, não. Ela mudou muito, não seria capaz.

— Nesse caso, o que o impede de continuar amando-a?

— Não sei... Um marido não perdoa uma ofensa dessas!

— Você não é um marido. Você é um homem que ama, é amado e entende que o erro que sua mulher cometeu foi ocasional e não se repetirá.

— Mesmo assim...

— Feche os olhos, esqueça o orgulho, sinta o quanto você a ama.

Henrique obedeceu. Rafael esperou alguns instantes, depois continuou:

— Seu coração não deseja a separação. Mas seu orgulho acha que deve assumir o papel do "marido", e é esse papel convencional que o está pressionando a não perdoar. É sua vaidade que deseja castigá-la, fazê-la pagar pela dor que está sentindo. É essa a raiva que você sente quando pensa no fato.

— É verdade. Fico com muita raiva.

— A raiva é uma força natural, mas que precisa ser canalizada devidamente para não nos fazer mal nem prejudicar os outros. A indignação, a raiva, quando utilizadas adequadamente, podem nos impulsionar para a frente. É a mesma força que nos faz reagir às injustiças, defender as causas difíceis, enfrentar perigos e vencer.

— Talvez. Mas eu não sei fazer isso.

— Está bem. Então volte para casa e separe-se dela. Quem terá a guarda de seu filho? Como será sua vida depois disso?

Henrique estremeceu:

— Não! Eu não saberia viver longe de Dionísio. Também não teria coragem de separá-lo dela. Ele é mais ligado a ela do que a mim. Sofreria muito.

— Todos sofreriam. Mas seu orgulho estaria satisfeito. Ela estaria sendo castigada.

— Eu sofreria mais. Meu filho não tem culpa de nada. Ele também seria castigado.

— Então reconheça que você não quer a separação.

Ele pensou um pouco e respondeu:

— Não, eu não quero. Todos iríamos sofrer.

— Repita isso.

Ele repetiu.

— Diga de novo.

Henrique obedeceu. Até que gritou emocionado:

— Eu não quero me separar deles!

As lágrimas corriam pelo seu rosto e Rafael, em silêncio, entregou-lhe a caixa de lenços. Henrique apanhou um e enxugou os olhos, porém as lágrimas teimosamente continuavam a cair.

— Chore — tornou Rafael. — Jogue fora toda a sua mágoa.

Henrique permitiu que as lágrimas corressem. Quando elas pararam, enxugou o rosto.

Rafael colocou a mão no braço dele e disse:

— Ficou claro que vocês se amam e todos sofreriam com a separação. Pense no que é mais importante para você: satisfazer seu orgulho, sufocar seus sentimentos ou compreender que errar é humano e faz parte do amadurecimento pessoal.

— Compreender seria a melhor solução. Mas ainda não sei se posso conseguir.

— Hoje conseguimos analisar melhor a situação. Mas, apesar disso, você não precisa decidir nada ainda. Vá para casa, comece a observar o que você mais gosta quando está lá. Por ora, chega.

Henrique levantou-se.

— Lembre-se de que pode me ligar se precisar.

Despediram-se e Henrique saiu. Foi andando até o estacionamento, apanhou o carro e foi para casa. Não parou para comer. Estava sem fome e achava que sua aparência não era das melhores.

Chegou em casa e foi direto para o quarto de hóspedes. Não sentia vontade de ver ninguém. Felizmente, Maria Eugênia estava no quarto de Dionísio e não o viu chegar.

Ele fechou a porta, foi ao banheiro e olhou-se no espelho. Seus olhos estavam vermelhos e ele lavou o rosto, tentando melhorar a aparência.

Percebia que estava sensível. As palavras de Rafael estavam vivas em seu espírito.

"O que é mais importante: satisfazer seu orgulho, sufocar seus sentimentos ou compreender que errar é humano?"

Estirou-se na cama.

"Você acha que, como marido, deve castigá-la."

"É sua vaidade que deseja isso."

Ele não podia ver, mas naquele momento o espírito de Norma aproximou-se dele e colocou a mão em sua testa. De seu coração saía uma luz azul que envolveu Henrique, enquanto ela lhe dizia:

— A vaidade é má conselheira. Não dê importância ao orgulho. Deixe falar seu coração.

Henrique não ouviu, mas começou a lembrar-se de Maria Eugênia com Dionísio pequenino nos braços, emocionada, beijando-o com amor.

Um calor agradável invadiu seu peito, e outros momentos de carinho e alegria vieram à sua lembrança.

O espírito de Norma continuava com a mão sobre a testa dele. Agora, de seu coração saía uma energia cor-de-rosa que o envolvia inteiramente.

Henrique percebeu que amava profundamente Maria Eugênia e Dionísio. Era uma sensação de plenitude que enchia seu peito de alegria e prazer.

Em meio a essa sensação, adormeceu e sonhou que estava em um jardim muito florido, onde o ar era perfumado, e uma jovem mulher aproximou-se dizendo:

— Como vai, Henrique?

— Você? — respondeu ele. — Há quanto tempo!

Depois de abraçá-la, ele perguntou:

— Eu sei que nos conhecemos, mas de onde?

— De antes de você reencarnar. Somos amigos há muito tempo.

— Eu não entendo o que diz. Reencarnar?

— Nascer na Terra. Você nasceu de novo; eu, não. Mas isso não importa. Quero que se sinta bem. Vou levá-lo a um lugar muito lindo. Você vai gostar.

Ela passou seu braço no dele e ambos saíram deslizando por sobre os jardins. O céu coberto de estrelas encantava Henrique, enquanto aquela sensação prazerosa no peito dava-lhe uma alegria inexplicável.

Durante algum tempo eles volitaram sobre uma cidade, depois voltaram ao jardim e ela perguntou:

— E então? Como você se sente?

— Flutuando. Eu gostaria de ficar aqui com você.

— Ainda não é hora. Você precisa voltar.

Henrique lembrou-se dos problemas com Maria Eugênia e seu rosto contraiu-se.

— Não entre novamente na tristeza. Pense que nada acontece por acaso. Os desafios da vida são preciosas oportunidades de amadurecimento. Lembre-se de que o entendimento eleva, traz discernimento, amadurece, enquanto o julgamento limita, dificulta, atrai sofrimento.

Henrique acordou, mas as últimas palavras dela ainda soavam em seus ouvidos:

"Lembre-se de que o entendimento eleva, traz discernimento, amadurece, enquanto o julgamento limita, dificulta, atrai sofrimento".

Em sua lembrança estavam vivas as cenas do sonho. Ao recordar-se, sentia novamente a emoção gratificante daqueles momentos.

Aquele não lhe parecia um sonho comum. O rosto da mulher desenhou-se novamente em sua lembrança, e ele pensou: "Eu a conheço. Mas de onde?".

Ela lhe pedira entendimento. Como poderia entender a traição da esposa? Lembrou-se das palavras que Maria Eugênia lhe dissera:

"O que aconteceu com Pierre foi um envolvimento ocasional que eu justificava como vingança por você ter se relacionado com outra".

Ao pensar nisso, a mágoa de Henrique reapareceu e ele franziu o cenho.

"Está doendo em mim também."

"Eu lamento ter machucado você, mas reconheço que esta experiência fez-me crescer, valorizar as coisas boas que eu tenho."

"Continuo a mesma mulher que sempre o amou e amou nosso filho."

Henrique remexeu-se na cama, inquieto. Lembrou-se dos tempos de namoro, do casamento, de como ela se tornara dedicada depois do nascimento de Dionísio.

Ele sentia-se bastante indeciso, inseguro. As frases do sonho misturavam-se às de Rafael e a tudo que Maria Eugênia lhe dissera. Ele queria dormir, esquecer, descansar.

Henrique não notou que o espírito da mulher com o qual havia sonhado estava postado à sua cabeceira. Mãos estendidas, ela orava pedindo a Deus que o ajudasse a encontrar a paz.

Aos poucos ele foi se acalmando e finalmente conseguiu adormecer.

Acordou no dia seguinte com as batidas na porta do quarto. Assustado, olhou o relógio e viu que passava do meio-dia. Levantou-se de um salto e abriu a porta. Maria Eugênia tornou:

— Desculpe ter batido na porta. Mas você não costuma dormir tanto. Fiquei preocupada. Você está bem?

— Custei a dormir e perdi a hora. Vou tomar um banho rápido e sair.

— Está bem. Vou mandar tirar o almoço. Ou prefere um café reforçado?

— Estou sem fome. Um café é o suficiente.

Ela acenou afirmativamente e desceu. Henrique foi para o chuveiro. Depois do banho, notou que se sentia muito melhor. A inquietação dos últimos dias havia passado.

Parecia-lhe haver acordado de um pesadelo. Sentou-se para tomar café. Dionísio, vendo-o, correu para ele, que o tomou no colo.

— Papai lindo! "Quelo ficá" com você.

— Eu também quero, só que preciso ir trabalhar. Mas você vai ficar comigo até eu acabar de comer.

— Oba! Eu "quelo" do seu pão!

Henrique riu contente e deu um pedaço de pão a ele.

— Só isso? — reclamou o menino.

— Você vai almoçar.

— Não. Eu já comi, não é, mamãe?

— É.

— Coma esse e, se quiser mais, eu lhe darei.

Henrique terminou de comer e Dionísio o acompanhou até a porta.

— "Quelo ficá" com você!

— Agora não pode. Papai vai trabalhar. Hoje, quando eu voltar, prometo que vamos brincar muito.

— "Demola..."

— Olha, enquanto eu não chegar, brinque com Elvira.

— Eu "binco" com mamãe.

Henrique saiu apressado e Maria Eugênia abraçou Dionísio, enquanto ele reclamava que queria brincar com o pai.

Henrique chegou ao escritório e colocou todo o empenho nos assuntos de trabalho. Pela primeira vez, depois de ter recebido a carta de Pierre, ele conseguiu interessar-se e resolver as pendências da empresa sem que seus problemas pessoais interferissem. No fim da tarde, pediu um lanche e resolveu ficar até mais tarde para pôr em dia o que deixara para trás.

***

Eram sete horas quando Maria Eugênia entrou no centro de estudos espirituais para o tratamento habitual. Ela havia ido um pouco mais cedo, porquanto pretendia ser atendida em primeiro lugar para que Henrique a encontrasse em casa quando voltasse do trabalho. Como o tratamento só começaria às sete e meia, ela foi à livraria com a intenção de comprar um livro para estudar espiritualidade.

Rafael e Marina estavam lá. Eles costumavam freqüentar a livraria do centro, interessados em continuar seus estudos sobre o assunto.

Vendo-a entrar, Marina estremeceu e tratou de dissimular o nervosismo. Notou que Rafael olhava para Maria Eugênia com curiosidade.

Quando saíram da livraria, Marina não se conteve:

— Você conhece aquela moça?

— De vista. O marido dela é meu cliente.

Marina não respondeu e pensou assustada: "É muita coincidência Henrique ser cliente de Rafael. Por que será que a vida está nos aproximando? Tenho estudado que todos os acontecimentos da vida têm uma mensagem. O que é que ela quer me dizer com isso?".

Ela entrou na sala para o trabalho voluntário, mas continuava intrigada com o que acontecera.

"Talvez seja uma forma de a vida me dizer que preciso contar meu segredo para Rafael antes de nos casarmos. Não posso dividir minha vida com ele sem lhe dizer a verdade. Mas, ao mesmo tempo, como fazer isso? Ele vai pensar que sou interesseira, que dei meu filho por dinheiro."

A esse pensamento, ela sentiu-se indisposta. O trabalho ainda não havia iniciado e ela pediu licença ao dirigente e saiu. No corredor, viu Eunice, que se despedia de uma pessoa.

Esperou que ela terminasse e aproximou-se:

— Dona Eunice, não estou me sentindo bem.

Eunice olhou-a e convidou:

— Entre na minha sala. Vamos conversar.

Ela obedeceu. Marina abriu seu coração. Disse tudo o que estava pensando e perguntou:

— O que Rafael pensará se souber o que eu fiz?

— Primeiro vamos falar de você. Sente-se mercenária por haver aceitado a proposta de Adele?

Ela hesitou um pouco e respondeu:

— Confesso que aceitei a proposta pelo dinheiro. Como eu lhe disse antes, não foi para que eu pudesse desfrutar de uma vida folgada sem trabalhar. Foi pela chance de alcançar meus objetivos, de poder tornar-me independente, dar conforto à minha mãe, que nos sustentou costurando até altas horas, proporcionar uma vida melhor a meu irmão. Fiz minha parte: desde cedo procurei me preparar, estudei muito para me formar, dei o melhor de mim no trabalho.

— O que você fez prejudicou alguém?

— Não. Ao contrário. Foi triste ter de separar-me do meu filho, mas por outro lado, além de ajudar Adele a proteger o patrimônio de sua família, proporcionei a outra mulher a alegria da maternidade, e a um homem o direito de ser pai. Soube que eles formam uma família feliz e se amam muito.

— Se você pensa assim, do que tem medo?

— Temo que Rafael me veja como uma mercenária. Além disso, não sei se tenho o direito de revelar a outro esse segredo que não diz respeito só a mim.

Eunice colocou sua mão sobre a de Marina.

— Acalme seu coração. Se você não sabe o que fazer agora, não faça nada. Espere, a vida se encarregará de mostrar-lhe o próximo passo.

— Penso que isso já está acontecendo. Essa moça está freqüentando esta casa. Há pouco nos encontramos na livraria. Notei que Rafael a olhava com certa curiosidade. Quando lhe perguntei se a conhecia, ele disse que o marido dela é seu cliente. Fiquei apavorada. O que a vida quer me mostrar com isso?

— Você não tem nada a temer. Ore e confie. Tenho acompanhado o caso de Maria Eugênia. Só posso dizer-lhe que ela e o filho se amam de verdade.

— A senhora o conhece?

— Sim. Eles moram perto da minha residência e ela me procurou porque o menino estava indisposto. Ele é muito lindo e saudável. Foi apenas um pouco de energia pesada que o envolveu.

Marina emocionou-se e algumas lágrimas desceram pelo seu rosto.

— Minha filha, não se entristeça nem entre em pensamentos negativos. O espírito que reencarnou através de você é ligado a esse casal. Você foi o instrumento que a vida utilizou para que ele pudesse voltar e ajudá-los nesta encarnação. Você ainda terá outros filhos que lhe darão muitas alegrias. Por tudo isso, ligue-se com a luz, confie e deixe a vida mostrar-lhe o que quer de você.

— Suas palavras me aliviam. Adele, quando me pediu que aceitasse, disse-me tudo isso.

— Meus amigos espirituais estão dizendo que essa mulher é uma pessoa confiável e é muito grata a você por tudo o que fez. Não pense mais nisso. Se um dia sentir que deve contar toda a verdade a Rafael, faça-o sem medo. Você não fez nada do que tenha de se envergonhar.

Marina agradeceu as palavras e despediu-se. Aquela conversa fez-lhe sentir-se muito bem.

Do lado de fora, Rafael a esperava.

— Vi quando você saiu depressa de nossa sala. O que foi? Sentiu-se mal?

— Foi uma indisposição ligeira. Já passou.

Ele abraçou-a.

— Tenho notado que às vezes você fica pensativa, parece preocupada. Está com algum problema?

— Nada de especial. Já passou.

— Você é muito importante para mim. Farei tudo para vê-la feliz. Se precisar de alguma coisa, não se acanhe.

— Obrigada, mas está tudo bem.

Eles saíram e foram tomar um lanche, como de costume. Conversaram, trocaram idéias sobre vários assuntos, e Rafael não tocou mais no assunto.

Marina tinha curiosidade de perguntar-lhe sobre Henrique. Mesmo sabendo que Rafael nunca lhe contaria nada sobre as sessões de terapia, ela gostaria de saber como era o pai de seu filho, por que ele estava procurando ajuda psiquiátrica. Mas conteve-se. Nunca havia feito pergunta sobre nenhum cliente, e certamente Rafael estranharia seu repentino interesse por Henrique.

Mais tarde, sozinha em seu quarto, Marina decidiu que nunca lhe faria perguntas sobre isso.

Deitou-se, mas apesar de haver decidido esquecer o encontro daquela noite, ele não lhe saía da cabeça. Ela sentia que o círculo estava se fechando. Primeiro o fato de ela ter de fazer tratamento energético em Maria Eugênia. Segundo, Henrique, em meio a tantos psiquiatras, haver escolhido exatamente Rafael.

Ela não provocara a aproximação deles. Aliás, preferia mesmo continuar distante. A possibilidade de aproximar-se do filho deixava-a assustada. Como reagiria se estivesse frente a frente com ele? Por mais que procurasse não se emocionar, como seria?

Depois, havia a promessa formal que fizera a Adele. Não desejava dar-lhe motivos para duvidar de sua palavra. Adele fora tão correta, tão franca na hora do acordo e tão delicada no trato e no cumprimento do que lhe prometera, que ela queria corresponder a essa confiança fazendo sua parte.

Aquele caso estava encerrado. O que precisava fazer era esquecer o passado, seguir adiante, tocar sua vida. Rafael aparecera, soubera conquistar sua confiança, seu amor. Ao lado dele, pela primeira vez Marina pensou em formar uma família.

A lembrança da gravidez, do nascimento de Dionísio, da emoção que sentira, provocara nela o desejo de ser mãe, de poder dar todo o amor que sentira dentro de si ao ouvir pela primeira vez o choro do menino.

A dificuldade, a dor que sentiu ao separar-se dele fizeram-na avaliar como seria feliz se pudesse tê-lo a seu lado, vê-lo crescer.

Mas não podia voltar atrás. Teve de engolir a dor e tocar a vida para a frente, pensando no bem que faria à mãe e ao irmão.

Mas foi essa experiência que a fez desejar casar, ter outro filho do qual não precisasse separar-se.

Reconheceu que, embora tenha feito tudo por causa do dinheiro, o benefício maior foi o fato de fazê-la mudar sua forma de pensar e perceber que mais importante do que uma carreira bem-sucedida era o sentimento de amor que aquela criança despertara em seu coração.

Rafael insistia para marcarem a data do casamento. Ela queria esperar mais. Mas naquele momento decidiu.

No dia seguinte marcariam a data, que seria o mais breve possível. Eles se amavam, tinham recursos financeiros para manter uma família. Por que esperar mais?

Logo estariam casados, ela teria outros filhos e tudo estaria esquecido. Fazendo planos para o futuro, Marina finalmente adormeceu.

Na tarde seguinte, quando deu a notícia a Rafael, ele ficou muito feliz.

— Dia destes me ofereceram uma casa muito bonita no Planalto Paulista. Hoje mesmo podemos ir vê-la. Se você gostar, fecharei o negócio.

Ela riu satisfeita:

— Você não me contou que estava procurando casa para nós.

— De fato, quando alguém me falava de alguma para vender, eu logo pensava em nós. Há alguns dias me ofereceram essa. Penso que pode servir.

— Você foi vê-la?

— Não. Vi apenas algumas fotos. Mas vou marcar, e iremos hoje mesmo vê-la.

— Já está tarde. Marque para amanhã. Antes temos que marcar a data.

— Não precisamos de muito tempo. Podemos dar entrada nos papéis amanhã mesmo.

— Assim, depressa?

— Não temos por que esperar mais. Vamos ver a casa, depois iremos a uma agência de viagens para escolher onde passaremos nossa lua-de-mel.

— Está bem. Hoje à noite conversaremos com mamãe.

— Se gostarmos da casa, poderemos levar Cícero e ela para dar opinião. Quero que eles gostem da casa, uma vez que vão morar conosco. Seremos uma família muito feliz.

Marina passou a mão delicadamente no rosto dele, acariciando-o.

— Eu amo você!

Ele beijou-a longamente nos lábios. Casar-se com ela era o que ele mais queria.

Saíram do escritório e foram para a casa de Marina. Estavam radiantes, e Ofélia notou logo:

— O que aconteceu? Vocês estão iluminados.

— Hoje vamos marcar a data do casamento — disse Rafael.

— Para quando será? — perguntou Ofélia.

Sentados na sala, Rafael falou dos planos para o futuro: a compra da casa, o desejo de morarem juntos. Ofélia resistiu:

— Você é como um filho para mim. Cícero o aprecia e respeita. Mas penso que quem casa precisa de privacidade. Vocês devem morar sozinhos. Nós ficaremos aqui, mas estaremos sempre juntos.

— De forma alguma, d. Ofélia. Eu adoro estar com vocês. Temos rara afinidade. Nós nos entendemos, ficamos felizes juntos.

— Concordo. Mas ainda penso que um casal deve morar só.

— Isso funciona quando as pessoas não têm afinidade. Eu sentia muito a falta de minha família por vivermos sempre tão longe. Estou muito feliz em pensar que estaremos todos juntos, vivendo em uma casa linda, com alegria e amor. Sei que Marina deseja o melhor para a senhora e para Cícero. Eu gostaria de contribuir para que vocês sejam felizes a cada dia.

— Mãe, Cícero é muito jovem. Juntos poderemos oferecer-lhe a segurança de que precisa até poder resolver por si mesmo como levar a própria vida. Depois, tudo que eu sempre quis nesta vida foi viver ao lado de vocês, retribuir de alguma forma tudo o que você fez por mim, com seu amor, sua dedicação, costurando até tarde para nos sustentar.

— Não sei... Eu posso cuidar de mim. Não quero ser um peso para vocês.

— A senhora é ótima em cuidar não só de si, mas também de

todos nós, da casa, da comida, de tudo. Ao levá-la conosco, estamos também pensando em ter uma boa administradora de nossa casa. Eu trabalho, estou muito tempo fora; Marina também. Quer que deixemos nossas coisas aos cuidados de pessoas estranhas?

Ofélia baixou a cabeça pensativa. Marina olhou para Rafael, que piscou o olho malicioso. Ele havia tocado no ponto fraco dela.

— De fato — respondeu Ofélia. — Uma casa sem boa administração é um abuso. Olhando desse ponto de vista, seria bom mesmo eu ir.

— Você sabe, mãe, que eu não entendo nada de casa. Depois, como Rafael disse, eu trabalho fora o dia inteiro. Quem iria cuidar das nossas coisas?

— Está certo. Iremos. Levaremos a Rosa. Ela nos ajudará. Vamos comemorar. Vou buscar uma garrafa de vinho.

Eles brindaram. O jantar foi servido e eles não se cansavam de fazer planos para o futuro. Nenhum deles viu que o espírito de Norma os abraçava satisfeito, mas todos se sentiam felizes. Aquele era um momento de alegria e paz.

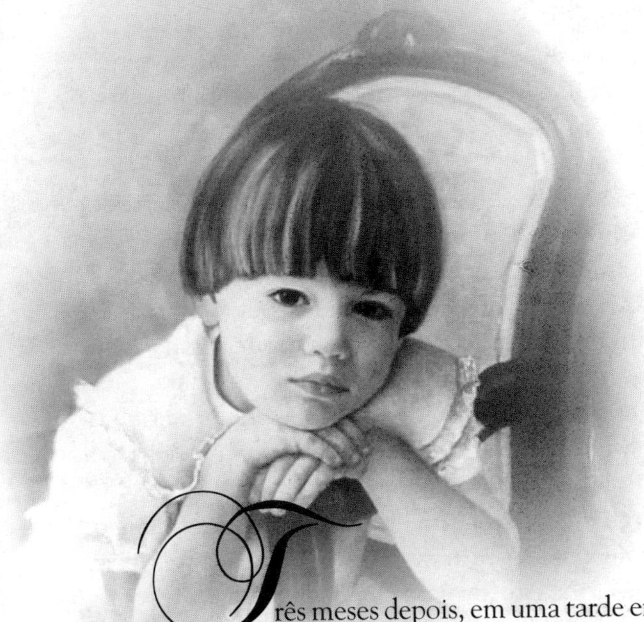

21

Três meses depois, em uma tarde ensolarada, Rafael e Marina reuniram os amigos em um local bonito e espaçoso para formalizarem a união civil, onde depois seria servido um jantar. Tudo havia sido programado com bom gosto e capricho.

Marina chegou ao local, onde já estavam os convidados reunidos, ao lado do irmão, que a acompanhava orgulhoso. Estavam muito felizes.

Rafael havia comprado a casa que mencionara, depois de haver levado toda a família para vê-la. Era uma casa espaçosa, bonita, confortável, construída no meio de um belo jardim, com seis quartos e demais dependências, oferecendo conforto e espaço para os filhos que certamente viriam.

Quando Marina entrou no salão segurando o braço de Cícero, os músicos começaram a tocar uma música romântica. Rafael, olhos emocionados, esperava-a no fundo, ao lado do juiz e do escrivão, próximos a uma mesa cheia de flores.

Quando eles estavam próximos, Rafael foi recebê-la e eles postaram-se diante da mesa do juiz.

Cícero colocou-se ao lado da mãe e da família de Rafael, que havia comparecido para a cerimônia. Haviam chegado na noite anterior e, embora desejassem ficar em um hotel a fim de não incomodar, Marina e Ofélia não o permitiram.

Conhecendo-os, elas entenderam por que Rafael sentia tanta saudade da família. Os pais, Diva e José Luís, eram pessoas educadas e de classe, mas muito simples. Irradiavam simpatia e conquistaram logo a todos.

Ronaldo, irmão mais velho de Rafael, era um tanto reservado, porém gentil e carinhoso. Já Dora, o marido e os filhos, alegres e bem-humorados, animaram o ambiente.

O casal de noivos, rodeado pelos familiares, ouviu as palavras do juiz, que discorreu alguns minutos sobre a vida de casado e, depois das perguntas de praxe, declarou-os marido e mulher.

Então, Eunice aproximou-se e tomou a palavra, proferiu belíssima prece, pedindo a proteção divina para o casal, enquanto a música tocava baixinho, emocionando os presentes.

Depois começaram os cumprimentos. Os clientes e amigos de ambos aproximavam-se para abraçá-los. A certa altura, Rafael tocou o braço de Marina e disse:

— Quero apresentar-lhe um amigo especial: o dr. Bernardo Gouveia, acompanhado de sua noiva, Adele Figueira Rocha.

Marina olhou assustada. Teria ouvido bem? Levantou o olhar e seus olhos cruzaram-se com os de Adele, que, sorrindo, abraçou-a dizendo:

— Prazer em conhecê-la.

Marina, trêmula, murmurou um "obrigada" e Adele continuou olhando-a nos olhos:

— Desejo que você seja muito feliz e que tudo continue dando certo em sua vida.

Marina não conteve as lágrimas e abraçou-a:

— É uma felicidade para mim tê-la aqui no dia do meu casamento.

Adele retribuiu o abraço com carinho. Marina gostaria de fazer-lhe muitas perguntas sobre Dionísio, se eles estavam felizes... Mas conteve-se. Bernardo cumprimentou-a:

— Você soube escolher. Rafael é um homem sábio.

— Por que acha que o escolhi? — respondeu ela, sorrindo.

Bernardo e Adele se afastaram para que outros pudessem cumprimentar o casal. Marina, embora dando atenção aos convidados e dissimulando seu interesse, observava-os o tempo todo.

Rafael apresentou Bernardo e Adele a seus pais e irmãos, e depois levou-os até Ofélia.

— Esta é a mãe de Marina. Ofélia é minha segunda mãe.

Observando Adele conversar animadamente com Ofélia, Marina sentiu aumentar sua emoção. Se sua mãe soubesse! Mas ela nunca iria saber.

Marina pensava mais uma vez no fato de a vida colocá-la frente a frente com seu passado justamente quando ela imaginava que houvesse resolvido esse assunto para sempre.

Ela havia decidido não contar a Rafael aquele pedaço de sua vida. Mas agora, diante dessa realidade, a dúvida reapareceu: estaria agindo bem ficando calada?

E se um dia um desses fatos inesperados os colocasse diante da verdade?

Marina estremecia só de pensar nisso. Mas foi Adele quem desfez suas dúvidas. Enquanto Rafael conversava com Bernardo, ela se aproveitou de um momento em que Marina estava no toalete retocando a maquiagem e foi até ela conversar.

— Tenho acompanhado sua vida a distância — disse Adele. — Eu sabia que você seria uma vitoriosa.

— Vê-la aqui hoje me comoveu e trouxe muitas recordações.

— Para mim também. Quando Bernardo me convidou para vir, senti vontade de vê-la, saber como foi essa experiência em sua vida. E saber como você está agora.

— Estou bem. Amo Rafael, minha família o adora. Penso que seremos felizes juntos. Antes eu não pensava em casamento. Mas, depois daquele tempo, senti despertar em mim o desejo de ser mãe, ter um filho e poder dar-lhe o amor que senti e não pude expressar.

Adele ficou pensativa por alguns instantes, depois disse:

— Essa experiência a humanizou. Devo dizer que, depois disso, todos nós mudamos. Maria Eugênia tornou-se outra mulher. A vinda do filho despertou-lhe o amor materno e ela amadureceu, tornou-se melhor. O que mais me comove é que Dionísio é mais apegado a ela do que ao pai.

— É bom saber que estão felizes. Eu temia que ela não o aceitasse.

— Ele a fez despertar para o amor. E até eu mudei depois que ele chegou.

— Eu e Rafael freqüentamos um centro de estudos espirituais, onde estudamos e prestamos serviço voluntário. Alguns meses atrás, no atendimento às pessoas, deparei com Maria Eugênia, chorando na minha frente.

— Como? Você a conhecia?

— Tenho acompanhado as notícias sociais e havia visto fotos dela, do marido e do menino. Naquela noite a reconheci logo. Mas ela estava muito aflita. Dona Eunice, aquela senhora que fez a oração na cerimônia do casamento, é uma pessoa abençoada. Ela fundou e é diretora desse centro, onde atende a todos com amor. Meu irmão tem mediunidade e ela nos tem orientado.

— Eu não sabia que Maria Eugênia havia procurado esse recurso.

— Quando a vi, fiquei assustada, principalmente porque ela estava chorando. Mas me contive, orei por ela, doei energias para que se acalmasse, mas tive medo de que fosse algum problema com o menino. Depois procurei Eunice para poder me acalmar. Ela sabe de toda a minha vida. Para ela não tenho segredos. É minha conselheira espiritual. Foi a única pessoa para a qual me abri.

— Nós não podemos nos demorar aqui. Eu gostaria de contar-lhe por que ela estava aflita. O menino está muito bem; o problema é dela com o marido.

— Ela tem ido regularmente ao centro, mas nunca conversamos. Eunice de vez em quando a recebe em sua sala particular.

— Marina, qualquer dia irei procurá-la para contar-lhe tudo. Você faz parte da nossa família, embora não seja aconselhável nos aproximarmos. Agora vamos. Não podemos chamar a atenção.

Adele saiu primeiro e Marina pouco depois. Na noite seguinte, os recém-casados iriam viajar para a Itália em lua-de-mel. Marina gostaria de que a conversa com Adele fosse antes disso, contudo não havia tempo para tal. Tinha vontade de saber mais sobre eles. Adele afirmara que a preocupação de Maria Eugênia não tinha nada a ver com o filho. Ela acreditava nisso. Adele era pessoa confiável.

Apesar da emoção, Marina sentia-se muito feliz com aquele

encontro. Adele continuava manifestando por ela respeito e apreço. Isso a tranqüilizava. Aceitando aquele contrato, não fizera nada de mau e a experiência os fizera mudar para melhor.

A festa decorreu alegre e as brincadeiras com os recém-casados divertiram a todos. Mais tarde, ao despedir-se, Adele perguntou com naturalidade:

— Soube que vão passar a lua-de-mel na Itália. Será maravilhoso. Quanto tempo pretendem ficar?

— Um mês — respondeu Marina.

— Não é muito — aduziu Rafael —, mas foi o tempo que conseguimos acomodar nosso trabalho.

Bernardo aproveitou o momento:

— Rafael contou-me que você é uma profissional brilhante. Qualquer dia trocaremos nossas experiências. Pelo que sei, ambos militamos na área empresarial.

— É muita gentileza sua falar em troca, uma vez que eu não teria nada a acrescentar, mas somente a aprender. Conheço sua capacidade, tenho acompanhado alguns dos seus casos. A vantagem seria toda minha.

— Ouvi falar de você no tempo em que trabalhava para o dr. Olavo. Aliás, na época você já era muito conhecida em nosso meio, e alguns colegas até tentaram contratá-la. Se fosse comigo, eu não teria deixado você ir embora.

Marina corou um pouco, lembrando o que acontecera depois. Ele continuou:

— Agora você encontrou seu próprio caminho. E, pelo que tenho ouvido em nosso meio, tem se saído muito bem.

Marina sorriu contente. Um elogio vindo do dr. Bernardo era gratificante.

Eles se despediram e saíram. Uma vez no carro, Adele disse:

— Gostei de termos vindo. Você ficou um pouco preocupado com nossa proximidade, mas foi bom. Marina é muito correta, e esse encontro não vai nos prejudicar.

— Eu também gostei. Eles são gente de bem, estão felizes. Acha que Rafael sabe?

— Não. Marina disse que a única pessoa com a qual ela dividiu esse segredo é sua conselheira espiritual, d. Eunice, que fez aquela oração belíssima. Acredito que não falou com mais ninguém.

Adele contou-lhe detalhadamente a conversa que haviam tido no toalete e finalizou:

— Ela ficou assustada reconhecendo Maria Eugênia, vendo-a angustiada, chorosa. Mas conseguiu conter-se.

— Não deve ter sido fácil para ela.

— Na semana que vem, irei visitar essa senhora. Acho que foi ela quem aconselhou Maria Eugênia a me contar sobre a chantagem. E também aconselhou-a a se colocar diante do marido, como ela fez.

— Nós nos distanciamos da religião. Mas a fé conforta e ajuda.

— Não sou religiosa. Não gosto das idéias que nos limitam, e todas essas crenças são limitantes. Prefiro acreditar na força superior que governa este mundo, cuida de nossa vida. Quando sinto necessidade de apoio, ligo-me diretamente com ela e sempre encontro uma boa resposta.

— Você reparou que, apesar de a situação entre Maria Eugênia e Henrique continuar ruim, ela tem conseguido manter a serenidade e não se queixar? Você se lembra de como ela ficava deprimida durante a adolescência?

— Lembro-me. Não conversava. Ou então ficava eufórica, fingia alegria, o que era ainda pior, porque não convencia a ninguém. Agora ela tornou-se mais mulher. Eu pressentia que um filho ia fazer-lhe bem.

— Por que vai procurar essa d. Eunice?

— Desejo conhecê-la, saber mais sobre o que ela faz, ouvir sugestões de como poderei contribuir para que o relacionamento deles melhore. Mas antes vou me informar. Quero ir um dia em que Maria Eugênia não vá, nem Marina.

Ele calou-se durante alguns minutos, depois disse:

— A felicidade dos noivos não a inspirou a marcarmos a data do nosso casamento?

— Sim. Se ainda não marquei, é porque para mim nosso casamento seria como uma comemoração. E, para que a festa fosse completa, eu gostaria que Henrique e Maria Eugênia tivessem recuperado a felicidade.

— Hoje perguntei a Rafael como está indo o tratamento e ele respondeu que aos poucos Henrique está tomando consciência da verdade. Ele já consegue analisar os fatos sem rancor. Mas ainda tem barreiras para aceitar o que aconteceu.

Adele suspirou e respondeu:

— Por que os homens não conseguem perdoar um momento de fraqueza? As mulheres são mais condescendentes ou mais práticas. Reconhecem que perdoar, dar uma segunda chance, é melhor do que perder o companheiro.

— Não vamos esperar mais. Nosso exemplo de felicidade vai fazer bem a eles.

— Talvez. Vou considerar isso. Vamos ver.

Dois dias depois, Adele saiu do escritório no fim da tarde e foi visitar a filha. Encontrou-a na sala lendo, enquanto Dionísio, sentado no chão, brincava com um carrinho ao lado de Elvira.

Vendo-a entrar, Dionísio levantou-se e correu para ela, abraçando suas pernas. Adele sorriu, deixou a bolsa sobre a mesinha e pegou-o no colo, beijando seu rostinho corado.

Ele retribuiu beijando-a na face.

— Vovó, que bom! Você tem "pesente"?

— Eu trouxe dois livros de história muito lindos.

— Oba! Veja, mamãe. Tem cachorro, gato, "passalinho".

Maria Eugênia, que havia se levantado, abraçou a mãe.

— Que bom vê-la! Veja, Dionísio, este outro livro tem castelo, cavaleiro, príncipe e fadas.

— Tem "feticêlo"?

— Não sei. Nós vamos ler depois.

— Eu "quelo agola".

— Agora vou conversar com a minha mãe.

— Ela não é sua mãe, ela é minha avó!

Adele interveio:

— Eu posso ser as duas coisas. Sou mãe dela e sua avó. — Vendo Elvira aproximar-se, ela continuou: — Peça a Elvira que leia as histórias para você.

Elvira cumprimentou Adele e apanhou os livros. Dionísio, interessado em ouvir as histórias, concordou em acompanhá-la até o quarto.

Adele sentou-se no sofá ao lado da filha e disse:

— O que está lendo?

— *Fatos espíritas,* de *sir* William Crookes.

— É interessante?

— Muito. Houve época em que estavam acontecendo fenômenos de materialização. Alguns jornalistas foram pedir a opinião desse cientista, que se interessou, mas disse que só poderia opinar se a médium que produzia os fenômenos concordasse em ficar hospedada na casa dele, à disposição de suas pesquisas, durante certo tempo. Só depois disso ele daria sua opinião.

— Curioso. E o que ele descobriu?

— Suas pesquisas estão relatadas neste livro, e ele comprovou que há vida depois da morte, que continuamos vivendo em outras dimensões, que a reencarnação é um fato.

Adele olhou-a admirada.

— Tem certeza de que ele constatou tudo isso?

— Tenho. Há no livro uma foto em que ele está de braço dado com o espírito materializado de uma mulher. Estou quase terminando o livro. Se você quiser, posso emprestá-lo.

— Quero, sim. Deve ser interessante. Agora vamos falar de você. Como vão as coisas com Henrique?

— Um pouco melhores. Ele vem para casa regularmente, está mais acessível a conversas, brinca muito com Dionísio, mas não me procura e continua dormindo no quarto de hóspedes. Acho que ele ainda não conseguiu me perdoar inteiramente.

— Pelo menos continua aqui, melhorou o relacionamento de vocês. Estou certa de que ele vai acabar voltando para você e tudo ficará como era antes.

Maria Eugênia suspirou:

— Isso é o que mais quero. Às vezes fica difícil suportar a distância. É como se houvesse um muro entre nós que não podemos transpor.

Adele mudou de assunto:

— Por que se interessou em ler esse livro?

— Conheci uma senhora que mora nesta rua, d. Eunice. Ela é médium, estuda espiritualidade, é diretora de um centro de estudos espirituais. Certa vez, Dionísio não se sentia bem. Estava inquieto, choroso. O médico não sabia o que ele tinha. Elvira, que conhecia d. Eunice, sugeriu que o levássemos lá para ela fazer uma oração. Fomos. Foi ótimo. Ele melhorou e nos tornamos amigas. Ela tem me aconselhado e ajudado muito.

— Deve ser uma pessoa especial.

— É mesmo. Inteligente, bondosa, lúcida. Tenho freqüentado seu centro para um tratamento energético, que me faz bem, acalma-me, conforta. Sempre saio de lá melhor.

— Você nunca falou sobre isso com Henrique?

Maria Eugênia olhou-a surpreendida:

— Não. Nós não temos conversado sobre outros assuntos que não os necessários. Depois, não sei se ele acreditaria. Nunca falamos sobre isso. Por que pergunta?

— Porque, como você sabe, ele tem feito sessões de terapia com o dr. Rafael, amigo de Bernardo. Noto que está melhorando, mas talvez o que está sendo bom para você fosse bom também para ele.

— Não sei. Eu até gostaria que ele fosse, porque é uma filosofia de vida que nos faz ver os acontecimentos de uma forma melhor, mas até agora não tive oportunidade de falarmos sobre isso.

— O que essa d. Eunice a aconselha?

— Ela disse que ele precisava de um tempo. Que eu não o pressionasse. Que tivesse paciência, continuasse fazendo minha parte como boa esposa e mãe, porque no momento oportuno a vida se encarregaria de fazer o melhor.

— Interessante forma de pensar. Entendo que pressionar Henrique teria mesmo aumentado sua resistência a perdoar.

Elas continuaram conversando. Ao despedir-se, Adele pediu à filha o número de telefone do centro de Eunice.

— É para uma conhecida minha que perdeu o marido e está inconsolável.

— Tenho certeza de que d. Eunice saberá confortá-la.

Na tarde seguinte, Adele foi visitar Eunice em sua casa. Ela havia telefonado, se apresentado, dizendo que desejava conhecê-la e conversar sobre a filha. Não queria encontrar-se com pessoas conhecidas.

Assim que Adele entrou, foi conduzida ao escritório de Eunice, que, vendo-a, levantou-se sorrindo:

— Seja bem-vinda à minha casa.

— É com prazer que venho cumprimentá-la. Sou muito grata pela ajuda que tem dado a Maria Eugênia. Ela está muito melhor.

— Ela tem se esforçado e progredido muito. Mas sente-se, por favor — tornou Eunice, indicando uma poltrona e sentando-se em outra.

— Maria Eugênia me disse que não tem segredos para a senhora.

— Senhora, não. Você, por favor.

— Certo. Você. Sei que Marina e o dr. Rafael também estão freqüentando seu centro de estudos espirituais. Confesso que isso me surpreendeu, mas ao mesmo tempo me assustou um pouco.

— Não precisa preocupar-se. Marina é uma mulher especial e confiável, como deve saber. É um espírito elevado; não há o que temer.

— Gosto de Marina. Dela só recebi benefícios. Confio nela, mas o que me assusta é que a vida está nos aproximando. Por quê?

— Isso também não é motivo para preocupar-se. A vida promove o progresso, trabalha em favor da evolução dos espíritos e só age para melhor.

— Você sabe por que está acontecendo isso?

— Não.

— Você é médium, poderia perguntar aos seus guias.

— Não costumo fazer isso porque sei por experiência própria que eles só falam o que podem, quando querem. Sei também que, quando precisamos tomar conhecimento de alguma coisa, a verdade nos aparece, de uma forma ou de outra.

— É isso que eu temo: que ela apareça e possa nos trazer problemas.

Eunice meneou a cabeça negativamente:

— Não vai ser assim. Essas revelações ocorrem dentro de cada um, no momento em que a pessoa precisa delas. Os espíritos são sutis quando desejam nos mostrar a verdade, e ela pode nos aparecer de vários modos: um pensamento inesperado, alguém que nos diz uma frase que nos toca, um livro que nos vem às mãos etc. A vida é sábia e não joga para perder. Quando ela traz um desafio, é porque a pessoa está madura para vencê-lo.

— Suas palavras são confortadoras. Há o fato da chantagem de que fomos vítimas por parte daquele francês. Você certamente leu aquela carta.

— Conheço o teor da carta de Pierre. Ele será julgado,

condenado por assassinato. Pegará muitos anos de prisão, será mandado para longe, para uma ilha de onde não sairá vivo.

— Quer dizer que ele é culpado mesmo daquele crime?

— Sim. E também de outro que a polícia ignora que foi ele.

— Como sabe?

— Vejo-o rodeado por espíritos que clamam vingança. Tanto a moça que ele matou quanto o jovem que ele afogou no Sena estão ao lado dele. Esses espíritos não lhe dão sossego. Farão tudo para tirá-lo do corpo, isto é, provocar sua morte.

— Que horror! Existe isso?

— Do que se admira? As pessoas são livres para escolher o próprio caminho. A situação em que ele está agora resulta de suas atitudes.

— Sempre acontece isso? O assassinado fica ao lado do criminoso?

— Nem sempre. Logo depois da morte, esses espíritos são assistidos por amigos do bem, que desejam ajudá-los a vencer o momento difícil. Mas para receber essa ajuda eles precisam concordar em ir para lugares de tratamento, esforçar-se para não guardar rancor, mesmo porque ninguém é vítima e nada ocorre por acaso.

— Mas isso não é fácil.

— Não é mesmo. Os que possuem mais entendimento aceitam, mas os que não querem são deixados livres para essa experiência, o que certamente lhes trará mais sofrimentos.

— Então há os que aceitam e não desejam vingar-se. Nesse caso, seu assassino ficará impune?

— De forma alguma! Ao cometer o crime, ele acumulou energias pesadas e elas vão atrair para ele espíritos atrasados que cultivam o mal. A justiça divina responde a cada um conforme o que dá. É lei da vida.

Adele pensou um pouco, depois disse:

— Interessante. Sempre questionei a justiça. A humana é precária e parcial, e a divina eu achava tardia e distante. Suas palavras mudam minha forma de ver tudo isso. Sinto vontade de entender mais.

— Se desejar, posso indicar-lhe alguns livros.

— Agradeço muito.

Adele fez ligeira pausa, depois continuou:

— Não sei se você sabe, mas Henrique, meu genro, está fazendo terapia com o dr. Rafael. Tem melhorado, mas não seria bom se ele também viesse fazer o mesmo tratamento que Maria Eugênia tem feito em seu centro?

— Seria ótimo. Ele virá quando for o momento.

— Talvez fosse bom Maria Eugênia convidá-lo.

— Ainda não. Os nossos amigos espirituais estão cuidando do caso deles. É melhor não interferirmos. Quando eles acharem oportuno, o trarão.

Adele olhou-a admirada.

— Sua fé me impressiona.

— Não há nada de estranho. Ela resulta das minhas experiências. Desde criança tenho convivido com essa realidade. Para mim é natural, faz parte da minha vida, e eu não saberia mais viver sem esse entendimento. É confortador saber que a vida continua depois da morte do corpo, perceber que ninguém está só nos momentos de dificuldade. E que existem outros mundos de diferentes níveis de conhecimento e há lugares onde a felicidade é constante e todos temos chance de um dia ir viver lá.

— Você está descrevendo um mundo maravilhoso. Será isso mesmo?

— Para mim já é. Mas infelizmente não há como transmitir minha certeza a você. As crenças materialistas do mundo formam uma barreira que muitos ainda não conseguem transpor. Mas estou certa de que, se você buscar a verdade, ela se revelará e todas suas dúvidas vão desaparecer.

Adele olhou-a pensativa. Ela fora àquela entrevista interessada em auxiliar o casamento da filha, porém encontrara muito mais do que isso.

Ela vira muitas vezes a maldade levar a melhor, pessoas boas serem prejudicadas e, nesses momentos, costumava questionar Deus, as várias religiões... Aproveitou o momento para saber mais sobre o assunto:

— Você garante que ninguém é vítima e que a justiça divina responde a cada um conforme o que dá, mas tenho visto pessoas bondosas serem prejudicadas por malfeitores e muitos canalhas que, apesar de suas maldades, continuam tendo uma vida boa.

— É que você está olhando apenas do ponto de vista material. É preciso ir mais fundo. Para isso, há que estudar a reencarnação.

— Reencarnação? Li algumas coisas sobre isso. Mas considero de certa forma fantasioso.

— À primeira vista, pode parecer, porque a maioria das pessoas não se recorda de haver vivido outras vidas, conservando delas apenas impressões subjetivas. Quem está mergulhado na maldade poderá permanecer assim durante muito tempo, viver algumas encarnações onde a vida primeiro tenta por meio de situações do dia-a-dia fazer com que essa pessoa perceba seus pontos fracos e os modifique. Para isso lhe concede um certo tempo, findo o qual, caso ela esteja resistente, permitirá que ela receba as conseqüências do mal que fez.

— Quem está na maldade não se convence facilmente. Eu sei. Nesse caso, por que esperar tanto tempo?

— Porque depois de viver mais algumas encarnações, mesmo conservando a maldade, o espírito vai se modificando. As contrariedades, as doenças, os limites da velhice, a dependência física vão sensibilizando o espírito mais empedernido, desfazendo suas ilusões, mostrando-lhe a realidade. É assim que a inteligência divina universal age. Todos os dias recebemos recados da vida, com os quais ela nos ensina a viver melhor. Contudo, se resistimos ao bem e permanecemos no mal, ela permitirá que os resultados das nossas maldades nos alcancem.

— Mas tenho visto pessoas bondosas que sofrem muito. Você diz que não existem vítimas...

— À medida que vamos desenvolvendo nossa consciência, percebemos que o mal não se resume apenas em agredir os outros ou prejudicá-los. Ele vai além.

— Como assim?

— Quando você reencarna, a vida está lhe oferecendo uma oportunidade de progresso, aprimoramento, mas determina que você precisa valorizar isso e cooperar com ela.

— De que forma?

— Primeiro, cuidando do corpo que lhe foi dado como instrumento de progresso, sem o qual não poderia viver na Terra. Quando você se deprime, quando não se aceita como é ou relaxa com a saúde, está no mal.

— Nunca pensei nisso. Até onde vai esse conceito?

— Muito mais longe. Na esfera dos pensamentos, é pior. Quando você dá importância a idéias negativas, quando entra na maledicência e no julgamento dos outros, está no mal.

— Estou vendo que não é fácil ficar no bem.

— É por esse motivo que nos demoramos tanto tempo reencarnando na Terra. E tem mais. Quando você entra nas ilusões do mundo e quer parecer o que não é, está negando seu espírito, sua verdade. Esse tipo de mal é um dos mais comuns e é o que traz os maiores sofrimentos. Depois, há a responsabilidade coletiva. Precisamos retribuir os benefícios que o Planeta nos oferece, respeitando a natureza e todo ser vivo, tornando o mundo mais bonito, mais limpo, mais habitável.

— Você ainda não mencionou a ajuda aos outros. Não é fundamental?

— É prazeroso ajudar os outros, porém a ajuda só funciona quando sentimos amor no coração. Não é fácil ajudar com inteligência e a favor do que a pessoa precisa. Às vezes, na tentativa de ajudar, metemos os pés pelas mãos, interferimos na vida alheia e, sem querer, agravamos seus problemas.

— Você tem razão. Eu mesma já tive alguns problemas por causa disso.

— É por tudo isso que eu disse: só funciona quando sentimos amor no coração. Em minha experiência, tenho notado que, quando a pessoa realmente precisa e eu posso fazer alguma coisa em benefício dela, sinto intuição, vontade de fazer. Então faço. Mas se eu não sentir nada, não tento.

— Obrigada por suas palavras. Elas me esclareceram, fizeram-me bem. Vou pensar sobre isso.

Adele ficou pensativa por alguns instantes, depois levantou-se e disse:

— Obrigada também por tudo quanto tem feito pelos meus. Gostaria que me indicasse os livros.

— Não há do que agradecer. Para mim foi uma alegria recebê-la. Estou certa de que nos veremos muitas vezes.

Eunice disse essas palavras olhando-a firme nos olhos e Adele de repente sentiu que um dia, em algum lugar, já havia estado com ela, olhando-a firme nos olhos como naquele momento.

Eunice escreveu o nome de dois livros em um papel e deu-o a ela, depois abraçou-a com carinho:

— Deus a abençoe.

Adele agradeceu e saiu. Não conseguia se esquecer dos olhos de Eunice e de sua lembrança de estar repetindo uma cena já vivida. Onde acontecera? Quando? Por mais que tentasse, não conseguiu se lembrar, porém a cena continuava viva em sua lembrança e ela tinha certeza de que já a havia conhecido antes.

22

Henrique entrou na sala de Rafael para mais uma sessão de terapia. Depois dos cumprimentos, ele sentou-se na poltrona e esperou. Rafael sentou-se em outra na frente dele e, olhando-o, perguntou:

— E então, como vão as coisas?

— Mais ou menos. Nos últimos dias tenho tido dificuldade para dormir e, quando consigo, tenho pesadelos horríveis.

— Quando começou?

— Desde que espaçamos nossas sessões de terapia.

Rafael ficou pensativo por alguns instantes, depois disse:

— O que acontece nesses pesadelos?

— Estou perdido em um lugar escuro, sinto medo, parece que alguma coisa de ruim vai acontecer. Tento me esconder, porém aparece uma mulher pálida, enlouquecida, com uma criança nos braços. A presença dela me causa horror. Por mais que eu tente me esconder, ela sempre aparece.

— Ela não disse por que o persegue?

— Ela levanta os braços, nos quais a criança parece desmaiada ou morta, não sei bem, e grita, chama-me de assassino.

— Os sonhos são sempre os mesmos?

— Não. Embora a mulher seja a mesma e a criança também, ela grita comigo e nem sempre consigo entender o que ela diz. Fico apavorado, suando frio, em pânico. Acordo preocupado com meu filho, vou ao quarto dele ver se está bem. Mas depois não consigo dormir. Fico angustiado, com medo de vê-la de novo.

Rafael levantou-se, apanhou um copo d'água e deu-o a ele.

— Beba, acalme-se. Não tenha medo. Nada vai acontecer.

— Eu queria entender. Quando eu estava revoltado, não acontecia isso. Agora, que estou me sentindo mais calmo e tenho me esforçado para melhorar meu relacionamento familiar, acontece. Não sei o que pensar. Todo o tratamento aqui teria sido inútil?

— Claro que não! Você tem aproveitado muito nossas conversas. E, para ser sincero, acho até que está pronto para ter alta.

— Alta? Isso não pode ser. Preciso muito da sua ajuda.

— Não como terapeuta. Durante minha viagem de lua-de-mel, não o encaminhei para outro médico porque achei que esse tempo seria útil para observarmos como se sentiria. Apesar do que me diz, acredito que no momento você precisa espaçar as sessões, dar tempo para assimilar tudo o que percebeu durante nossos encontros.

— Mas eu piorei.

— Os pesadelos que tem tido não me parecem causados por problemas emocionais.

— Não estou entendendo.

— Você precisa de ajuda espiritual, não terapêutica.

— Quer me abandonar justamente quando não estou bem?

— O que está acontecendo com você é um assédio espiritual.

— O quê? Como é isso?

— Algumas vezes tenho mencionado a você que me dedico aos estudos da espiritualidade, que envolvem fenômenos de vida após a morte, de reencarnação, de comunicação com os espíritos.

— Tem mencionado seus estudos, porém nunca conversamos sobre isso.

— Chegou o momento de falarmos a respeito. À primeira vista, parece que esses pesadelos têm a ver com assuntos mal resolvidos de suas vidas passadas.

— Pensa que eu já vivi outras vidas?

— Todos nós já vivemos várias encarnações no mundo. Não lembrar das outras vidas é um recurso de proteção, uma vez que somos colocados diante de desafetos de outros tempos. Assim é mais fácil uma reconciliação.

— Estou admirado. Nunca pensei que um médico acreditasse em espíritos.

— Quem vê a vida e a morte face a face tem mais chance de perceber essa realidade.

— Quer dizer que essa mulher do meu sonho existe em algum lugar?

— Sim. Mas como, onde ela está agora, precisamos descobrir.

— Dá para explicar melhor?

— Ela é um espírito, e o espírito é eterno. Por esse motivo ela deve estar em algum lugar. Pode estar reencarnada aqui, pode estar nas comunidades astrais.

— Mas ela tem uma aparência ruim. Deve estar muito mal. E a criança? Existe também?

— Também. Mas tudo isso pode aparecer em seu sonho da forma como aconteceu no passado, o que significa que eles agora podem estar muito diferentes. A criança pode ser adulto, a mulher pode estar melhor.

— Tudo isso me parece difícil de entender. Estou confuso.

— É que o seu pesadelo pode ser a rememoração de um acontecimento de outras vidas que ficou guardado em seu inconsciente e alguma necessidade sua trouxe à tona. Talvez tenha relação com os seus problemas de agora. Claro que hoje tudo já está diferente. Todos mudaram. Mas em seu sonho aparece como aconteceu naquele tempo.

— Agora ficou mais claro. Quer dizer que os assuntos mal resolvidos ficam no inconsciente?

— Não só os assuntos mal resolvidos, mas tudo quanto vivemos fica gravado em nosso inconsciente. Embora estejamos esquecidos de tudo, ele nos manda as informações em forma de intuições. É assim que vamos amadurecendo espiritualmente.

— Você, dizendo isso, fez-me lembrar que, quando eu era estudante, havia coisas que eu já sabia mesmo antes de o professor ensinar. Eu tinha a sensação de que conhecia aquele assunto. E era verdade.

— Isso é muito comum. Por outro lado, há crenças aprendidas por meio da educação, regras, costumes, que aceitamos em outras vidas sem nunca questionar se eram verdadeiras, que ficam arquivadas em nosso subconsciente, limitando nosso progresso, confundindo nossa cabeça, e que resistimos a modificar. Às vezes é preciso um choque, um sofrimento, para que possamos acordar para a verdade.

— Este é um assunto novo para mim. Ontem, em casa, ao entrar na sala chamou minha atenção um livro sobre a mesa intitulado *Fatos espíritas*. Perguntei à criada de quem era e ela informou-me que Maria Eugênia o estava lendo. Agora você me fala sobre isso. É curioso.

— Não. Isso aconteceu porque é chegado o momento de você estudar esse assunto. Sua esposa nunca lhe falou sobre isso?

— Não. Eu consigo entender os problemas que provocaram a crise em nosso relacionamento. A raiva deu lugar à tristeza porque, apesar do que passou, eu a amo muito. Depois, o carinho que ela dedica a Dionísio me comove. Contudo, sinto que há uma barreira entre nós que não consigo vencer.

— Vocês se amam, têm toda uma vida pela frente. Por que não diz a ela o que vai em seu coração? Não foi isso que ela fez?

— Foi. Mas, quando me aproximo dela, sinto o peito oprimido e não consigo quebrar o gelo. Ela não me falou sobre o livro porque não lhe dou chance de conversar. Só trocamos algumas palavras indispensáveis.

— Você pode quebrar esse gelo. Ao aproximar-se dela, basta lembrar-se dos momentos bons que desfrutaram juntos.

— Sinto saudade, falta de carinho. Muitas vezes penso em procurar outra mulher, mas não consigo interessar-me por ninguém.

— Vocês estão distantes tempo demais. Isso não é bom. Pense bem. Quantas vezes nós, homens, temos tido relacionamentos fortuitos e sabemos que eles sempre deixam um vazio maior em nosso coração? O sexo só satisfaz nossas necessidades de afeto quando é feito com amor. Já pensou que ela pode acreditar que você deixou de amá-la, se cansar? Nunca pensou que pode perdê-la?

Henrique olhou-o assustado. Ficou pensativo por alguns instantes, depois tornou:

— Isso seria o caos. Vou tentar me aproximar dela outra vez.

— Faça isso. Afinal, você não quer se separar; ela, muito

menos. Então por que não tentam desfrutar do amor que têm no coração?

— Tem razão. Mas, quanto aos meus pesadelos, o que me aconselha?

— Seria um assunto bom para você iniciar uma conversa com sua esposa. Talvez ela possa encontrar uma solução boa.

— Por que pensa assim?

— Porque ela está estudando esse tema e o livro que você mencionou é fruto das pesquisas de um grande cientista.

— Isso me surpreende ainda mais. Maria Eugênia nunca foi dada a estudos científicos.

— As pessoas mudam, amadurecem.

— Reconheço que ela mudou muito. Vou tentar falar com ela. Contudo, ainda penso que preciso continuar na terapia.

Rafael sorriu:

— No momento, você não precisa mais. Contudo, como amigo, pode me procurar quando quiser. Terei o maior prazer em conversar com você. Mas não vou tomar o seu dinheiro sem necessidade.

— Fico constrangido. Você é muito ocupado. Não é justo tomar seu tempo dessa forma.

— Nesse caso pode me ligar fora do horário de trabalho. Agora que vai estudar a espiritualidade, tenho todo o interesse em trocar opiniões sobre isso. Se desejar, posso indicar-lhe alguns livros interessantes.

— Seria ótimo.

Henrique levantou-se, despediu-se e saiu. Quando foi pagar a consulta, a secretária não quis receber, o que o surpreendeu ainda mais.

Ele sentira desde o primeiro encontro que Rafael era uma pessoa confiável. As palavras dele continuavam vivas em sua mente.

Ele não queria se separar de Maria Eugênia. Ela estava mais mulher, mais bonita, discreta, porém bem-humorada, e havia momentos em que ele precisava controlar-se para não abraçá-la e beijá-la.

Quando isso ocorria, ele se afastava, ia para o quarto, tentando vencer a atração que sentia.

O que ele esperava com essa atitude? Que ela se cansasse dele?

Que procurasse nos braços de outro o que ele se recusava a dar? Não fora o ciúme que a levara aos braços de Pierre mesmo sem amor? O que ela estaria pensando dele, uma vez que fazia meses que não a procurava?

Rafael estava certo: a situação estava durando demais. Haveria ainda tempo para tentar uma aproximação?

Ele chegou em casa passava das oito. Vendo Maria Eugênia lendo na sala, aproximou-se.

— Boa noite. Atrasei-me para o jantar. Desculpe.

— Boa noite — respondeu ela, colocando o marcador no livro e fechando-o. — Vou mandar esquentar o jantar e servir.

Ela levantou-se. Ele apanhou o livro e perguntou:

— Este livro é bom?

Ela olhou-o admirada e respondeu:

— Ótimo. Tanto que o estou lendo novamente.

— Pelo visto, você está se interessando pelo espiritismo.

— Sim. Estudando a espiritualidade tenho encontrado muitas respostas a minhas indagações íntimas. Vou providenciar seu jantar.

— Vou lavar as mãos, mas depois gostaria de conversar sobre este assunto.

Ela olhou-o curiosa.

— Aconteceu alguma coisa que despertou seu interesse?

— Sim, aconteceu. Mas depois conversaremos.

Ele subiu as escadas e Maria Eugênia sentiu um brando calor no peito. Havia um brilho diferente nos olhos de Henrique que a fizera sentir que alguma coisa havia se modificado.

Enquanto esperava que a criada esquentasse o jantar e Henrique descesse, ela elevou o pensamento e agradeceu intimamente a Deus. Havia muito esperava que ele mudasse de atitude, deixasse aquele olhar impessoal, frio, com o qual a fitava quando conversavam.

O fato de Henrique interessar-se pela espiritualidade fazia-a acreditar que a mudança dele se devia à intervenção dos amigos espirituais nos quais ela confiava.

Pouco depois, Henrique desceu e disse:

— Fui ver Dionísio, mas ele estava dormindo.

— Brincou tanto, correu, que ficou cansado. Tomou um banho, comeu muito bem e adormeceu em seguida.

— Eu atrasei e ele não conseguiu me esperar.

— Ele tentou, reclamou que você estava "demolando", e dormiu.

Henrique sorriu. Havia muito tempo ele não sorria quando estava a sós com ela. A criada avisou que o jantar estava servido. Henrique perguntou:

— Você já jantou?

— Não. Eu estava sem fome.

— Então venha fazer-me companhia.

Maria Eugênia corou de prazer. E acompanhou-o. Uma vez na sala, ele segurou a cadeira para que ela se sentasse e sentou-se em seguida.

Maria Eugênia estava radiante com a mudança dele, mas não se atrevia a perguntar nada. Durante a refeição, ela relatou as últimas artes de Dionísio. Henrique foi se deixando envolver pelo sorriso dela e pelo calor que lia em seus olhos.

Depois do jantar, foram para a sala e ele pediu que ela lhe falasse sobre o livro. Maria Eugênia resumiu o teor da obra. Henrique ouvia-a admirado com o entusiasmo com que ela falava, evidenciando uma crença profunda. Quando ele fazia perguntas, ela respondia com clareza, convicção e prazer.

Impressionado, percebeu o quanto ela havia amadurecido. Nem de longe lembrava aquela menina retraída, tímida, incapaz de dizer "não" à mãe e de manter uma opinião.

Diante dele agora estava uma mulher firme, lúcida, que expunha suas idéias com coragem sobre um assunto tão controvertido, com argumentos práticos e verdadeiros.

A certa altura, ele disse, olhando-a nos olhos:

— É surpreendente como você mudou!

Sem desviar o olhar, ela respondeu:

— Mudei, sim. A vida tem me ensinado muitas coisas. Hoje posso ver lados que antes eu não via. Mas meus sentimentos ainda são os mesmos.

Henrique levantou-se e sentou-se ao lado dela no sofá. Depois, sem dizer nada, abraçou-a e beijou-a nos lábios com amor, várias vezes, dando vazão à emoção que bloqueara durante tanto tempo.

Quando se acalmaram um pouco, Henrique disse em seu ouvido:

— Eu amo você, Maria Eugênia. Amo muito. Nunca deixei de amá-la!

— Eu também sempre o amei.

— Perdoe-me se demorei para entender o que nos aconteceu.

— Não há o que perdoar. O erro ensinou-me muito mais do que os acertos. Fez-me valorizar todas as coisas boas que a vida me deu: uma mãe maravilhosa, dinheiro, um marido que eu amo e um filho que faz a alegria de minha vida. Descobri que sou uma pessoa muito feliz. Estou certa de que com você aconteceu o mesmo.

— Sim — respondeu ele, beijando-a novamente várias vezes. Depois, pegou-a pelo braço. — Venha, vamos para nosso quarto.

Abraçados, subiram as escadas. Elvira, que os observava discretamente, vendo-os entrar no quarto, sorriu contente. Depois foi para o quarto de Dionísio, sentou-se na cama e fez uma prece de agradecimento a Deus pela felicidade do casal.

Mais tarde, no quarto, Henrique e Maria Eugênia na cama, abraçados, trocavam confidências sobre seus sentimentos.

Henrique falou sobre as sessões de terapia com Rafael e ela sobre seus encontros com Eunice.

— Houve momentos em que eu temia que nunca me perdoasse — tornou Maria Eugênia.

— Eu também imaginei que não conseguiria pensar nos acontecimentos sem que o ciúme, a dor e a tristeza me dominassem.

Maria Eugênia beijou a mão dele que segurava entre as suas. Ele continuou:

— Eu estava cego. Na minha imaginação, eu a via como uma mocinha ingênua, pura, acima de todos os mortais, não como uma mulher que, apesar de suas qualidades, tinha pontos fracos como qualquer ser humano. Minha vaidade não suportou a perda dessa ilusão. Mas, mesmo ferido em meu orgulho, eu reconhecia que, embora sofrendo a seu lado, sofreria muito mais com a separação.

— Você não se separou de mim por causa de Dionísio.

— Eu também não queria separar-me dele, mas não foi apenas por esse motivo. Eu não queria perdê-la.

Maria Eugênia debruçou-se sobre ele e beijou-o nos lábios com amor.

— Apesar do que sofremos, é bom reconhecer o quanto nos amamos.

— Antes eu tinha por você um sentimento calmo, acomodado, ao qual eu estava habituado sem questionar. Mas depois, vendo ruir o conceito que fazia de você, a princípio julguei-a leviana. Recordava suas noitadas em Paris com aqueles amigos fúteis e não via mais nenhuma qualidade em você.

— Eu senti o quanto me desprezava.

— Mas naquela noite, quando me procurou para conversar e se posicionou, expondo seus sentimentos íntimos, eu comecei a mudar. Você não me pressionou a tomar qualquer decisão, e isso me deu certo alívio. Eu não estava em condições de decidir nada.

— Senti isso. Mas rezava todas as noites para que você me perdoasse.

— Depois daquela noite, sem querer, comecei a observar outros lados seus, suas qualidades como pessoa, o respeito com que trata nossos empregados, as mudanças que fez em nossa casa, tornando-a mais confortável e mais bonita sem consultar ninguém, a discrição natural, a classe e, principalmente, a excelente mãe que você é.

— Amar Dionísio é fácil. Ele conquista qualquer um. Não notou isso?

— É uma criança adorável. Então comecei a sentir-me culpado por continuar deliberadamente tratando-a com desprezo, enquanto você continuava imperturbável, cuidando de tudo com amor, mais ainda do que antes, brincando com Dionísio, procurando tornar a vida dele mais feliz. Eu a observava disfarçadamente e nunca a vi triste ao lado dele. Então, comecei a notar seu lado melhor, suas qualidades.

— Você disse que aconteceu algo. O que foi?

— Hoje fui ver o dr. Rafael. Fazia quase dois meses que ele vinha espaçando as sessões. Quando cheguei lá, ele me deu alta. Disse que eu não precisava mais de terapia. Fiquei inseguro. Ele foi para mim um amigo, além de um profissional competente que me mostrou e fez com que eu encarasse a verdade. Mas, apesar disso, eu me obstinava em não ceder. Estava difícil sair da postura orgulhosa na qual eu me colocara.

— Ele deve saber o que está fazendo. Você se acostumou a buscar ajuda.

— Nos últimos dias tenho tido alguns pesadelos. Contei-os a ele, que surpreendentemente me disse que eu preciso de ajuda espiritual. Explicou-me algumas coisas sobre fenômenos de mediunidade, vida após a morte. Disse que eu podia procurá-lo como amigo, indicou-me alguns livros e, para surpresa minha, sugeriu que eu conversasse com você sobre este assunto.

— Ele trabalha como voluntário no centro de estudos que tenho freqüentado. Nunca conversamos, mas ele deve ter me visto por lá.

— Fiquei admirado de um médico me dar essa orientação. Sempre pensei que espiritismo fosse coisa de gente mais simples, sem instrução.

— Pelo contrário. A vida após a morte, a comunicação dos espíritos, a reencarnação têm sido pesquisadas por pessoas cultas, cientistas que procuram entender esses fenômenos. Há muitos livros interessantes, como este que estou relendo, comprovando essa realidade. É que as pessoas mais simples sentem fé e aceitam esses fatos com mais facilidade.

— Amanhã mesmo vou comprar esses livros e começar.

Eles continuaram algumas horas mais conversando, até que, vencidos pelo sono, adormeceram. Naquela noite, Henrique não teve nenhum pesadelo.

Na manhã seguinte, acordaram alegres. Haviam feito planos para o futuro, trocado idéias sobre as empresas, e Henrique percebeu que, embora Maria Eugênia nunca tivesse se interessado antes pelos negócios, fez perguntas, deu algumas idéias práticas que até o surpreenderam.

Ele chegou ao escritório bem-disposto. Pensou em ligar para Rafael e contar tudo. Mas era cedo e ele não achou adequado. Ligaria no fim da tarde. Desejava demonstrar seu reconhecimento. Talvez fosse bom convidá-lo para um jantar em sua casa. Esse relacionamento ele desejava cultivar. Bernardo dissera que a esposa de Rafael era uma advogada brilhante, respeitada no meio empresarial.

No fim da tarde, Henrique foi ao escritório de Adele e encontrou-a ao lado de Bernardo. Assim que entrou, ela notou que o genro estava diferente. Rosto distendido, alegre, bem-disposto, como havia muito não o via. Esperou que ele falasse. Mas ele primeiro discorreu sobre trabalho. Em certo momento, Adele disse:

— Tenho uma notícia boa para você. Mas antes quero que me conte por que você hoje está com essa cara de felicidade. Será que aconteceu o que estou pensando?

Henrique sorriu:

— Não se pode ocultar nada de você! Ontem à noite eu e Maria Eugênia nos entendemos.

Adele abraçou-o alegre:

— Já não era sem tempo. Não agüentava mais vê-los tão perto e ao mesmo tempo tão distantes. Seria indiscrição perguntar como foi?

— Não. Mas antes quero saber que notícia boa é essa que você tem.

— Eu e Bernardo marcamos a data do nosso casamento.

Henrique abraçou-os, desejando felicidades. Depois sentou-se ao lado deles e contou como tudo havia acontecido. Finalizou:

— Estou me sentindo em paz. Em tantos anos de casamento, nunca havíamos nos entendido tão bem. Foi maravilhoso abrirmos o coração e dizermos o que sentimos um ao outro.

— Foi um encontro de almas — disse Bernardo, emocionado. — Esse é o verdadeiro amor.

— Maria Eugênia agora está diferente. Mostrou até interesse pelo nosso trabalho, fez perguntas sobre as empresas.

— Ela está se revelando. É inteligente e está assumindo a própria vida — disse Adele, satisfeita.

— Vocês já contaram a ela que marcaram a data?

Foi Adele quem respondeu:

— Ainda não.

— Para quando será?

— Em dezembro. Assim teremos tempo para uma viagem.

Eles continuaram conversando, fazendo planos para o futuro. Meia hora depois, Henrique foi para casa.

Ao entrar, seu coração bateu mais forte pensando no prazer de estar com Maria Eugênia e o filho. Eles o receberam com carinho. Durante meia hora eles brincaram com o menino. Depois Elvira foi buscar Dionísio para o jantar.

Abraçada ao marido, Maria Eugênia disse:

— As horas não passavam. Eu estava com saudade.

— Eu também. Estive com Adele e Bernardo. Eles marcaram a data de casamento.

Maria Eugênia bateu palmas:

— Finalmente! Pensei que ela nunca o aceitaria.

— Por que não? Sempre foram excelentes amigos.

— Exatamente por esse motivo. Desde os tempos de estudantes são apenas amigos.

— Ela preferiu seu pai. Acho que foi uma boa escolha.

— Foi. Papai era um homem inteligente, culto, mas de temperamento muito diferente do dela.

— Nunca notei isso.

— Eu, sim. Mamãe é ardente, cheia de vida, faz bem e com naturalidade várias coisas ao mesmo tempo. É rápida, enquanto papai era formal, tudo tinha que estar bem planejado para ele agir. Controlava suas emoções, não se permitia mostrar sentimentos.

— Ele sempre ouvia Adele antes de tomar qualquer decisão.

— Ela era tão eficiente, tão rápida, capaz, que ele confiava inteiramente na capacidade dela. Tanto que, ao fundar a *holding*, ele a colocou como presidente.

— No que fez muito bem, porque ela realmente sabe o que faz. Mas Bernardo tem temperamento diferente do de seu pai.

— Lúcido, alegre, cheio de vida, inteligente, gosta de viver bem e em paz. Acho que essa convivência fará bem a ela. Com meu pai, eles passavam horas falando das empresas. Com Bernardo será diferente. Ele é um homem muito bem informado sobre o que acontece no mundo. Conversar com ele é sempre muito interessante. Estou certa de que fará minha mãe feliz.

Henrique abraçou-a satisfeito.

***

Na casa de Marina estavam todos reunidos na sala de jantar.

Ela havia conseguido ganhar uma causa complicada e estava radiante. Quando ela terminou de contar esse acontecimento, Rafael tornou:

— Precisamos comemorar. Vamos abrir uma champanhe.

Rosa trouxe uma garrafa e as taças. Rafael abriu, encheu as taças e serviu. Ergueu a sua e tornou:

— Vamos brindar ao sucesso de Marina e ao de todos nós.

— Sim — concordou ela. — Principalmente porque este foi um caso em que pude pôr fim a uma tremenda injustiça.

— À vitória do bem! — exclamou Cícero.

Eles tocaram as taças e beberam. Nessa hora, Rosa avisou que chamavam por Rafael ao telefone. Ele apressou-se a atender.

— Alô.

— Sou eu, Henrique.

— Como vai?

— Desculpe incomodá-lo em sua casa, mas é que tenho uma boa notícia para lhe dar.

— É um prazer ouvi-lo. Pode falar.

— Ontem, depois que deixei seu consultório, fui para casa e me aproximei de Maria Eugênia. Conversamos muito e nos entendemos. Achei que gostaria de saber. Estou ligando para agradecer. Você me ofereceu sua amizade, e pretendo não perder essa oportunidade. Aceitaria vir com sua esposa jantar em minha casa no próximo sábado?

Apanhado de surpresa, Rafael respondeu:

— Será um prazer. Mas antes preciso falar com Marina, saber se não temos outro compromisso.

— Fale com ela. Caso não possam, marcaremos outro dia.

— Obrigado pelo convite. Estou muito feliz por vocês.

Rafael desligou e permaneceu sentado ao lado do telefone, pensativo. Marina aproximou-se e perguntou:

— O que foi? Aconteceu alguma coisa?

— Sim. Não é apenas você quem tem de comemorar. Eu também. Acabei de saber que um caso difícil de um cliente a quem aprecio muito foi resolvido.

— Eu o conheço?

— Mais ou menos. Ele é casado com a filha da sra. Adele, noiva do Bernardo. Eles foram ao nosso casamento, lembra-se?

— Sim. Sei quem é. Que bom! Parabéns!

— Ele ligou para agradecer e nos convidou para irmos jantar em sua casa no próximo sábado.

Marina estremeceu e procurou esconder a preocupação. Jantar na casa de Maria Eugênia! Ela adoraria ver Dionísio, estar ao lado dele, mas não poderia ir. Havia prometido a Adele nunca se aproximar do menino. Precisava manter a promessa.

Depois, vê-lo não seria pior? Reconhecer o que perdera entregando-o a outra mulher não seria uma tortura inútil?

— O que foi, meu bem? Você ficou séria de repente.

— Nada. Eu estava pensando que formamos uma dupla imbatível.

— É porque fazemos o melhor, confiamos na vida e temos Deus no coração.

Ela sorriu e, abraçados, voltaram à sala de jantar.

23

Na manhã seguinte, à mesa do café, Rafael disse:

— Aquele meu cliente vai ligar para confirmar o jantar no sábado. O que acha?

— Não sei se poderei ir. Há um cliente que vai chegar da Inglaterra na sexta-feira. Marcamos reunião no sábado e não sei a que horas estarei livre.

— Eu gostaria muito de ir. Ele interessou-se pela espiritualidade e a esposa já está freqüentando o centro de estudos. Mas, se você não pode neste sábado, marcaremos outro dia.

— Está bem.

Os dois saíram para trabalhar.

Marina, no escritório, não conseguia manter a atenção no trabalho. Mais uma vez se perguntava: por que a vida os estava aproximando? Isso queria dizer que seria melhor ela ir àquele jantar? Como enfrentar o encontro? E se Henrique a reconhecesse? Eles haviam se encontrado no escuro, mas em momentos de intimidade. Isso não o faria reconhecê-la?

Apesar da vontade de ver o menino, Marina não se sentia com coragem de enfrentar esse momento. O que diria Rafael se notasse alguma coisa diferente? Não. O melhor seria esquivar-se, evitar qualquer relação com aquela família. Mas como fazer isso, se Rafael estava interessado em aproximar-se deles?

Estudioso, Rafael interessava-se muito pelos casos que atendia no consultório. Gostava de estudá-los sob a óptica da espiritualidade. Ficava encantado em observar como a vida trabalhava as pessoas, conduzindo-as para novos caminhos.

Nesse momento, Marina lamentou não haver lhe contado a verdade. Se o tivesse feito, agora não teria essa preocupação. Ele entenderia e não forçaria uma proximidade com Henrique.

Marina sempre fora verdadeira, com exceção desse segredo que às vezes lhe pesava ao olhar para sua família e pensar que fora capaz de ocultar fatos tão importantes.

À noite, sem conseguir trabalhar, Marina decidiu conversar com Eunice. Deixou o escritório e foi até o centro de estudos espirituais, onde encontrou a médium trabalhando com algumas voluntárias. Vendo-a, Eunice aproximou-se, abraçou-a e conduziu-a até sua sala.

— Desculpe vir procurá-la fora de hora e atrapalhar seu trabalho.

— Não precisa preocupar-se com isso. Foi bom vê-la. Sente-se. Vamos conversar.

Marina acomodou-se, depois falou de seu problema e de suas dúvidas. E finalizou:

— Não sei o que fazer. De um lado, gostaria de ir, mas prometi a Adele que nunca me aproximaria deles. Depois, tenho medo de ser reconhecida. Não sei se alguma vez eles viram algum retrato meu, se Adele lhes contou alguma coisa sobre mim. O que pensaria Maria Eugênia se soubesse que a mulher que está em sua frente, em sua casa, dormiu com seu marido e é mãe do filho que ela tem em seus braços?

— Você não dormiu com o marido dela para roubar o amor dele, mas para beneficiar essa família, mesmo a custo de renunciar ao amor dessa criança que gerou dentro de você.

— No dia do meu casamento, estive conversando com Adele e ela me contou que Maria Eugênia, apesar de saber que Henrique não me conhecia e que aceitara o acordo para ajudar a empresa, sentiu ciúme por ele relacionar-se comigo.

— Na época ela não quis enfrentar a mãe. Concordou, mas não de coração. Hoje, porém, pensa diferente. Aprendeu a amar esse menino e estou certa de que agradece a você a dádiva de ser mãe. Ela mesma me disse o quanto esse fato mudou sua vida. Maria Eugênia melhorou muito como esposa, como mulher, depois que colocaram Dionísio em seus braços.

— Adele me disse que ela o ama verdadeiramente. E o mais curioso é que ele é mais apegado a ela do que ao pai.

— Ela o levou à minha casa para benzer e notei logo que são espíritos afins. O corpo dele foi gerado dentro de você, mas ele é mais filho dela do que seu, porque o espírito dele é ligado ao dela. A amizade deles vem de outras vidas.

Marina ficou pensativa durante alguns instantes, depois disse:

— Estou arrependida por não haver contado a Rafael. Se o tivesse feito, agora seria mais fácil não me aproximar deles.

— Talvez não. Rafael é um espírito experiente. Perceberia logo que a vida os está aproximando.

— Isso é o que me intriga. Conforme prometi a Adele, nunca tentei me aproximar. Vi fotos deles nas revistas, tenho me interessado em tudo quanto diz respeito a eles, mas foi só. Naquele dia em que eu estava doando energias e a vi sentada na minha frente chorando, foi um choque. Depois, com tantos profissionais competentes, Henrique foi procurar exatamente Rafael. Não pode ser coincidência.

— Não foi mesmo.

— O dr. Bernardo, noivo de Adele, foi quem o levou a Rafael, e ambos compareceram a meu casamento. Fiquei admirada. Mas Adele conversou comigo discretamente, deu-me notícias de Dionísio e disse que estava grata por eu haver aceitado sua proposta. Tenho me perguntado o que a vida quer com isso. Por que está nos aproximando?

— Ela deve ter seus motivos.

— Mas eu, o que devo fazer? Não posso agora chegar a Rafael e dizer que ocultei dele um fato tão importante porque tive medo de que ele me julgasse uma mulher interesseira, que se vendeu por dinheiro.

— De tudo quanto me disse, esse é o ponto mais importante. Você aceitou a proposta de Adele, mas não de coração.

— Como assim?

— Há um lado seu que condena você mesma por causa do

dinheiro que recebeu. Você não olhou o lado bom de sua atitude porque vê o dinheiro de forma equivocada. Julga-se mundana porque concordou em ceder seu corpo, deu a criança que gerou em você a troco de dinheiro.

Os olhos de Marina encheram-se de lágrimas e ela as deixou correr livremente.

— Por esse motivo não teve coragem de se abrir com Rafael. Imaginou que ele a julgaria como você está se julgando. Será que ele faria isso mesmo? Será que ele também tem preconceito com relação a dinheiro?

Marina olhava-a surpreendida e respondeu:

— Mas dinheiro é algo material.

— Tudo na Terra é material, inclusive o corpo de carne. Este é o mundo das formas. O dinheiro serve, assim como tudo que há neste planeta, para permitir ao espírito interagir com as coisas e viabilizar as realizações de amadurecimento interior. Sem ele, assim como sem o corpo de carne, ninguém conseguiria realizar nada neste planeta.

Marina franziu o cenho, pensativa.

— Olhando dessa forma...

— Este planeta é apenas um dos lados da realidade. O outro é a essência, o que está atrás do mundo material. Dinheiro é valor. Quando bem utilizado, proporciona progresso, conforto, bem-estar. Há países em que as pessoas já sabem disso, tanto que, quando alguém não consegue progredir financeiramente, está fazendo alguma coisa errada e não tem a aprovação de Deus.

— Mas aqui as pessoas não pensam assim.

— Infelizmente, nossa cultura valoriza a pobreza, faz dela uma qualidade, uma prova de honestidade, sem perceber que tanto a honestidade quanto todas as boas qualidades são atributos do espírito. É ele quem comanda o mundo material e é dele que depende o uso bom ou ruim que se faz de tudo que há aqui. Pense nisso, Marina. É hora de você aprender os verdadeiros valores espirituais. Respeitar a matéria, seja em que estado ela estiver, é próprio dos espíritos evoluídos.

— Diante dos valores do mundo, das pessoas, fica difícil pensar dessa forma.

— As pessoas são livres para pensar o que quiserem, você não poderá mudar essa realidade e não é responsável por isso. O julgamento leviano, a maldade, ainda estão presentes na sociedade. Diante das Leis Divinas, você responde apenas por você, pelas suas atitudes. Você fez uma troca com Adele. Dedicou quase um ano de sua vida para permitir que um espírito reencarnasse, uma mulher estéril se tornasse mãe, você pudesse ajudar sua família, educar seu irmão, dar conforto à sua mãe. O que há de errado nisso?

— Adele fez esse contrato para salvar uma empresa. Um negócio.

— Você sabe quantas famílias vivem dessa empresa? O que seria delas se a empresa fechasse?

— Não pensei nisso, e acho que Adele também não. O que ela não queria era perder a presidência.

— Pode até ser que ela tenha pensado dessa forma, mas a vida certamente levou o bem de todos em consideração quando permitiu que vocês conseguissem o que queriam. Você há de convir que foi um projeto ousado que tinha grandes probabilidades de não se realizar.

— É verdade. Eu tive medo, mas Adele estava muito segura.

— Adele pensou em salvar o patrimônio da família; você, em cuidar do bem-estar dos seus. Todos ganharam. Até o cunhado de Adele, que deveria herdar a presidência das empresas, foi poupado porque, não tendo capacidade para exercer esse cargo, depredaria toda a fortuna e acabaria na miséria. Assim, como sócio, ele terá seus dividendos garantidos pelo resto da vida.

— Foi isso mesmo que Adele disse.

— Nós precisamos entender que viver neste mundo é utilizar todos os recursos que ele nos oferece para o progresso do nosso espírito e o bem-estar de todos. Você me disse certa vez que o fato de haver tido essa criança mudou sua maneira de ver. Antes não desejava se casar. Nunca se questionou por quê?

— O que meu pai fez nos abandonando, mesmo antes de conhecer o segundo filho, doeu muito. Eu era criança, senti-me impotente para ajudá-los. Mas desde aquela época firmei o propósito de estudar, trabalhar muito, para conseguir dar a eles o que meu pai não deu. Durante toda a minha juventude, só fiz estudar e trabalhar.

— Mais uma razão para merecer o dinheiro de Adele.

— Confesso que foi a possibilidade de apressar meus projetos que me fez aceitar esse contrato.

— Apesar disso, o fato de gerar uma criança a humanizou. Pense em tudo isso, olhe esses fatos sob a óptica da espiritualidade. Imagine como estaria agora a vida de todos vocês, caso houvesse recusado a proposta de Adele. Você estaria lutando para conseguir sucesso profissional, talvez não houvesse se casado; Maria Eugênia continuaria amarga, sofrida, julgando-se menos por ser estéril, talvez até destruindo o casamento; Adele estaria lutando para orientar o cunhado, tentando cobrir suas dívidas de jogo e salvar o que pudesse.

Marina suspirou pensativa. Eunice tinha razão. Adele dissera-lhe que todos estavam felizes. Ela também se sentia assim. Amava o marido, desfrutava de momentos bons ao lado da família.

— A senhora tem razão. Mas o que fazer quanto a esse jantar? Penso que seria melhor não ir, mas o que dizer a Rafael? Terei de contar a ele a verdade?

— Essa decisão é sua. Pense em tudo, sinta seu coração, peça a Deus que a inspire mostrando o que será melhor. Depois, observe. Estou certa de que em determinado momento saberá o que fazer.

Marina despediu-se e saiu. Mesmo não tendo decidido ainda, sentia-se aliviada. A conversa com Eunice fez-lhe bem. Começou a pensar que talvez estivesse sendo injusta na apreciação dos fatos.

A reunião onde Rafael estava ainda não havia terminado e ela dirigiu-se à sala de orações para esperá-lo. Aquela sala era um lugar especial no centro de estudos, onde as pessoas iam meditar, conversar com Deus.

Lá havia algumas cadeiras; sobre a mesa, um vaso com flores frescas, uma bandeja com uma jarra de água e alguns copos. Era um lugar silencioso, simples, claro e agradável.

Marina sentou-se e começou a pensar em tudo quanto Eunice lhe dissera. Viu-se criança, chorando agarrada à saia da mãe, que, inconformada com o abandono do marido, lutava para dissimular sua dor a fim de poupar a filha.

— Mãe, o pai não volta mais?

— Não sei, filha. Ele levou todas as suas coisas.

Marina lembrou-se da raiva que sentira ao dizer:

— Ele não nos amava. Não vai fazer falta. Espero que não

volte nunca mais. Eu estou aqui, mãe. Eu amo você e o nosso nenê. Juro que vou cuidar de vocês dois.

Ofélia a abraçara:

— Você é ainda criança. Mas não tenha medo, porque eu nunca vou deixá-los. Isso eu garanto.

Marina lembrou-se da cena como se estivesse acontecendo naquele momento. Ela erguera a mão para o alto e respondera:

— Eu vou crescer, mãe! Eu vou crescer, estudar, ser gente. Você vai ver.

Naquele mesmo dia, enquanto Ofélia voltava à máquina de costura, ao sair da escola Marina foi procurar trabalho. Fez o que pôde para ajudar. Tomava conta de crianças para as mães poderem sair, carregava compras, ajudava na cozinha, estava sempre pronta a fazer alguma tarefa que lhe rendesse algumas moedas.

Era com prazer e orgulho que entregava à mãe o produto de seu trabalho. Desde aquela época, seu único objetivo foi subir na vida e cumprir o que prometera a si mesma.

Não sentira saudade do pai, que sempre fora ausente, nunca lhe fizera carinho, reclamando do pouco dinheiro que tinham, quase todo conseguido por Ofélia na máquina de costura.

Ela pensou que houvesse vencido a dor do abandono, mas apesar de tudo sentia que a raiva ainda estava lá. Por quê? Ela não amava o pai. Nunca sentira carinho por ele como tinha pela mãe e o irmão.

Ele tê-las deixado havia sido melhor, porque puderam viver em paz, sem as reclamações que ele fazia, suas exigências descabidas, seu mau humor. Indo embora, ele lhes fizera um favor. Então, por que ainda sentia raiva?

Isso não era bom. Ela queria ser uma pessoa boa, e esse sentimento era-lhe penoso. Marina não queria mais esse sentimento.

Olhando as rosas no vaso, lindas, que espalhavam suave aroma no ar, ela pensou em Deus, na força da vida que tudo criou. Esse sentimento foi mais forte do que tudo e ela pediu:

— Deus, mostre-me o que preciso saber!

Uma brisa agradável a envolveu. Ela não percebeu, porém um vulto de mulher aproximou-se e disse ao seu ouvido:

— Seu pai é um espírito fraco, que ainda não aprendeu a ser melhor. Por ora só pode dar o que deu.

Marina lembrou-se de quantas vezes ela notara quanto ele era ignorante. Ela queria que ele fosse diferente, que houvesse sido um pai carinhoso, amigo.

O espírito de Norma continuou falando ao seu ouvido:

— Mas ele não é. Saia da ilusão. Perceba que foi você quem esperou dele o que ele nunca poderia lhe dar. Você criou expectativas impossíveis e, quando a vida lhe mostrou a verdade, você não a aceitou.

Marina levou a mão aos lábios, surpreendida. O fato de ela querer não mudava a realidade. Não estaria sendo injusta exigindo o que ele não tinha como fazer? Ela se magoou por ele não ser do jeito que ela queria.

— Cada um é só o que é — tornou Norma.

Marina pensou nessa frase, embora não soubesse que estava sendo inspirada. Mas era inegável. Seu pai era um homem ignorante, fraco, irresponsável, leviano, seco.

Ela estava se esforçando para elevar o próprio espírito, estudando as leis cósmicas que regem a vida. Nos últimos meses havia aprendido a ver a beleza, o amor, despertara para a necessidade de harmonizar-se, viver no bem.

Essa postura lhe dera mais alegria de viver, fazendo-a valorizar as pequenas coisas, procurando ser melhor.

Quanto tempo o espírito de seu pai levaria, que desafios a vida lhe traria a fim de fazê-lo amadurecer?

Então, Marina começou a sentir por ele um carinho que nunca havia sentido antes, e todo o sentimento de mágoa, de rancor, desapareceu.

Ela sentia-se revitalizada, fortalecida, e percebeu quanto era bom o contato com a verdade.

Deixou a sala depois de agradecer aos amigos espirituais a inspiração e foi ao encontro de Rafael. A reunião dele havia terminado e ele a estava procurando. Vendo-a, aproximou-se:

— Você não ficou no trabalho. O que aconteceu?

— Eu estava questionando algumas coisas e fui conversar com d. Eunice.

— A conversa deve ter sido boa, porque você está radiante.

— Foi ótima. Vamos tomar alguma coisa?

Eles foram tomar um lanche, depois voltaram para casa.

Mais tarde, na cama, Marina, olhando Rafael desfrutando um sono tranqüilo, continuava pensando, relembrando as palavras de Eunice.

De certa forma, a irresponsabilidade de seu pai, a raiva que sentia por haver perdido a segurança que a figura dele representava em sua vida, a impulsionara a estudar, trabalhar, conquistar um lugar melhor.

Se houvesse tido o pai que ela desejava, teria feito tudo isso? Não se acomodaria nas facilidades sob a proteção dele? Para aprender a usar a própria força e evoluir, não precisaria de um pai como ele?

Naquele momento ela entendeu por que nascera naquele lar e passara por todos aqueles desafios. Tudo ficou mais claro em sua mente. A vida lhe dera o que precisava para aprender a andar com as próprias pernas.

Ela aprendera a não depender de ninguém e a cuidar de si mesma. De tal sorte que, no casamento, ela, apesar de amar o marido, viver ao lado dos familiares, continuava sendo ela mesma, mantendo com todos um relacionamento em que o respeito e o amor harmonizavam a convivência, tornando-a natural, agradável.

Pensando assim, Marina sentiu-se em paz. Lembrou-se do jantar na casa de Maria Eugênia e resolveu deixar a solução para o dia seguinte. Sabia que uma solução boa apareceria. Virou para o lado e logo adormeceu.

***

No dia seguinte, no escritório, já no fim da tarde, Marina lembrou-se de que Rafael, ao chegar em casa à noite, certamente voltaria a falar daquele jantar.

Pensou um pouco e decidiu. Apanhou o telefone e ligou para Adele. Quando ela atendeu, Marina disse:

— Desculpe incomodá-la em seu trabalho. Mas aconteceu algo que preciso contar-lhe.

Em poucas palavras falou do convite de Henrique para o jantar e finalizou:

— Não sei o que fazer. Rafael não sabe nada do nosso acordo

e insiste em ir. Ele aprecia Henrique, que foi seu cliente e deseja estreitar essa amizade. Eu prometi não me aproximar deles, mas parece que a vida insiste em nos juntar. Outro dia foi no centro de estudos, onde deparei com Maria Eugênia. Agora é esse jantar.

Adele ficou pensativa por instantes, depois perguntou:

— Você gostaria de ir?

— Por um lado, sim. Para ver Dionísio, saber como ele vive. Mas por outro tenho medo. Não sei se eles têm alguma informação a meu respeito. Poderão me reconhecer. Antes de me casar, senti vontade de contar tudo a Rafael. Contudo, pensando que esse segredo não é apenas meu, não disse nada. Agora, ele saber seria uma solução.

— É. Não sei se seria bom para todos se você se aproximasse tanto deles. Tenho medo dos seus sentimentos. Você pode sofrer vendo Dionísio de perto sem poder demonstrar seu afeto. Mas vivendo na mesma cidade, freqüentando os mesmos lugares, não sei se conseguiremos evitar que se relacionem, ainda que seja apenas socialmente.

— Tudo isso já me ocorreu. Quero ouvir sua opinião.

— Seria bom conversarmos. Você pode tomar um chá comigo agora?

— Posso. Onde?

Adele indicou uma casa de chá e Marina anotou o endereço. Meia hora depois, elas se encontraram. Depois dos cumprimentos, sentaram-se e pediram o chá. Enquanto esperavam, Adele tornou:

— O casamento fez-lhe bem. Você está ainda mais bonita.

— Obrigada. De fato, sou uma pessoa privilegiada.

— Você conseguiu tudo: sucesso profissional, dar conforto à família, seu irmão estuda em um ótimo colégio. Além disso, tem como marido um homem adorável.

— É verdade. Rafael foi uma luz que apareceu em minha vida. Possui qualidades raras, e eu agradeço a Deus por mais essa dádiva.

Adele olhou-a nos olhos e disse:

— Outro dia fui conversar com Eunice. Uma pessoa encantadora, sábia, que me impressionou muito.

— Certamente Maria Eugênia também lhe falou dela.

— Não exatamente. Fiquei sabendo que minha filha estava lendo sobre espiritualidade. Como sabia que Eunice a estava aconselhando, desejei conhecê-la.

— Além de ser uma pessoa maravilhosa, tem uma sensibilidade incomum. Como já lhe contei, fomos procurá-la por causa de meu irmão. Ele ficou envolvido por um espírito e nós nos assustamos, uma vez que não conhecíamos nada sobre isso. Mas a professora dele percebeu o que estava acontecendo e pediu que o levássemos a Eunice.

Em poucas palavras, Marina contou o que se passara no primeiro encontro que tiveram com Eunice. E finalizou:

— Tudo o que ela nos disse era verdade. Ficamos encantados. Desde aquele dia, estamos freqüentando esse centro de estudos e aprendendo muito. O conhecimento que adquirimos lá nos fez olhar a vida de uma forma muito diferente. Encontrar respostas positivas para os problemas que vemos no mundo nos alivia. Saber que não estamos sozinhos, que do nosso lado há sempre um espírito bom nos inspirando, ajudando, é confortador.

— Seus olhos brilham quando fala tudo isso. Sinto que está sendo sincera. Não sou uma pessoa religiosa, embora tenha ética, procure ser verdadeira, fazer sempre o melhor. Meus contatos com a religião não me ofereceram as respostas que eu esperava. Então, tenho fé a meu modo.

— Pelo que conheço de você, estou certa de que tem muita ajuda espiritual. Sua confiança em nosso projeto, desde o início, foi um exemplo para mim.

— Eu acredito que, quando você faz o seu melhor, procura o bem e trabalha em favor da vida, ela responde positivamente. Mas, se em vez de Dionísio houvesse nascido uma menina, eu entenderia que não era o momento para conseguir o que desejava. E continuaria tentando alcançar meus objetivos de outra forma.

— Os meses que passei na fazenda ao lado de Célia foram muito proveitosos. Conheci Isaura, uma pessoa maravilhosa, que me ensinou muitas coisas. Só lamento não poder vê-las de novo. Essas duas pessoas eu guardo no coração e gostaria de vê-las outra vez.

— Quem sabe, um dia? A vida dá muitas voltas. Sempre que vou à fazenda, elas perguntam de você.

— O que tem dito a Isaura?

— Que seu filho, infelizmente, morreu pequenino. Mas que certamente você terá outros.

— Tenho pensado nisso ultimamente. Desejo ser mãe, poder criar meu filho, usufruir dessa emoção, sem dor, com alegria.

Adele colocou sua mão sobre a dela com carinho.

— Estou certa de que conseguirá. Quero que você saiba a extensão do bem que causou à minha filha. Vou contar-lhe um segredo.

O garçom chegou, trazendo o chá e as guloseimas. Adele esperou que ele se fosse. Depois, baixando a voz, falou sobre Maria Eugênia. Contou-lhe tudo, inclusive seu deslize em Paris.

Marina ouvia atenta e comentou:

— Por isso ela estava chorando naquela noite. Imagino seu sofrimento. Desde o começo eu temia que ela não aceitasse o nosso projeto. Imaginei que não seria fácil para ela saber que o marido estava se relacionando com outra mulher.

— Na ocasião, foi isso mesmo o que aconteceu. Mas depois, quando colocamos Dionísio em seus braços, ela mudou radicalmente. Humanizou-se, tornou-se mulher, amadureceu. Ama aquela criança como se tivesse nascido de dentro dela.

— Ainda bem. Fico aliviada.

— Quando Henrique descobriu o deslize dela, ficou chocado. Foi dormir no quarto de hóspedes, parecia um zumbi. Por causa disso, Bernardo o convenceu a procurar o dr. Rafael. Ele fez terapia e felizmente entendeu-se com Maria Eugênia. Estão tão felizes! Por tudo isso, convidou-os para jantar.

— Agora estou entendendo.

— Contei-lhe tudo porque acredito que, se não existisse Dionísio, esse casamento teria se acabado. Ele foi o elo de ligação entre os dois no momento de crise. Henrique, apesar de chocado, não teve coragem de separar-se de Maria Eugênia, e, segundo ele mesmo me disse, assim o fez por causa de Dionísio. Ele é um pai apaixonado e não desejava viver longe do filho, mas também, sabendo quanto o menino é apegado a ela, não podia separá-los.

Marina sentiu os olhos úmidos, notando quanto seu menino estava fazendo bem àquele casal.

— Quero que saiba que somos extremamente gratos a você. Há poucos dias, aliás, Maria Eugênia disse isso.

— Disse?

— Sim. Disse que é muito grata a você por ter lhe dado esse filho. E que gostaria de agradecer-lhe.

Marina suspirou pensativa.

— Isso me deixa em paz. Mas, quanto ao jantar, o que me aconselha?

— Não sei. Gosto muito de você, de seu marido. Apreciaria estreitar nossa amizade, mas tenho medo de que, conhecendo o menino, você se apaixone por ele e deseje tomá-lo de nós. Ele é tão lindo, tão amoroso, tão carismático! É muito difícil resistir aos seus encantos.

— Quanto a isso, não há o que temer. Ele ama Maria Eugênia, ela é a verdadeira mãe dele. Eu jamais teria coragem de prejudicá-los. Quero que eles sejam felizes, que se amem e vivam bem.

— Sei que meu temor é injustificado. Mas é que às vezes, olhando para ele, penso no seu gesto nos oferecendo um pedaço de você.

— De fato, a separação foi dolorosa. Precisei de toda a minha força quando Célia o tirou de meus braços. Mas hoje sei que eu apenas doei um corpo de carne, porque foi Deus quem destinou a esse corpo um espírito ligado a Maria Eugênia e Henrique, de tal sorte que eles se amam tanto.

— Por que está dizendo isso?

— Porque acredito em reencarnação. Não tenho dúvidas de que o espírito de Dionísio precisava nascer, mas, como Maria Eugênia não podia gerar seu corpo, eles usaram o meu. Dionísio pertence mais a vocês do que a mim. Ele é membro espiritual da sua família.

— Por que acha isso?

— Porque as famílias consangüíneas não são formadas ao acaso. A vida, na maioria das vezes, reúne no mesmo lar espíritos de diferentes graus de evolução para que aprendam uns com os outros. Faz o mesmo com os que se desentenderam em outras vidas, cujo relacionamento mal acabado precisa ser revisto por eles. Às vezes faz mais: reúne pessoas com os mesmos pontos fracos, para que sirvam de espelho uns aos outros e possam se ver e procurar melhorar.

Adele olhou-a admirada:

— É uma explicação interessante. Esclarece as dificuldades de relacionamento que observamos e que a hereditariedade não consegue explicar.

— Mas a recíproca é verdadeira. As pessoas que têm afinidade se entendem, sentem prazer em estar juntas. A amizade verdadeira transcende à morte do corpo físico e cria laços que são eternos e formam as famílias espirituais. Eu percebo que o amor entre Dionísio e Maria Eugênia faz crer que entre eles já existia essa ligação de outras vidas.

— Bem, de fato, é uma boa explicação, porque eu nunca vi uma criança ser tão apegada à mãe como ele. Quando ele a vê, seu rosto se ilumina, seus olhos brilham e expressam adoração.

— Por tudo isso eu disse que ele é mais filho deles do que meu. Vocês não precisam se preocupar comigo. Sei o meu papel. Para ele, serei sempre uma estranha.

— Eu sabia que podia confiar em você.

— Pensei em contar tudo a Rafael. Assim ele entenderá por que não posso ir a esse jantar.

Adele ficou pensativa por alguns instantes, depois disse:

— Se puder evitar, será melhor. Henrique foi paciente de seu marido. Será que não lhe contou tudo?

— Essa é uma boa pergunta. Não sei. Rafael jamais comenta qualquer coisa sobre seus pacientes. Pode até ser que seu genro tenha lhe contado. Mas o que ele não sabe é que fui eu quem deu à luz esse menino. Uma coisa me ocorre agora... Henrique nunca soube nada a meu respeito?

— Não. Providenciamos para que não soubesse. Nem ele nem Maria Eugênia sabem seu nome ou viram qualquer foto sua.

— Esse é o receio que eu sentia de ir a esse jantar. Não sabia se seria reconhecida, o que ia ser constrangedor.

— Foi muito bom conversar com você. Sempre que tiver qualquer novidade, não deixe de informar-me. Quanto ao jantar, pense bem e resolva. Estou certa de que fará o melhor. Se precisar contar a Rafael, faça-o.

As duas conversaram durante mais alguns minutos, depois se despediram. Marina sentia-se confortada em conhecer o outro lado da vida de Dionísio.

Durante o trajeto de volta para casa, no fim da tarde, ela

decidiu que estava na hora de ter um filho. Um filho que fosse seu, que pudesse esperá-lo com amor, cuidar do enxoval, arrumar o quarto para recebê-lo, poder amamentá-lo com amor.

Lembrou-se de que, nos primeiros dias após ter dado à luz, seus peitos se enchiam de leite, vazavam, sendo preciso tirar com a bombinha e jogar fora. Ficava triste, mas era uma situação sem remédio.

Agora, queria ter o prazer de amamentar seu filho, dar a ele todo o amor que sentia guardado no coração.

Naquela noite mesmo conversaria com Rafael a respeito.

24

Dois dias depois, no fim da tarde, Marina estava no escritório quando Ofélia ligou aflita.

— Filha, Cícero não está bem.

— O que ele tem, está doente?

— Acho que não. Mas está estranho. Foi tirar uma soneca depois do almoço e de repente apareceu na sala, falando esquisito, andando de um jeito diferente e brigando comigo. Acho que está recebendo algum espírito. Eu e Rosa rezamos, pedimos a ele que se acalmasse, mas ele não nos atendeu. Liguei para Rute e ela estava na escola, dando aula. Eu não quis chamá-la.

— Continue rezando e fique calma. Estou indo já para aí.

Imediatamente, ela chamou a secretária, deu algumas instruções e foi para casa.

Assim que chegou, Ofélia foi a seu encontro:

— Ainda bem que você veio logo.

— Como está ele? Não melhorou?

— Não. Não entendo o que ele fala, e ele fica nervoso. Deixei um recado para Rute, pedindo que ela viesse para cá depois da aula. Rafael ligou e eu contei a ele. Também está vindo para cá.

— Onde ele está?

— Lá em cima. Eu vi você chegar e desci. Rosa está com ele.

Marina subiu apressada e ouviu a voz de Cícero falando em

um idioma estranho. Sua voz estava mais grossa e ela não conseguiu entender nada.

Entrou no quarto e Rosa pediu:

— Feche a porta. Ele quer sair, e é melhor não deixar.

Marina obedeceu e aproximou-se dele.

— Fique calmo. Explique-se melhor. Não estou entendendo o que você diz.

Cícero andava de um lado para o outro e, irritado, gritou algumas palavras que elas não entenderam. Ofélia entrou no quarto seguida de Rafael.

— Vamos nos unir e pedir ajuda espiritual — disse ele.

O telefone tocou e Rosa saiu para atender. Pouco depois, voltou e informou:

— Era Rute. Ela está vindo para cá.

De repente, Cícero começou a rir. Todos o olharam assustados. Por fim, ele disse claramente:

— Como vocês são tolos! Parecem baratas tontas. Nunca me diverti tanto!

Enquanto ele continuava rindo, Rafael tornou:

— Não se preocupem com ele. Vamos continuar pedindo ajuda aos espíritos de luz.

Eles continuaram em oração e Cícero se calou, mas continuava agitado, andando de um lado para o outro.

Rafael tentou conversar com ele, mas não obteve resposta. A campainha tocou e Rosa foi abrir. Era Rute.

— Como estão as coisas? — indagou.

— Na mesma. Estão todos em prece no quarto de Cícero. A senhora pode subir.

— Não. Vamos fazer diferente. Coloque aquele vaso com flores sobre a mesa de jantar. Ponha sobre ela uma bandeja com uma jarra de água e copos.

Rosa obedeceu. Rute fechou os olhos, concentrou-se por alguns instantes, depois disse:

— Agora vamos chamá-los.

Rute subiu e Rosa a acompanhou. No quarto, a cena ainda era a mesma, porém Cícero havia parado de andar. Em um canto do quarto, parecia acuado, olhos esbugalhados, seu corpo tremia.

Rute aproximou-se dele, segurou-lhe a mão e disse:

— Venha, vamos descer e conversar.

Ele a acompanhou sem dizer nada. Ela desceu, levando-o pela mão. Acomodou-o em uma cadeira em volta da mesa de jantar e sentou-se ao lado dele. Depois, fez um sinal para que todos se sentassem também.

Ela continuava segurando a mão de Cícero e fez uma oração, pedindo a assistência dos espíritos de luz em favor de todos. Quando ela terminou, levantou-se, colocou a mão direita na testa de Cícero e disse:

— Você não está nada bem. Como podemos ajudá-lo?

Ele não respondeu. Ela repetiu a pergunta. De repente, Cícero começou a chorar. Rute deixou que ele chorasse durante alguns segundos, depois tornou:

— Aproveite este instante em que estamos orando em seu favor e aceite a ajuda que lhe está sendo oferecida.

— Tenho medo — respondeu ele.

— Há muito você tem resistido, mas veja: de que adianta fugir? Até quando você deseja ficar sem rumo, desorientado, tentando viver uma vida que não lhe pertence mais? Aceite a orientação desses bondosos amigos.

— Eles querem me prender.

— Não. Eles querem que faça um tratamento e recupere seu equilíbrio. É claro que para isso você vai precisar aceitar a disciplina necessária.

— Não sei se agüento isso.

— Experimente. Tente, porquanto estou certa de que não se arrependerá.

— Por que eles querem me ajudar? Eu não sou bom. Tenho feito muitas maldades, me aproveitado das pessoas.

— Mas você pode mudar. Sei que dentro de você há um coração sofrido, revoltado, mas que ainda guarda um lado bom, que ama algumas pessoas que deixou no mundo.

Cícero começou a chorar de novo. Depois de alguns instantes, disse baixinho:

— Está bem, eu vou.

— Deus o abençoe.

Cícero suspirou, estremeceu e depois olhou em volta, bastante assustado:

— Puxa, finalmente ele se foi. Ele falava e eu queria que se calasse, mas não conseguia.

— Acalme-se, Cícero — respondeu Rute. — Está tudo bem. Vamos continuar orando em silêncio.

Ela calou-se por alguns instantes, depois suspirou fundo e disse:

— Meu nome é Norma. Vim para conversar com vocês.

Marina abriu os olhos emocionada. Desde que ela começara a rezar em favor de Cícero, sentira a presença de Norma. Parecia-lhe vê-la, da mesma forma que em seus sonhos.

A voz de Rute tornara-se doce, porém firme. Ela continuou:

— Havia muito eu aguardava esta oportunidade. Há alguns esclarecimentos que tenho permissão para lhes contar e que certamente farão com que possam compreender melhor certos fatos. Para isso, tenho que voltar no tempo. Mais de um século atrás, em um castelo na França, eu vivia com meu marido, Antoine, meu filho Jules e minha filha Marie. Antoine era um homem duro, cheio de princípios religiosos, mantendo a família em uma disciplina rígida. Jules, por estar na Marinha, gozava de mais liberdade, mas Marie viveu reclusa até os catorze anos.

Depois Antoine a casou com Gilbert, um nobre quinze anos mais velho que ela. Foi um arranjo entre as famílias, que planejaram unir as fortunas. Marie não queria, mas teve de obedecer. Gilbert possuía muitas terras e costumava viajar pelo mundo, ficando fora durante meses. Marie ficava no castelo, vigiada pela governanta.

Gilbert não se casou por amor, mas por necessidade de ter um filho, a quem sonhava deixar os bens quando morresse. Por tudo isso, a governanta, a mando dele, submetia Marie a uma vigilância severa durante suas ausências.

Marie odiava a situação, mas não tinha a quem recorrer para libertar-se. Ela sentia tanta raiva do marido que decidiu frustrar as pretensões dele.

Havia uma mulher, Sophie, que era recebida pela governanta no castelo para providenciar roupas, adereços, tudo que Marie necessitasse para estar linda quando o marido chegasse.

Ela por vezes ficava no castelo durante semanas costurando para Marie. Simpática, ardilosa, conquistou a confiança dela e tornou-se sua confidente. Ela gostava de Marie, mas odiava Gilbert pela postura arrogante, pois tratava muito mal tanto ela quanto seu marido, um comerciante.

Uma manhã, quando ela chegou, encontrou Marie chorando desesperada. Estava passando mal e, assim que contou seus sintomas, Sophie percebeu que ela estava grávida.

Ao saber disso, Marie revoltou-se:

— Eu não quero um filho dele. Não vou fazer o que ele quer. Eu o odeio! Não vou ter esse filho! Ele pode mandar em mim, mas não é dono do meu corpo.

Sophie tentou acalmá-la e prometeu ajudá-la. No dia seguinte, quando voltou ao castelo, levou uma bebida e disse:

— Trouxe-lhe um remédio. Tome uma xícara antes de dormir e conseguirá o que deseja. Mas ninguém pode saber que fui eu quem o deu a você. Se a governanta descobrir, poderá me mandar prender.

Marie prometeu ocultar o frasco. Naquela noite, antes de dormir, ingeriu o abortivo. No dia seguinte, sentiu cólicas e acabou abortando. Ela sentiu-se vingada. Havia conseguido uma vitória contra o marido. Embora ninguém soubesse, ela sentia-se realizada. A partir de então, cada vez que ficava grávida, ela recorria ao abortivo. Fez isso durante alguns anos.

Houve época em que estava havendo muita pilhagem na região. Bandidos assaltavam os castelos, roubando, matando, incendiando.

Gilbert contratou uma milícia para defesa do castelo. Foi então que Marie conheceu Denis, um garboso oficial, elegante, gentil, que comandava esse grupo. Os dois se apaixonaram perdidamente.

Gilbert continuava se ausentando. Sua fiel governanta, notando o interesse deles, aumentou a vigilância.

Marie e Denis, não suportando mais, planejaram fugir.

Uma noite, na véspera de Gilbert chegar de uma viagem, Marie colocou um sonífero no chá da governanta e eles fugiram. Quando o marido chegou, descobriu a fuga e teve um acesso de fúria. Mandou espancar a governanta e colocou-a na rua somente com a roupa do corpo. Depois, contratou outros soldados e partiram em busca dos fugitivos.

Mas eles estavam longe. Denis havia programado tudo e não deixou pistas. Inconformado, Gilbert os procurou durante cinco anos. Até que um dia finalmente conseguiu encontrá-los.

Eles tentaram fugir, mas foram presos e levados à presença de Gilbert, que, cego de ódio, mandou matar Denis diante dos olhos aterrorizados de Marie. Depois, prendeu-a em uma dependência do castelo e disse-lhe que ela teria o mesmo fim quando ele achasse que estava na hora e que ela precisava sofrer para pagar pelo mal que lhe fizera.

Desesperada, Marie sofria pela morte de seu amado. A cena que presenciara não lhe saía do pensamento. Desde aquele dia, jurou que haveria de vingar-se de Gilbert.

Sophie, a mulher que lhe levara o abortivo, acompanhara discretamente todos os acontecimentos. Querendo ajudar Marie, procurou os homens da milícia que Denis comandara e contou-lhes como seu chefe e amigo havia morrido. Revoltados, eles decidiram libertar Marie e vingar-se de Gilbert.

Aliaram-se a bandidos e, juntos, uma noite atacaram o castelo, matando Gilbert e libertando Marie. Mas os bandidos saquearam tudo. Marie, acolhida na casa de Sophie, perdeu todos os bens.

Ela estava livre, porém pobre. Tendo perdido o homem que amava, ela perdeu o prazer de viver. Sophie tentou ajudá-la, fazendo-a colaborar nos negócios, e ela saiu-se bem. Bonita, revelando bom gosto no vestir, conseguia atrair homens ricos, com os quais negociava.

Ela odiava os fidalgos, porque a faziam lembrar-se de Gilbert. Então, os atraía e negociava com eles, que, empolgados com sua beleza, faziam concessões.

Ela e Sophie começaram a enriquecer e Marie a ser conhecida como uma mulher sensual. Passou a ser disputada. Fascinada por usar o próprio poder e vencer com facilidade, Marie atraía os fidalgos ricos para extrair deles o que podia, abandonando-os depois, quando estavam arruinados.

Naquele tempo, mergulhada em energias perigosas, afundou na obsessão, vampirizada por entidades das trevas. Cometeu vários abortos, até que acabou morrendo vitimada por um infecção generalizada, provocada por um desses abortos.

Podem imaginar minha situação, acompanhando essa trajetória. Eu havia desencarnado dois anos depois do casamento dela com Gilbert. Durante esse tempo, fui auxiliada por amigos espirituais, estudei, aprendi, mas não pude evitar o que aconteceu com Marie.

Quando Denis morreu, eu e meus amigos recolhemos seu espírito. Ele estava tão revoltado, querendo defender Marie, que só foi possível retirá-lo do castelo fazendo-o adormecer.

Conduzido à nossa comunidade astral, recebeu tratamento. Índole boa, Denis compreendeu que para ajudar Marie precisava vencer o desejo de vingança, progredir espiritualmente. Esforçou-se, estudou, trabalhou. Com alegria, acompanhei sua elevação.

Contudo, não conseguimos ajudar Marie. Seus contínuos abortos lesaram os órgãos da fertilidade no corpo astral, e, apesar de desencarnada, ela continuava sentindo muitas dores. Além disso, devido a seu comportamento, atraíra para junto de si espíritos revoltados, que a vampirizavam sem cessar.

Foi então que encontrei Sophie. Ela estava bem, porém muito preocupada com a situação de seus familiares que viviam no mundo.

Trabalhamos durante muito tempo até que finalmente conseguimos que Marie pudesse ser recolhida a uma colônia de tratamento. Ela estava deprimida, sem vontade de viver. Até que recebeu a visita de Denis. Para ela, foi como um renascimento. Chorou muito e, auxiliada por ele, aceitou o tratamento necessário à sua recuperação.

Sophie foi de uma dedicação extrema. Conversava com Marie, tentando fazê-la entender a necessidade de se esforçar para conquistar uma vida melhor.

Quando chegou o momento de Marie reencarnar, ao saber que Denis não poderia ir, ela não quis aceitar. Seu estado não era bom. Continuava sofrendo dores, angústia, mal-estar. Era preciso que ela reencarnasse a fim de recuperar a saúde, restaurando a parte lesada de seu corpo astral.

Ela queria que Denis reencarnasse e eles pudessem ficar juntos. Foi-lhe dito que Denis havia progredido e, por estar com uma vibração mais rápida, não poderiam viver como marido e mulher. Mesmo que ele reencarnasse, a vida os afastaria. Por esse motivo, antes que pudessem retomar o amor que os unia, ela teria que se libertar das energias negativas que acumulara, melhorando seu padrão energético. Só assim teriam chance de retomar o amor que os unia.

Denis queria muito ajudá-la e recorreu aos seus superiores, que, estudando o caso, disseram que a única chance de Denis ficar junto dela na nova encarnação seria renascer como seu filho. Mas essa hipótese era difícil, uma vez que ela lesara seus órgãos reprodutivos e era quase certo que não poderia ter filhos.

Foi então que eu e Denis pedimos a Sophie que nos ajudasse. Ela estava se preparando para reencarnar. Ela havia reencontrado Renan, o grande amor de sua vida, de quem estava separada havia muito tempo.

Ele morava em uma dimensão superior e conseguira consentimento para ter um encontro com ela e juntos programarem uma nova vida na Terra, onde teriam oportunidade de, vencendo alguns desafios, continuarem juntos para sempre.

Eu acompanhei a alegria deles. Na noite em que os dois faziam projetos para o futuro, felizes, Sophie, notando minha tristeza por causa de Marie, disse:

— Eu gostaria de ajudar Marie e Denis. Se eu puder fazer alguma coisa, pode contar comigo.

Ela estava feliz, então fiz o pedido:

— Tenho receio de que Marie, vendo-se sozinha, volte a cometer os mesmos erros. Sinto que, se Denis estiver ao lado dela, tudo sairá bem. Ele quer nascer, no entanto Marie não vai poder ter filhos. Mas você pode.

— O que quer dizer?

— Você pode recebê-lo como filho e entregá-lo a ela. Estou certa de que, se ficarem juntos, ela sairá vencedora desta vez.

Sophie olhou para seu amado e disse:

— Eu gostaria muito de fazer isso. Mas não sei se na hora vamos querer dar um filho nosso para outra pessoa criar.

— Eu seria incapaz de fazer isso — respondeu Renan.

Eu não tive coragem de falar mais no assunto. Renan reencarnou primeiro; Sophie e Marie, três anos depois.

Os anos foram passando e Marie, agora com o nome de Maria Eugênia, tornara-se uma menina introvertida, revoltada, infeliz.

Tentamos aconselhá-la, mas ela recusava-se a nos ouvir. Quando ela se casou com Henrique, um rapaz bom e honesto, melhorou um pouco. Mas depois, quando descobriu que não poderia ter filhos, ficou pior.

Então, eu me lembrei da promessa que Sophie me fizera de ajudá-la e decidi procurá-la. Uma tarde em que ela estava esperando em uma sala na penumbra eu a tirei do corpo e conversamos.

Então eu lhe pedi que nos ajudasse e que, quando chegasse a hora, aceitasse a proposta que lhe seria feita.

A vida me concedeu uma oportunidade e, diante das dificuldades de Adele, eu lhe sugeri um plano de ação, visando a obter o bem de todos, mas principalmente a juntar Denis a Marie.

Norma fez uma pausa em sua narrativa e Marina, sem poder conter as lágrimas, soluçava emocionada. Rafael ouvia surpreendido, identificando-se com a história que estava sendo contada.

Norma continuou:

— Sophie cumpriu sua promessa. Permitiu que Denis nascesse e fosse viver ao lado de Marie. A presença dele fez com que Marie percebesse as qualidades que possuía, o lado bom que não conseguia enxergar. Tendo observado seus pensamentos, seu amor pela vida e pelas pessoas, acreditamos que ela tenha encontrado o caminho da redenção e da felicidade.

Devo dizer que os laços de amizade que nos unem consolidaram-se, tornando-se eternos. Tanto eu quanto os amigos que vocês têm no astral vibramos de alegria com sua felicidade. Do seu lado, Marina, está um amigo querido, que será o primeiro dos três filhos que vocês terão. Serão uma família feliz, na qual todos os membros terão abençoada oportunidade de progredir espiritualmente. Vocês merecem cada momento de felicidade que conquistaram. Obrigada por terem me ouvido. Que Deus os abençoe.

Rute calou-se. Cícero olhava em volta surpreendido. Ofélia e Marina tinham o rosto lavado em lágrimas. Rafael a custo dominava a emoção.

Ficaram em silêncio por alguns minutos. Cícero acendeu a luz e serviu um copo com água a cada um. Rute abriu os olhos, apanhou o copo e foi bebendo a água devagar. Depois, olhou em volta e disse admirada:

— Que coisa estranha... Eu dormi. Estive em um lugar lindo,

cheio de flores. Mas sinto que aconteceu alguma coisa aqui. O que foi?

— Um espírito chamado Norma falou por meio de você. Contou uma história linda, mas não entendi muito bem — respondeu Cícero.

Os outros continuavam calados. Por fim, Ofélia disse com certa euforia:

— O que aconteceu comigo hoje foi impressionante. Enquanto Norma falava, eu via todas as cenas como se fosse um filme. E eu também estava lá, costurando com Sophie. Eu estava lá! Eu era uma delas! Eu vivi aquela vida!

Marina levantou-se e abraçou-a.

— Sim mãe. Nós estávamos lá. Eu também vi as cenas. Enquanto eu vendia as mercadorias, você costurava. Vi claramente nós duas no castelo, conversando com Marie, ela nos fazendo confidências. Foi incrível.

Depois, voltando-se para Rafael, que as olhava admirado, ela continuou:

— E você também estava lá! Senti toda a emoção quando nos reencontramos e combinamos viver juntos como estamos agora.

Rafael passou a mão nos cabelos, respirou fundo e respondeu:

— Desde que ela começou a falar eu senti que conhecia essa história. Não vi as cenas como vocês, mas senti cada emoção. Mesmo antes que ela dissesse o nome de Henrique, identifiquei quem eram os personagens. Só não sabia que você estava envolvida.

Marina aproximou-se dele e abraçou-o com carinho.

— Perdoe-me. Sei que deveria ter lhe contado tudo. Mas não o fiz por dois motivos: primeiro porque tive medo de que me julgasse interesseira por receber dinheiro para fazer o que fiz. Segundo, esse segredo não era só meu, mas envolvia outras pessoas e eu havia jurado nunca contar nada a ninguém. Mas agora, depois do que ouvimos, não há como fugir. Sentem-se. Chegou a hora da verdade.

Todos se acomodaram ao redor da mesa e Marina, olhos perdidos nas lembranças, começou a falar. Não omitiu nada. Contou da revolta com o abandono do pai, do juramento para mostrar-lhe que poderiam viver bem sem ele, seu esforço trabalhando, estudando, lutando para conquistar seu espaço. Seu encontro com

Adele, sua recusa, seus sonhos com Norma e sua estada na fazenda. O nascimento do menino, suas emoções, o apoio de Adele e o que ela lhe contara sobre Henrique e Maria Eugênia. E concluiu:

— Agora vocês sabem de tudo. Não nego que o dinheiro que recebi contribuiu para apressar os projetos que eu tinha. Confesso que muitas vezes eu me condenei por haver aceitado esse dinheiro e foi Eunice quem me fez entender que eu me sentia assim por ser preconceituosa, por achar que o dinheiro era um mal. Ela me ensinou que ele é um valor necessário para quem vive no mundo poder realizar seus projetos. Ele é apenas um veículo, e depende de nós usá-lo para o bem ou para o mal. Sinto-me aliviada por haver lhes contado tudo.

Rafael segurou a mão dela e levou-a aos lábios com delicadeza. Depois, ainda apertando-a com carinho, disse:

— A primeira coisa que aprendi, tanto na profissão quanto estudando a espiritualidade, é a não julgar. Você fez o que sentiu que devia fazer. Escolheu esse caminho. Se tivesse recusado essa proposta, não sei como todos estaríamos hoje. Enquanto Norma falava, eu me lembrava das sessões de terapia com Henrique, quando ele me falava do bem que o nascimento de Dionísio fizera a toda a sua família, de como essa criança se apegara a Maria Eugênia mais do que a ele, mostrando claramente o quanto eles eram ligados. Disse ainda quanto eram gratos à mulher que ofereceu seu corpo para que Dionísio pudesse nascer. E eu sinto que o espírito desse menino é muito elevado, tanto que sua presença, seu amor, trouxe alegria, equilíbrio, paz, felicidade a todos que o cercam.

— Você está certo. Durante o tempo em que vivi na fazenda e ele estava comigo, dentro de mim, fui muito feliz. Foi um tempo cheio de paz, de calma, quando aprendi muito. Conheci pessoas maravilhosas. Por certo, a presença dele também me fez bem.

— Estou maravilhada — disse Rute. — Há tanto tempo estudando a espiritualidade, nunca havia participado de um fenômeno como o desta noite. Creio que tenha sido extraordinário, mas não me recordo de nada do que Norma disse. Gostaria muito de ouvir esse lado da história.

Ofélia levantou-se e disse:

— Enquanto alguém conta, vou fazer um café. Acho que, depois de tudo, todos precisamos de um.

Eles riram contentes. Enquanto ela foi à cozinha preparar o café, Marina, de mãos dadas com Rafael, começou a contar o que Rute queria saber.

Momentos havia em que ele interferia, salientando alguns detalhes, comentando os fatos à luz das leis cósmicas que regem a vida.

Quando Marina terminou, ele complementou:

— Esta noite fomos abençoados por revelações do nosso passado. Para mim, representaram uma preciosa aula de como a vida reage às nossas escolhas. Que elas sirvam para que continuemos pautando nossas vidas procurando fazer nosso melhor, porque assim estaremos garantindo um futuro de progresso e de felicidade.

— Concordo — tornou Marina. — Às vezes, em minha profissão, encontro obstáculos a essa atitude. As leis humanas tentam proteger os justos e castigar os corruptos, mas elas são executadas por pessoas, e é nesse particular que acabam sendo desvirtuadas, acobertando a desonestidade, disseminando injustiças. Embora nunca tenha compactuado com elas, muitas vezes me senti impotente para garantir que a justiça fosse feita, o que sempre me deprime. Contudo, depois que comecei a estudar a espiritualidade, descobri que, apesar das aparências, ninguém escapa à ação das Leis Divinas. Hoje, quando faço tudo o que posso e não ganho a causa como desejaria, embora tenha dado o meu melhor e utilizado todos os recursos legais para tentar reverter a situação, entrego o caso nas mãos de Deus. Sei que isso aconteceu porque meu cliente precisava passar por essa experiência.

— Sei o que quer dizer — respondeu Rafael. — Eu também, diante de certos casos difíceis, quase insolúveis aos olhos da psiquiatria, também me senti impotente me perguntando por que esses fatos aconteciam. Ficava angustiado, nervoso, acabrunhado, estudando mais para ver se encontrava alguma saída. Hoje sei por que não conseguia. Nesse particular, estou tendo a mesma atitude que você. E sabe o que descobri?

Rafael fez ligeira pausa e, vendo que os outros três balançaram a cabeça negativamente, ele concluiu:

— Que estando em paz, confiante na ajuda espiritual, algumas soluções começaram a aparecer em minha mente. Algumas muito boas, que, quando utilizadas, deram excelente resultados.

O caso de Henrique foi um deles. Algumas sugestões que lhe dei me ocorreram em um momento desses, em que estava ligado com a espiritualidade e em paz.

Rute considerou:

— Tenho aprendido que, para resolver qualquer desafio, o primeiro passo é tentar manter o equilíbrio. Nesses momentos, eu me ligo logo com Deus, tento relaxar e conservar a paz, pensar no bem. Nosso primeiro impulso é fazer o contrário: imaginar todo mal possível. Às vezes temos de usar toda a nossa força mental para não dar importância a esses pensamentos. Quando conseguimos, os resultados são maravilhosos.

— Não é fácil conseguir isso — disse Cícero.

— No começo pode não ser — respondeu Rute. — Mas, se você continuar tentando, acabará conseguindo. Você sentirá a própria força e isso lhe dará muito prazer e mais confiança em si.

Ofélia voltou à sala com uma bandeja que colocou sobre a mesa.

— Cícero, vá até a cozinha e pegue o prato com o bolo.

— O cheiro do café está bom demais! — comentou Rafael.

— O bolo de Ofélia é imperdível — tornou Rute, sorrindo.

Cícero voltou. Enquanto Marina servia o café, Ofélia distribuía generosos pedaços do bolo.

No gostoso aconchego daquele momento, eles continuaram conversando, comentando os fatos inesperados daquela noite.

Norma, tendo ao lado dois amigos espirituais, sorria contente. Por fim, disse aos companheiros:

— Este é o lar onde vocês vão reencarnar. Nem todos têm a felicidade de encontrar um ambiente tão favorável.

Os dois concordaram e depois, abraçados, saíram e, em poucos segundos, desapareceram rumo ao infinito.

25

Na noite seguinte, na cama, deitado ao lado de Marina, Rafael voltou ao assunto.

— Henrique me ligou hoje renovando o convite para jantar em sua casa. Eu disse que você não poderia ir. Ele transferiu para o sábado seguinte. O que deseja fazer?

Marina suspirou pensativa:

— Não sei. Eu gostaria de ir, ver Dionísio, mas tenho medo.

— Do quê?

— De me emocionar, ser reconhecida.

— Você disse que Adele nunca revelou sua identidade. Nem sequer viram seu retrato. Depois do que aconteceu ontem, penso que a vida quer nos aproximar.

— Também sinto isso. Mas não será apenas uma impressão minha, o desejo inconsciente de ver Dionísio?

Rafael meneou a cabeça negativamente:

— Não. Se fosse isso, nossos amigos espirituais não teriam se dado ao trabalho de vir nos falar sobre o passado. Norma disse que pertencemos à mesma família espiritual e que estamos unidos pelos laços do espírito.

— Acredita que seria bom irmos?

— Tudo leva a crer que sim. Temos aprendido a observar os

sinais que a vida nos dá. Eles têm surgido em nosso caminho com insistência.

— Ainda estou insegura. Vamos esperar mais alguns dias e ver o que acontece.

— Está bem.

— Norma disse que vamos ter três filhos. Acho que o primeiro já está a caminho.

Rafael sentou-se na cama e abraçou-a contente:

— Tem certeza?

— Ainda não. Mas tudo indica que sim. Há quase dois meses minha menstruação sumiu.

Rafael beijou-a com carinho.

— Temos que ter certeza. Amanhã mesmo vamos fazer os exames.

— Estou muito feliz. No momento, ter um filho é o que eu mais quero.

— Eu também.

— Não vamos contar a ninguém antes de ter certeza. Eu gostaria que fosse um menino.

— Pois eu gostaria que fosse uma menina, linda como você.

Abraçados, continuaram fazendo planos para o futuro.

***

No dia seguinte, o exame confirmou: Marina estava grávida.

A notícia foi motivo de alegria para toda a família. Marina sentia-se realizada. Desta vez, ela teria o prazer de preparar todo o enxoval, decorar o quarto para receber o bebê.

Dois dias depois, Rafael marcou consulta com um obstetra seu amigo, que a examinou e constatou que tudo estava bem. Parabenizou-os pela notícia, deu algumas orientações e pediu alguns exames de praxe.

Ao saírem do prédio, passava das quatro e Marina disse:

— Hoje não vou voltar mais ao escritório. Você tem alguma consulta?

— Eu tinha, mas desmarquei. Deixei esta tarde livre para cuidar de você.

— Nesse caso, vamos comer alguma coisa. Estou com fome.

— Percebi que você quase nem almoçou. Há uma confeitaria perto daqui. Vamos tomar um lanche.

O salão de chá era elegante e estava lotado. Alguns violinos animavam o ambiente, tocando música alegre e agradável.

Felizmente, conseguiram uma mesa e sentaram-se. A garçonete aproximou-se sorridente. Rafael indagou a Marina:

— O que você vai querer?

— Hoje quero tudo a que tenho direito. Depois vou seguir as recomendações do médico e manter um regime adequado.

— Dois chás completos — pediu Rafael sorrindo.

Pouco depois, o chá foi servido e a mesa foi coberta de guloseimas deliciosas. Marina parecia uma criança. Serviu-se e começou a comer, saboreando tudo.

Rafael olhava-a divertido. Foi nesse momento que uma voz conhecida disse alegre:

— Doutor Rafael!

Eles olharam para o lado e viram Henrique em pé diante deles. Rafael levantou-se imediatamente. Marina quase se engasgou com o pastelzinho que comia.

— Henrique! Que prazer vê-lo! Esta é minha esposa.

Marina pousou a xícara no pires. Henrique, vendo que ela fazia menção de levantar-se, disse:

— Por favor, não se incomode!

Estendeu a mão, que ela apertou delicadamente.

— Estou à procura de uma mesa, mas parece que este lugar hoje está lotado.

— Pode sentar-se conosco — convidou Rafael.

Henrique hesitou:

— É que estou com Maria Eugênia e Dionísio. Eles estão esperando no saguão.

Marina interveio:

— Vá buscá-los. Será um prazer tê-los conosco.

Ele sorriu:

— Vou aceitar porque prometi a Dionísio que o traria aqui hoje. Não quero decepcioná-lo.

— Não se acanhe. Será um prazer.

Quando ele se foi, Rafael tornou:

— Você queria um sinal. O que acha deste?

Marina não teve tempo de responder: Henrique e Maria Eugênia, trazendo o menino pela mão, aproximaram-se.

Feitas as apresentações, eles se acomodaram e pediram o que desejavam. Marina observava Dionísio, dissimulando a curiosidade. Era um menino lindo, forte, corado, parecido com o pai, olhos verdes e brilhantes e um cativante sorriso.

Maria Eugênia, sentada ao lado de Marina, sorriu para ela.

— Obrigada por nos ceder este espaço. Não pensávamos que estivesse lotado. Fomos levar Dionísio para conhecer uma escola e havíamos prometido trazê-lo aqui. Ele veio uma vez no aniversário de um amiguinho e adorou.

— Este lugar é muito agradável.

Maria Eugênia, sentada ao lado de Dionísio, servia-o com carinho, atenta a seus mínimos gestos, cuidando para que nada lhe faltasse. Havia amor em seus olhos quando o fitava.

Marina observava, comovida, que o menino tinha para com ela gestos de carinho, segurando sua mão, sorrindo para ela, reclamando sua atenção quando Maria Eugênia se entretinha conversando com os demais.

Notou também que havia entre eles uma cumplicidade afetiva muito especial, o que a fazia recordar-se da história que Norma contara sobre eles.

Marina não tinha dúvidas de que eles estavam ligados pelo amor. Para ela, essa realidade era motivo de alegria, uma vez que se sentia feliz por haver possibilitado que se encontrassem de novo.

Rafael trocava idéias com Henrique sobre espiritualidade, contando suas experiências com alguns casos que observara de perto. Henrique ouvia com interesse, fazendo algumas perguntas, externando opiniões. A conversa fluía com naturalidade e o ambiente era agradável.

Marina olhava Dionísio com admiração e interesse. Maria Eugênia notou e Marina apressou-se a dizer:

— Seu filho é muito lindo. — E, baixando a voz, continuou: — Estamos voltando do médico. Acabamos de descobrir que estou grávida. Estou olhando para ele porque gostaria que meu filho fosse bonito e saudável assim.

Maria Eugênia sorriu e respondeu:

— Parabéns! É o primeiro?

— Sim.

— Ser mãe é uma coisa maravilhosa, você vai ver. Dionísio nos trouxe felicidade, deu novo sentido à nossa vida. Para mim, ele é o bem mais precioso do mundo.

Dionísio entretinha-se com uma taça de sorvete de creme com pedacinhos de chocolate, divertindo-se em procurar cada pedacinho, degustando-os com prazer.

Enquanto os dois homens falavam sobre espiritualidade, as duas trocavam idéias sobre a maternidade. Marina queria saber tudo sobre os primeiros cuidados com o recém-nascido e Maria Eugênia explicava com prazer.

Em dado momento, ela disse sorrindo:

— Dionísio! Você está melado! Olhe suas mãos! Vamos ao toalete. Com licença.

Marina levantou-se:

— Eu a acompanho.

Ela queria aproveitar ao máximo aquela chance inesperada de observar o menino.

Quando elas foram, Henrique disse:

— Que bom encontrá-los aqui. Eu e Maria Eugênia temos muitos conhecidos com os quais convivemos socialmente, mas poucos amigos. Entretanto, com vocês sinto como se fôssemos íntimos de longa data. Nunca vi Maria Eugênia tão à vontade, tão falante, como agora com sua esposa. Parece que se conhecem há muito tempo.

— Elas possuem interesses em comum. Marina está grávida.

— Parabéns! Maria Eugênia é mãe extremosa. Ela e Dionísio são muito apegados. Um não fica sem o outro.

Rafael ficou pensativo por alguns instantes, depois disse:

— Pensando em nosso relacionamento, que foi além do habitual entre um paciente e seu médico, e na facilidade com que Marina se entendeu com sua esposa, acredito que já nos conhecemos de outras vidas.

— Pode ser mesmo. Estudando os fenômenos de reencarnação, várias vezes pensei que esse apego entre Maria Eugênia e Dionísio revela que eles não só se conheceram em outras vidas como se gostavam. Desde pequenino ele demonstrava afeto por ela. Seu rostinho se iluminava quando ela o tomava no colo ou o acariciava. E, conforme o tempo foi passando, cada vez mais ele mostrou quanto a amava.

— É natural o afeto entre mãe e filho. Mas a recíproca também é verdadeira. Já tive casos em que o filho, desde bebezinho, chorava quando a mãe o pegava no colo. Houve um que me impressionou muito. Quando a mãe pegava o menino, ele chorava tanto que o marido brigava, insinuando que ela o beliscava de propósito.

— Nesse caso, o filho teria sido um inimigo dela em outras vidas.

— É a única forma de podermos entender um caso assim.

— Essa não deve ser uma tarefa fácil para os pais.

— Não é mesmo. Mas, apesar de tudo, tanto a mãe quanto o filho, com o decorrer do tempo, vão se questionar sobre essa animosidade e tentar melhorar esse relacionamento. Algumas vezes conseguem; outras, não.

— Isso vai depender de muitos fatores, além da boa vontade de cada um.

— Creio que quando a vida une essas pessoas, colocando-as na mesma família, lhes dá oportunidade para eliminar assuntos mal resolvidos de outras vidas. Embora elas não se recordem dos fatos passados, em seu inconsciente as conseqüências deles estão lá, interferindo em sua maneira de pensar, de agir, dificultando o equilíbrio físico, emocional e espiritual.

— Nesse caso, o conhecimento sobre reencarnação poderia ajudá-los a compreender o que facilitaria o processo.

— Pelo contrário. Recordar o passado poderia dificultar a relação. Mas às vezes, mesmo ignorando o que houve, a rejeição é tão forte que uma vida não é suficiente para acabar com a questão. Em todo caso, sabendo que a vida não joga para perder, quando ela une essas pessoas, é porque elas têm condições de vencer.

— Esse pensamento ajuda a discernir e a tentar melhorar.

Marina e Maria Eugênia estavam de volta com Dionísio, rosto lavado, cabelinho penteado.

— Como você está lindo! — exclamou Henrique sorrindo.

— Mamãe já me disse isso! — respondeu ele, levantando o rosto com altivez.

— Sua mãe vai deixar você muito convencido! — brincou Henrique.

Dionísio abraçou a mãe, que havia se sentado, dizendo com carinho:

— Mamãe linda!

Os olhos de Marina brilharam emocionados e ela tentou dissimular.

— Está na hora de irmos — disse Maria Eugênia ao marido.

Ele chamou a garçonete e pediu a conta.

— Deixe comigo — interveio Rafael.

Henrique, no entanto, fez questão de pagar. Rafael e Marina agradeceram. Na despedida, Henrique lembrou:

— Vamos marcar aquele jantar. Pode ser neste sábado?

— Tenho que olhar na agenda — respondeu Rafael. — Telefonarei amanhã, está bem?

— Quero mostrar-lhe um livro antigo que descobri sobre materialização — disse Henrique.

— Será um prazer.

Despediram-se e saíram. Rafael sentou-se novamente e, vendo que Marina continuava calada, perguntou:

— E então?

— Ainda estou perplexa.

— Mas foi bom você poder conhecer Dionísio, ver como ele está bem.

— Foi maravilhoso! É surpreendente como ele a ama! Penso que foi isso que a vida quis me mostrar.

— Foi mais do que isso. Este encontro nos trouxe a confirmação de que tudo quanto Norma nos contou foi verdade.

— É mesmo. Aliás, nós nunca duvidamos, mas estar diante dos fatos é motivador. Sinaliza que estamos no caminho certo.

Ele concordou e, em seguida, decidiram ir para casa.

***

Ao sair da casa de chá, enquanto se acomodavam no carro, Henrique comentou:

— Foi bom termos encontrado Rafael e a esposa. Eu me sinto

muito bem ao lado dele. E, pelo que notei, sua esposa também é muito agradável.

— De fato. Ao vê-la, tive impressão de que a conhecia de algum lugar.

— Deve ser do centro de estudos. Ela é voluntária lá.

— Deve ser isso. Acho mesmo que a vi por lá. Ela está esperando o primeiro filho e muito ansiosa para saber como cuidar dele quando chegar.

— Por esse motivo a conversa entre vocês ficou animada.

— De fato. A experiência com Dionísio foi tão boa que se eu pudesse teria mais filhos.

— Você diz isso porque Dionísio é um menino adorável. É muito bom tê-lo conosco.

Ela sorriu contente. O menino, acomodado no banco traseiro, adormecera. Ela apanhou uma manta e o cobriu com carinho.

Eles chegaram em casa e Henrique levou Dionísio para a cama. Maria Eugênia tirou-lhe os sapatos e cobriu-o. Ele nem acordou.

— Ele brincou tanto que está dormindo largado.

Eles saíram do quarto. Enquanto Maria Eugênia ia cuidar de seus afazeres e programar uma comida leve para o jantar, Henrique foi ao escritório apanhar um livro e sentou-se calmamente para ler.

Estava tão relaxado, acomodado em gostosa poltrona, a sala em penumbra, que acabou adormecendo.

Sonhou que caminhava por um lugar cheio de flores perfumadas, onde uma mulher muito bonita sorriu para ele e disse:

— Está tudo certo. Confie sempre.

Ele concordou, mas nesse momento viu-se em outro lugar. Estava escuro e uma névoa pesada dificultava a visão. Ele caminhava um pouco assustado, sem saber onde estava, quando, de repente, uma mulher pálida, rosto encovado, cabelos ao vento, apareceu diante dele:

— Era você mesmo que eu queria ver. Você vive feliz enquanto eu estou sofrendo nesta vida miserável. Isso não é justo. Você é o culpado. Por sua causa fiquei neste estado. Não desisti. Vou cobrar tudo o que me deve. Nunca o deixarei em paz.

Henrique sentiu uma tontura e um odor desagradável. Queria fugir, desaparecer, mas não conseguiu.

— Você não vai livrar-se de mim. Desta vez vou conseguir o que quero.

Segurou a mão dele e arrastou-o através da neblina. Ele estava apavorado. A mão dela segurava a sua e ele tentava desvencilhar-se, sem conseguir.

Chegaram a uma pequena clareira e Henrique viu que estavam diante de uma tapera. Ela, sem largar a mão dele, empurrou a porta e entraram.

O lugar era pobre, triste, poucos móveis. Ela o levou até uma cama em um canto do aposento, onde havia um menino deitado, parecendo morto.

Henrique lembrou-se do pesadelo; era a mesma mulher, o mesmo menino.

— A culpa é sua — gritava ela. — Eu quero meu filho de volta. Você o matou e o levou de mim. Mas vai pagar por tudo isso. Eu jurei. Agora você dá tudo a esse menino que arranjou, que roubou o lugar do meu filho. Mas você não vai ficar com ele. Vai pagar pelo que me fez. Farei tudo para tirá-lo de você!

Henrique pensou em Dionísio e sentiu aumentar seu horror. Aquilo não podia acontecer. Pensou em Deus, pedindo-lhe que afastasse aquela mulher de seu caminho. Em seguida acordou.

Seu coração batia acelerado, suas mãos estavam frias, e um medo horrível o deixava sem ar.

"Foi um pesadelo! O pesadelo voltou", pensou ele.

Procurou se acalmar, depois foi à copa procurar um copo com água. Maria Eugênia, vendo-o, assustou-se:

— O que foi, Henrique? Você está pálido. O que aconteceu?

Ele tomou a água, depois respondeu:

— O pesadelo voltou. Mas desta vez foi mais forte.

— Que pesadelo foi esse? Você nunca me disse nada.

— Uma mulher horrorosa que me persegue, tendo ao lado um menino morto. Ela me odeia.

— Não penso que seja apenas um pesadelo. Parece mais um espírito que o está perseguindo.

— É a segunda vez que sonho com ela e com o menino. Eu contei este sonho a Rafael e ele me aconselhou a procurar ajuda espiritual.

— Nesse caso, é melhor irmos falar com d. Eunice.

— Fale com ela, pergunte se pode nos receber. Farei qualquer coisa para não ter esse sonho de novo.

Para não deixar Maria Eugênia preocupada, ele não contou que a mulher ameaçara Dionísio.

— Vou ligar e saber se ela poderá nos atender ainda hoje.

— Faça isso.

Maria Eugênia conversou com Eunice, que concordou em recebê-los. Depois, aproximou-se de Henrique, que aguardava sentado na sala.

— Ela vai nos atender hoje às oito.

— Ainda bem. Sinto-me angustiado, nervoso. Tenho a impressão de que está para acontecer algo muito ruim, uma tragédia.

— Você ficou impressionado. Não vai acontecer nada. Somos pessoas de bem, estamos protegidos. Vamos confiar.

Henrique lembrou-se da mulher que vira em meio ao jardim florido.

— Tem razão. Logo que adormeci, sonhei com uma mulher linda, em um jardim maravilhoso, que me disse que tudo estava certo e que eu deveria confiar.

Maria Eugênia sorriu e disse:

— Senti que estamos protegidos e que precisamos confiar. O medo nos enfraquece. Se queremos evitar as coisas ruins, temos que não lhes dar força. Nada de mau vai nos acontecer.

— É, você está certa. Não sei por que este pavor. Nunca fui medroso.

— Calma. Está tudo bem.

Henrique não quis jantar e esperou ansiosamente a hora de ir ao encontro de Eunice. O tempo custava a passar. Maria Eugênia, notando a inquietação dele, fez o possível para entretê-lo, dizendo coisas positivas e alegres.

Faltavam dez minutos para as oito e eles já estavam na sala esperando o encontro com Eunice.

Pouco depois, foram conduzidos à sala dela, que os cumprimentou com carinho e pediu que se sentassem diante de sua mesa, enquanto ela se acomodava do outro lado.

Antes que ele falasse, ela tornou:

— O passado nos procura quando surge a oportunidade de

resolvermos velhos problemas inacabados. O ressentimento, a falta de conhecimento dos fatos criam disputas e o orgulho geralmente acaba por empurrar-nos para um círculo vicioso que, alimentado, pode nos prejudicar por muito tempo. Esse é o seu caso.

— Por que essa mulher me persegue? Não a conheço, não me lembro de nada. Mas sinto que ela me odeia.

— Digamos que, enquanto você aprendeu, evoluiu, mudou seu padrão mental, ela se manteve presa ao rancor, alimentando desejo de vingança, e isso a tem mantido longos anos presa a uma trágica experiência do passado.

— Ela me mostra um menino morto e me acusa de assassino. Tenho estudado os fenômenos espirituais, sei que vivi outras vidas, mas será que cometi esse crime? Quando ela me acusa, sinto culpa.

— Não entre nesse sentimento. É comum espíritos desequilibrados se aproveitarem do fato de que um encarnado esquece o passado para cobrar culpas inexistentes, tentando assim baixar o padrão mental para, aí sim, poder dominá-lo.

— Poderia estar acontecendo isso?

— Poderia. Mas, mesmo que não esteja, cultivar a culpa seria baixar seu padrão energético, o que não seria adequado, de qualquer forma.

Henrique ficou calado por alguns instantes, depois disse:

— Em todo caso, desejo dizer que o problema de uma mulher que chora o filho morto me sensibiliza muito. Tenho um filho que adoro. Posso avaliar o que ela sente. Quero dizer que, se eu de fato fiz algum mal a ela ou a esse menino, lamento muito e estou disposto a fazer o que for possível para ajudá-los.

— Esse é um pensamento bom. Se o caso dela foi trazido a você, é porque chegou o momento de essa mulher ser auxiliada.

— Não sei como fazer isso — disse Henrique.

— Vamos fazer o seguinte: hoje você vai receber um tratamento energético para equilibrar suas energias. A inquietação, o nervosismo, o mal-estar vão desaparecer. Você ficará bem.

— E quanto ao caso da mulher?

— Ela está no limite de suas forças. Só o ódio a alimenta. Temos que estudar a melhor forma de ajudá-la. Vou consultar nossos guias espirituais e pedir orientação. Assim que tiver uma resposta, eu os avisarei.

— Durante esse tempo, o pesadelo não vai se repetir?

— Penso que não. A moça que você viu no jardim era um espírito bom. Ela permitiu seu encontro com aquela mulher para chamar sua atenção a fim de que nos procurasse. Já que conseguiu o que pretendia, ficará aguardando nossas providências a respeito. Durante esse tempo você estará protegido.

— Ainda bem. Não gostaria de passar por aquilo de novo.

Eunice chamou uma assistente e pediu que os conduzisse ao tratamento. Depois que eles saíram, Eunice pensou: "Vou consultar, mas minha parte já sei como fazer".

Depois, elevou seu pensamento e agradeceu a Deus pela oportunidade de poder ajudar.

26

Dois dias depois, Eunice ligou para Henrique. Após os cumprimentos, ele perguntou:

— Então, tem uma resposta?

— Sim. Meus amigos espirituais os convidaram para uma reunião especial para o caso.

— Quando?

— Hoje, às oito da noite, aqui no centro de estudos. Vocês poderão vir?

— Estaremos aí.

Assim que Henrique desligou, lembrou-se do pesadelo e sentiu um aperto no peito. Uma sensação de medo o invadiu.

Fazer uma sessão especial não iria atrair aquela mulher de novo? Agora que ele se sentia bem, talvez fosse prudente não mexer com ela. E se ela voltasse a persegui-lo?

Henrique sentiu alguns arrepios e, nervoso, foi tomar um copo d'água. Depois respirou fundo. Sentia-se inseguro, com medo. Começou a pensar que talvez fosse melhor não ir.

Passou o dia agitado, sem conseguir colocar atenção no trabalho. No fim da tarde, ligou para Rafael.

— Dona Eunice marcou uma sessão para hoje à noite. Eu estava tão bem, mas depois disso fiquei indisposto. Sinto arrepios, não consigo me concentrar no trabalho. Talvez fosse melhor não ir. O que acha?

— Ao contrário. Agora é que você precisa ir.

— Como assim?

— O que você está sentindo não é seu. São eles, os espíritos que o estão envolvendo, que reagem e não querem ir a essa reunião. Têm medo de serem responsabilizados por seus atos e serem obrigados a deixá-lo em paz.

— Mas sou eu que estou sentindo.

— Eu sei, mas você está captando a energia deles.

— Tem certeza?

— Sim. Quando isso acontece, parece que é você quem tem esses sentimentos.

— Quisera ter essa certeza.

— Se isso serve para acalmá-lo, digo que eu e Marina também fomos chamados a participar dessa reunião. Estaremos lá.

Henrique suspirou aliviado:

— Nesse caso, fico mais calmo mesmo. Certamente, d. Eunice o chamou porque sabe que é meu médico e ficarei mais seguro se estiver conosco.

— Pode ser — disse Rafael, pensativo. — Não se preocupe. Estaremos lá dez minutos antes. Em todo caso, ao ir se aproximando a hora da reunião, você poderá sentir aumentar sua inquietação, mas fique firme. É uma reação natural, e eu até a considero promissora. Quando eles demonstram medo, é porque sentem que não vão poder resistir à força da luz.

— Farei o possível. Foi bom falar com você.

— Você não está em condições de trabalhar. Vá para casa, relaxe. Confie na ajuda espiritual e não se deixe envolver pelo medo. Tudo vai dar certo.

— É o que vou fazer. Obrigado e até a noite.

Henrique desligou o telefone e foi para casa. As palavras de Rafael o acalmaram, mas apesar disso ele sentia que o medo, a inquietação, o nervosismo ainda o estavam rondando. Esforçou-se para reagir.

Ele não estava só. Dedicados amigos espirituais zelavam pela sua paz, ainda que ele não os pudesse ver. Quando um pensamento de medo o acometia, ele pensava que estava protegido e que nada de mau lhe aconteceria.

Faltavam quinze para as oito quando Henrique e Maria Eugênia chegaram ao centro de estudos espirituais. Uma assistente conduziu-os a uma sala, onde havia uma mesa, algumas cadeiras, um aparador com um vaso de flores e a bandeja com jarra de água e copos.

A sala em penumbra estava iluminada por uma luz azul. Eunice os esperava e, para surpresa deles, lá também estavam Adele e Bernardo.

Uma música suave enlevava o ambiente. Apesar da inesperada presença de Adele, eles permaneceram em silêncio.

Eunice pediu-lhes que se sentassem ao redor da mesa, onde já estavam uma moça e um rapaz. Rafael e Marina entraram e foram acomodados também.

Marina olhava em volta surpreendida, emocionada, perguntando-se:

"Por que será que nos reuniram aqui?".

Rafael notou que ela estava nervosa. Segurou sua mão para mostrar seu apoio.

Eunice sentou-se à cabeceira da mesa e fez uma prece pedindo a assistência dos amigos espirituais. Depois disse:

— Vamos continuar orando em silêncio.

Henrique sentia as mãos frias e a custo dominava o nervosismo. Maria Eugênia, mais calma, sentia que alguma coisa muito importante ia acontecer ali.

Adele também se perguntava por que todos os participantes de seu segredo, que haviam prometido não se aproximarem uns dos outros, estavam reunidos, quase sem querer, por uma força maior, que ela sentia, mas não saberia explicar.

Rafael, reverente, elevava o pensamento, sentindo que um calor brando e agradável o invadia, fazendo-o sentir uma sensação de alegria e de amor.

Pouco depois, a moça começou a chorar, dizendo aflita:

— O que ainda querem? Por que estão todos contra mim? Já não chega o que me fizeram, e ainda me perseguem? Não é justo. Não posso aceitar.

Eunice levantou-se e aproximou-se da médium:

— Até quando você vai continuar se colocando na posição de vítima? Não está cansada de chorar e alimentar seu sofrimento?

— Você diz isso porque não foi o seu filho que ele matou cruelmente.

— Você sabe que não é verdade.

— Claro que é! Acha que estou mentindo? Não está vendo-o aqui, em meus braços?

— Essa é uma ilusão que você alimenta porque se recusa a aceitar os fatos. Faz tempo que seu filho não está mais em seus braços. Você carrega uma imagem que cristalizou e pretende com ela manipular as pessoas. Veja o que eu faço com ela.

Eunice passou as mãos várias vezes ao redor da médium, que gritou:

— Não! Você não vai destruir minhas recordações! Isso é tudo o que me restou. Não pode fazer isso comigo.

— Você se aprisionou na revolta e se recusou a continuar seu caminho. Todos que viveram com você naquele tempo progrediram, evoluíram, conquistaram uma vida melhor. O menino que foi seu filho hoje é um espírito lúcido, amoroso, feliz.

— Isso não é verdade. Ele continua comigo, em meus braços. Eu nunca o libertei.

— Ilusão. Só ilusão. Há muito que ele foi embora. Veja o que faço com esse boneco que você carrega.

Eunice continuou passando as mãos ao redor da médium, enquanto ela gritava:

— Não! Não vou deixar. Por favor, não tirem o meu filho. Não! Onde está ele? Para onde o levaram?

— O fardo que você carregava não tinha vida. Não era ele.

— Vocês o levaram. Para onde? Eu já sei quem é o culpado. Ele foi o assassino. Agora quer tirá-lo de mim. Mas isso não vai ficar assim. Eu vou tirar o filho dele. Agora estão felizes, mas eles têm de pagar o que me fizeram. Vou levar o menino deles para que possam sentir o mesmo que eu quando perdi meu filho.

Henrique tremia apavorado, sentindo que ela se referia a Dionísio. Os demais sentiam a mesma coisa. Todos, emocionados, oravam em silêncio.

— Ameaçar agora não vai ajudar. Apesar da sua atitude hostil, todos estão desejando seu bem, orando em seu favor.

— Não creio. Eles me odeiam.

— Não, há muito a perdoaram. É hora de você enxergar a verdade.

— Eu não vou esquecer. Eles vão pagar.

— Você está cansada. Reconheça que deseja paz.

— Não posso ter paz.

— Se você aceitar a ajuda que lhe está sendo oferecida, eu lhe mostrarei onde seu filho está.

— Não acredito. Ele está morto.

— Você também morreu na Terra, mas continua viva.

— Não vai me convencer. Jurei vingança e vou acabar com aquele intruso.

— Peço a todos que mentalizem luz.

A médium calou-se durante alguns segundos. Depois gritou:

— Vocês o trouxeram para desafiar-me. Vou acabar com esse menino! Quem o mandou se intrometer?

Eunice viu que Dionísio em espírito entrou na sala, trazido por dois amigos espirituais, e parou diante da queixosa mulher, olhando-a com amor e estendendo-lhe os braços.

Aos poucos, a fisionomia dele foi se transformando.

— Veja — tornou Eunice. — Você não o reconhece?

— É meu filho! Ele é meu filho! — gritou ela, chorando compulsivamente.

Todos continuavam orando, e aos poucos a moça foi se acalmando:

— Meu Deus! Eu não sabia! Por que ele se escondeu em um corpo diferente?

— Ele reencarnou. Veja como está bem.

— Meu filho! Quanto tempo! Será que pode me perdoar?

Eunice viu quando o menino se aproximou e abraçou a mãe, que chorava emocionada.

Os presentes, tomados de emoção, não continham as lágrimas. Depois de alguns instantes, Eunice tornou:

— Anne, despeça-se dele. Ele precisa ir embora. Agradeça a Deus pela ajuda que recebeu.

— Não. Eu não quero que ele vá. Quero ficar ao lado dele para sempre.

— Por ora é impossível. Mas, se concordar em fazer um tratamento, esforçar-se para melhorar, um dia poderá ficar ao lado dele.

Eunice viu que Dionísio foi levado e Anne pediu:

— Deixe-me vê-lo um pouco mais. Farei o que me pedirem.

— Ele não pode ficar. Acalme-se, tudo vai ficar bem. Veja: a enfermeira veio buscá-la. Vá com ela.

A médium respirou fundo, estremeceu levemente e não disse mais nada.

Eunice sentou-se novamente e pediu:

— Continuemos em prece.

O silêncio se fez. Pouco depois, o rapaz ao lado de Eunice começou a falar:

— Eu sou Norma. Hoje conseguimos realizar um dos nossos projetos. Vocês conseguiram vencer alguns assuntos mal resolvidos do passado e daqui para a frente poderão desfrutar de um tempo melhor.

Estão dispostos a seguir pela inteligência ao invés de ir pela dor, e isso nos alegra muito. Outro dia relatei a um dos casais aqui presentes fatos do passado que deram origem aos acontecimentos de agora. Se eles assim o desejarem, quando eu me for, poderão contar aos demais.

Falei sobre minha filha Marie; minha amiga Sophie; Denis, o amor de Marie; mas faltava falar sobre Gérard. O que ainda não contei foi que depois de haver sido assassinado cruelmente por Gilbert, Denis tornou-se revoltado. Não se conformava de haver sido arrancado dos braços de Marie e planejava vingar-se.

Tentamos convencê-lo a seguir conosco para tratamento, porém ele não quis. Enquanto planejava vingar-se, acompanhava os passos de Marie, desesperando-se ao assistir a suas relações com outros homens.

Cego pelo ciúme, juntou-se a um bando de vingadores com os quais fez um pacto. Durante anos, não conseguimos fazer nada em seu favor. Contudo, chegou o dia em que Marie regressou ao astral. Era a oportunidade que ele esperava para ficarem juntos. Foi esperá-la ansioso.

Vendo-o, ela atirou-se em seus braços, dizendo que nunca mais se separariam. Mas o passado havia deixado suas marcas em cada um, e o ciúme de Denis, recordando a vida devassa que ela levara, provocava contínuas discussões e cobranças, infernizando-os. Além do mais, havia os compromissos que ambos haviam feito com grupos de espíritos que lhes cobravam sem cessar os favores que diziam haver-lhes feito.

Por fim, Marie, cansada das desconfianças de Denis, fugiu em companhia de um grupo de espíritos que a assediavam, acenando com vantagens e promessas, alimentando sua ambição.

Depois que Marie o abandonou, Denis entregou-se à depressão e foi então que conseguimos levá-lo para um local de tratamento.

Enquanto Marie continuava sem nos ouvir, Denis reconheceu seus erros e decidiu mudar suas atitudes. Foi muito auxiliado por Adele e Bernardo, um casal que residia em nossa cidade astral e que o amava muito, pois, embora ele não se lembrasse, fora ligado a eles em outras vidas. Ambos queriam muito que Denis se elevasse.

A partir daí, Denis dedicou-se ao trabalho espiritual, estudou, aprendeu, tornou-se melhor. Então passou a fazer parte do nosso grupo, indo viver em nossa cidade.

Apesar do seu progresso, ou até por isso mesmo, sua consciência o acusava pelas violências que cometera. Reconheceu que dera motivos para que Gilbert lhe tirasse a vida quando lhe roubou o amor da esposa, e que ele por sua vez fizera pior, porque se voltara contra pessoas que não lhe haviam feito nada.

Então pediu a Deus oportunidade de curar-se. Estava disposto a fazer o que fosse preciso para libertar-se desse suplício.

Foi-lhe permitido reencarnar na mais completa pobreza, tendo como mãe Anne, uma mulher que em sua juventude fora muito apaixonada por ele e com a qual tivera um relacionamento antes de conhecer Marie.

Anne não era uma pessoa equilibrada. Emocionalmente instável, não confiava em si mesma e usava a arrogância para encobrir os defeitos que julgava ter. Ia da euforia à depressão com extrema facilidade. Assim, seus relacionamentos afetivos duravam pouco.

Em um deles, Denis nasceu. Seu pai logo os abandonou e Anne, na esperança de encontrar um amor duradouro, passava de um para outro, culpando todos os homens, sem perceber que a causa do que lhe acontecia estava na maneira como ela via sua vida.

Então, ela conheceu Gérard, um homem bonito, rico, paparicado pelas mulheres. Apaixonou-se. Empregou-se como arrumadeira na casa dele, pensando em conquistá-lo. Ele, porém, não se interessou por ela. Anne fez o que pôde para chamar sua atenção, mas ele não a levava a sério. Até que a insistência dela o aborreceu e ele a despediu.

Deprimida, sem vontade de reagir, não procurou outro emprego. Para ela, sua vida era uma desgraça e o culpado era Gérard, que lhe tirara o emprego.

Denis havia se tornado um menino triste, calado, mas esforçado. Não gostava da vida que Anne levava, procurava estudar, sonhava ganhar dinheiro para tirar a mãe daquela miséria.

Quando ficavam sem nada para comer, ele saía e procurava ganhar algumas moedas ajudando as pessoas. Com o que conseguia, comprava comida, mas, como a quantidade era pouca, deixava tudo para a mãe, dizendo que já havia se alimentado.

Anne o admirava. Para ela, o filho era o único homem bom do mundo. Ela sonhava para ele toda a felicidade. Apesar disso, não percebia os sacrifícios que o menino fazia para que ela ficasse bem.

Mal alimentado, subnutrido, ele foi enfraquecendo. Quando ele adoeceu, Anne procurou Gérard. Entrou em sua casa utilizando-se de uma distração de um empregado e encontrou-o lendo em seu gabinete.

Vendo-a, ele irritou-se:

— Como foi que entrou?

— A porta estava aberta... Vim porque estou desesperada. Meu filho está doente e não tenho dinheiro para curá-lo.

— Foi você quem arrumou esse filho. O problema é seu.

— Ajude-me. Preciso trabalhar.

— Não aqui. Você não tem responsabilidade. Vá embora. Deixe-me em paz.

— Ele está doente por sua culpa. Você me despediu sem nenhum motivo. Eu, que sempre lhe fui dedicada!

Ela chorou, pediu, brigou, mas ele não se comoveu. Mandou expulsá-la. Cheia de ódio, ela voltou para casa. O estado de seu filho foi piorando, até que ele acabou vitimado pela tuberculose.

Ela, desesperada, culpou Gérard pela morte dele. Em sua mente, inconformada com a perda, plasmou uma imagem do filho que carregava nos braços, acreditando que fosse seu corpo morto.

Denis, contudo, havia regressado ao astral, tendo deixado naquele pequeno corpo doente todas as energias que acumulara em seu corpo astral durante sua vida anterior.

Ao regressar, sentiu-se melhor. Lembrou-se de algumas vidas passadas. Ao saber que Marie continuava recusando nossa ajuda, fez o possível para que ela se modificasse.

Na época, Marie estava deprimida, cansada. Sabendo disso, organizamos uma equipe socorrista e fomos ao umbral, onde ela residia. Nós a encontramos apática, sem reação. Contudo, quando viu Denis, mudou completamente. Assim, conseguimos levá-la para tratamento.

Ela desejava viver ao lado dele, o que não era possível porquanto seu nível energético não permitia. Ele a visitava, estimulando-a ao bem, motivando-a a reagir.

Foi em uma memorável reunião em que todos vocês compareceram que, sob orientação de nossos maiores, estudamos as possibilidades de melhora de Marie.

Adele se dispôs a cooperar recebendo Marie como filha. Denis desejava nascer e casar-se com ela. Acreditava que sob sua influência ela poderia vencer as tentações do mundo. Mas foi-lhe dito que isso não era aconselhável. Seria permitido a ele ficar ao lado dela como filho e só dessa forma poderia exercer sua influência sobre ela.

Gérard, que com o tempo se transformara em uma pessoa melhor, sentindo-se culpado pelo descaso com que tratou Anne, concordou em receber Denis como filho. O problema era que Marie, na nova encarnação, não poderia ter filhos. Tendo praticado muitos abortos na encarnação anterior, havia lesado os órgãos da reprodução do corpo astral e perdera a fertilidade.

Foi então que pedimos a ajuda de Sophie, que a princípio recusou, mas depois acabou nos auxiliando.

Hoje Marie mudou muito, amadureceu e sei que daqui para a frente continuará progredindo. Quero dizer que estou muito grata por tudo o que fizeram pela minha querida Marie e dizer que nós todos formamos uma família e estamos ligados pelos laços eternos do espírito.

Que Deus os abençoe.

O médium calou-se e o silêncio se fez. Emocionados, os presentes não continham as lágrimas.

Eunice fez uma prece de agradecimento e encerrou a reunião. A luz foi acesa e a moça ao lado de Eunice levantou-se e distribuiu os copos com água.

Imersos em seus pensamentos íntimos, ninguém tinha vontade de falar, com receio de quebrar a serenidade do ambiente. Foi Adele quem começou:

— Estou impressionada. O que aconteceu aqui me revelou um mundo muito maior do que eu pensava. Eu nunca havia participado de uma reunião como esta. Vim de coração aberto, perguntando-me o que isso queria dizer. Só sei que, à medida que Norma falava, comecei a ver cenas, lugares onde vivi ao lado de Bernardo.

— Isso mesmo — esclareceu Eunice. — Você teve lembranças de sua estada no astral antes de reencarnar.

— Isso é extraordinário. Como pode ser?

— Tudo é natural, porquanto em nosso inconsciente ficam gravadas todas as experiências que vivemos. Tudo está dentro de você. Em casos especiais, esses momentos afloram.

Maria Eugênia, olhos brilhantes de emoção, interveio:

— Hoje tive todas as respostas que pedi a Deus. Desde que comecei a estudar a espiritualidade, tenho me perguntado por que me foi tirada a chance de gerar filhos. Agora sei. Eu me vi como Marie. Também vi Dionísio como Denis. Também sei quem é Sophie, a quem serei agradecida pelo resto de minha vida por haver me dado a chance de ter Denis a meu lado.

Ela olhava para Marina, que estremeceu sem conseguir responder. Henrique, olhos úmidos, tornou com voz que a emoção modificava:

— Eu sei que fui Gérard, o homem frio, indiferente. Por esse motivo o nascimento de Dionísio me trouxe tanta paz. Nada é pior do que o remorso. E, agora, nunca mais ele me incomodará.

O silêncio se fez por alguns segundos, depois Rafael disse:

— Foi para mim e Marina que Norma contou uma parte dessa história. Sei que Marina, tão emocionada, não terá condições de contá-la agora. Mas eu sinto que ela gostaria de fazer isso. Portanto, se quiserem ouvir, posso relatar o que nos foi revelado.

Todos se voltaram para ele. Eunice respondeu:

— Fale, Rafael. Esta noite tudo será esclarecido. Todos queremos ouvir.

Rafael contou como Cícero ficara mediunizado e Rute os ajudara a atendê-lo e depois, para surpresa deles, Norma manifestou-se através dela. Depois ele relatou tudo quanto ela lhes dissera e finalizou:

— Devo dizer que nós somos pessoas abençoadas, porque tivemos acesso a todas essas coisas que nos ofereceram respostas que vêm ao encontro de nossos sentimentos e indagações. Sou muito grato à fonte da vida por permitir que eu faça parte deste grupo. Desejo dizer que, diante de tudo quanto recebemos esta noite, sinto dentro de mim a responsabilidade não só de me tornar melhor a cada dia, mas também de me dedicar ao estudo da espiritualidade.

— Vocês já estão fazendo isso — tornou Eunice. — Quando nos tornamos melhores, estamos melhorando o mundo.

Conversaram durante mais alguns minutos, depois levantaram-se para sair. Após se despedirem de Eunice e dos dois que participaram da reunião, os três casais deixaram o prédio.

Era hora de se despedirem. Adele abraçou Marina, dizendo-lhe ao ouvido:

— Obrigada, Sophie querida. Você soube cumprir sua parte. Deus a abençoe. Desejo manter nossa amizade.

— Obrigada — respondeu ela. — Sempre considerei você uma pessoa da minha família.

Bernardo a abraçou com carinho, dizendo:

— Você merece ser feliz. Eu a admiro muito.

Maria Eugênia aproximou-se de Marina e abraçou-a dizendo:

— Eu sei que foi você quem me deu o maior presente que já recebi. Serei eternamente grata.

Henrique também a abraçou, dizendo com voz suave:

— Você nos deu a felicidade. Que Deus a proteja e abençoe.

Eles se foram e Rafael segurou o braço de Marina, dizendo alegre:

— Viu? Você não precisa mais se perguntar o que a vida desejava nos aproximando. Ela já respondeu.

— Sim. Missão cumprida. Agora penso que podemos virar a página e nos preparar para receber nosso filho.

— Ou filha. Quem será que virá juntar-se a nós?

— Por enquanto ainda não sabemos. A única coisa que sei é que neste mundo nada acontece por acaso.

Rafael beijou-a com carinho. E abraçados e felizes, foram para casa.

Fim

Sucessos de
ZIBIA GASPARETTO

Crônicas e romances mediúnicos.
Mais de dez milhões de exemplares vendidos.
Há mais de quinze anos, Zibia Gasparetto vem se mantendo na lista dos mais vendidos, sendo reconhecida como uma das autoras nacionais que mais vendem livros.

Crônicas: Silveira Sampaio

- Pare de Sofrer
- O Mundo em que Eu Vivo
- Bate-papo com o Além
- O Repórter do Outro Mundo

Crônicas: Zibia Gasparetto

- Conversando Contigo!
- Eles Continuam Entre Nós

Autores Diversos

- Pedaços do Cotidiano
- Voltas que a Vida Dá

Romances: Lucius

- O Amor Venceu
- O Amor Venceu (em edição ilustrada)
- O Morro das Ilusões
- Entre o Amor e a Guerra

- O Matuto
- O Fio do Destino
- Laços Eternos
- Espinhos do Tempo
- Esmeralda
- Quando a Vida Escolhe
- Somos Todos Inocentes
- Pelas Portas do Coração
- A Verdade de Cada Um
- Sem Medo de Viver
- O Advogado de Deus
- Quando Chega a Hora
- Ninguém é de Ninguém
- Quando é Preciso Voltar
- Tudo Tem Seu Preço
- Tudo Valeu a Pena
- Um Amor de Verdade
- Nada é Por Acaso
- O Amanhã a Deus Pertence
- Onde Está Teresa?
- Vencendo o Passado
- Se Abrindo pra Vida

Sucesso de
SILVANA GASPARETTO

Obra de autoconhecimento voltada para o universo infantil. Textos que ajudam as crianças a aprenderem a identificar seus sentimentos mais profundos tais como: tristeza, raiva, frustração, limitação, decepção, euforia etc., e naturalmente auxiliam no seu processo de autoestima positiva.

- Fada Consciência

Sucessos de
LUIZ ANTONIO GASPARETTO

Estes livros vão mudar sua vida!
Dentro de uma visão espiritualista moderna, estes livros vão ensiná-lo a produzir um padrão de vida superior ao que você tem, atraindo prosperidade, paz interior e aprendendo acima de tudo como é fácil ser feliz.

- Atitude
- Faça Dar Certo
- Se Ligue em Você (adulto)
- Se Ligue em Você – nº 1 (infantil)
- Se Ligue em Você – nº 2 (infantil)
- Se Ligue em Você – nº 3 (infantil)
- A Vaidade da Lolita (infantil)
- Essencial (livro de bolso com frases de autoajuda)
- Gasparetto (biografia mediúnica)
- Prosperidade Profissional
- Conserto Para uma Alma Só (poesias metafísicas)
- Para Viver Sem Sofrer

Série AMPLITUDE

- Você está Onde se Põe
- Você é Seu Carro
- A Vida lhe Trata como Você se Trata
- A Coragem de se Ver

CALUNGA

- Um Dedinho de Prosa"
- Tudo pelo Melhor
- Fique com a Luz...
- Verdades do Espírito

LUIZ ANTONIO GASPARETTO EM CD

Aprenda a lidar melhor com as suas emoções para conquistar um maior domínio interior.

- A Eternidade de Fato
- Prosperidade
- Conexão Espiritual

Série PRONTO SOCORRO
Autoajuda
1 – Confrontando o Desespero
2 – Confrontando as Grandes Perdas
3 – Confrontando a Depressão
4 – Confrontando o Fracasso
5 – Confrontando o Medo
6 – Confrontando a Solidão
7 – Confrontando as Críticas
8 – Confrontando a Ansiedade
9 – Confrontando a Vergonha
10 – Confrontando a Desilusão

Série VIAGEM INTERIOR (vols. 1 a 4 e vols. 5 a 8)
Autoajuda • Exercícios de Meditação
Por meio de exercícios de meditação, mergulhe dentro de você e descubra a força de sua essência espiritual e da sabedoria. Experimente e verá como você pode desfrutar de saúde, paz e felicidade desde já.

Série CALUNGA
Autoajuda
- Prece da Solução
- Chegou a Sua Vez!
- Presença
- Ta Tudo Bão!
- Teu amigo

Série PALESTRAS
Autoajuda

- S.O.S. Dinheiro
- Mediunidade
- O Sentido da Vida
- Os Homens
- Paz Mental
- Romance Nota 10
- Segurança
- Sem Medo de Ter Poder
- Simples e Chique
- Sem Medo de Ser Feliz
- Sem Medo da Vida
- Sem Medo de Amar
- Sem Medo dos Outros

Série REALIZAÇÃO
Autoajuda
Com uma abordagem voltada aos espiritualistas independentes, eis aqui um projeto de 16 CDs para você melhorar. Encontros com o Poder Espiritual para práticas espirituais de prosperidade. Nesta coleção você aprenderá práticas de consagração, dedicação, técnicas de orações científicas, conceitos novos de forma espiritual, conhecimento das leis do destino, práticas de ativar o poder pessoal e práticas de otimização mental.

Série VIDA AFETIVA
Autoajuda
1 – Sexo e Espiritualidade
2 – Jogos Neuróticos a Dois
3 – O que Falta pra Dar Certo
4 – Paz a Dois

Série LUZES

Autoajuda • Coletânea com 8 CDs Volumes 1 e 2

Este é um projeto idealizado pelos espíritos desencarnados que formam no mundo astral o Grupo dos Mensageiros da Luz.

Por meio de um curso ministrado no Espaço Vida & Consciência, pela mediunidade de Gasparetto, eles nos revelaram os poderes e mistérios da Luz Astral, propondo exercícios para todos aqueles que querem trabalhar pela própria evolução e melhoria do planeta.

Nesta coletânea, trazemos essas aulas, captadas ao vivo, para que você também possa se juntar às fileiras dos que sabem que o mundo precisa de mais luz.

Série ESPÍRITO

Autoajuda

1 – Espírito do Trabalho
2 – Espírito do Dinheiro
3 – Espírito do Amor
4 – Espírito da Arte
5 – Espírito da Vida
6 – Espírito da Paz
7 – Espírito da Natureza
8 – Espírito da Juventude
9 – Espírito da Família
10 – Espírito do Sexo
11 – Espírito da Saúde
12 – Espírito da Beleza

Série PALESTRA

Autoajuda

1 – Meu Amigo, o Dinheiro
2 – Seja Sempre o Vencedor
3 – Abrindo Caminhos
4 – Força Espiritual

LUIZ ANTONIO GASPARETTO EM DVD

O MUNDO EM QUE EU VIVO
Autoajuda
Momentos inesquecíveis da palestra do Calunga proferida no dia 26 de novembro de 2006 no Espaço Vida & Consciência.

OUTROS AUTORES

Conheça nossos lançamentos que oferecem a você as chaves para abrir as portas do sucesso, em todas as fases da sua vida.

LOUSANNE DE LUCCA
- Alfabetização Afetiva

MARIA APARECIDA MARTINS
- A Nova Metafísica
- Conexão – "Uma nova visão de mediunidade"
- Mediunidade e Auto-Estima

VALCAPELLI
- Amor Sem Crise

VALCAPELLI e GASPARETTO
Metafísica da Saúde
- Vol. 1: sistemas respiratório e digestivo
- Vol. 2: sistemas circulatório, urinário e reprodutor
- Vol. 3: sistemas endócrino (incluindo obesidade) e muscular
- Vol. 4: sistema nervoso (incluindo coluna vertebral)

FLAVIO LOPES
- A Vida em Duas Cores

MECO SIMÕES G. FILHO
- Eurico um urso de sorte (infantil)
- A Aventura Maluca do Papai Noel e do Coelho da Páscoa (infantil)

RICKY MEDEIROS
- A Passagem
- Quando Ele Voltar
- Pelo Amor ou Pela Dor...
- Vai Amanhecer Outra Vez
- Diante do Espelho

LEONARDO RÁSICA
- Fantasmas do Tempo – Eles Voltaram Para Contar
- Luzes do Passado

MAURÍCIO DE CASTRO (pelo espírito Hermes)
- O Amor Não Pode Esperar

VERA LÚCIA CLARO
- Stef – A Sobrevivente

LILIANE MOURA
- Viajando nas Estrelas

LUCIMARA GALLICIA
- Sem Medo do Amanhã

MÁRCIO FIORILLO (ditado por Madalena)
- Em Nome da Lei

ANA CRISTINA VARGAS (ditado por José Antônio)
- A Morte é Uma Farsa

SÍRIA MARIA MOHAMED
- Kiwi – O Pintinho Diferente

MARCELO CEZAR (ditado por Marco Aurélio)
- A Vida Sempre Vence
- Só Deus Sabe
- Nada é como Parece
- Nunca Estamos Sós
- Medo de Amar
- Você Faz o Amanhã
- O Preço da Paz
- Para Sempre Comigo
- A Última Chance
- Um Sopro de Ternura

MÔNICA DE CASTRO (ditado por Leonel)
- Uma História de Ontem
- Sentindo na Própria Pele
- Com o Amor não se Brinca
- Até que a Vida os Separe
- O Preço de ser Diferente
- Greta
- Segredo da Alma
- Giselle – A Amante do Inquisidor
- Lembranças que o Vento Traz
- Só por Amor
- Gêmeas
- A Atriz

OUTROS AUTORES (Internacionais)

Arrisque-se para o novo e prepare-se para um surpreendente caminho de autodescoberta.

JOHN RANDOLPH PRICE
- O Livro da Abundância

SANDRA INGERMAN
- Resgate da Alma
- Cure Pensamentos Tóxicos
- Jornada Xamânica

SANKARA SARANAM
- Deus Sem Religião

CHARLES F. HAANEL (EDITADO ORIGINALMENTE POR ANTHONY R. MICHALSKI)
- Psicologia Nova

JOAN SOTKIN
- Desenvolva seus Músculos Financeiros

JOACHIM MASANNEK
- Feras do Futebol Clube – Léo, o Driblador

MARC ALLEN
- O Livro da Realização – o Maior Segredo de Todos

NIKKI DE CARTERET
- O Poder da Alma

MICHEL A. SINGER
• Alma Livre

BÄRBEL E MANFRED MOHR
• Sabedoria do Coração

CHRISTINA DONNELL
• Sonhos e Transcendência

Espaço da Espiritualidade Independente

É um centro de cultura e desenvolvimento da espiritualidade independente. Acreditamos que temos muito a estudar para compreender de forma mais clara os mistérios da eternidade.

A Vida parece infinitamente sábia em nos dotar de inteligência para viver com felicidade, e essa me parece a única saída para o sofrimento humano.

Nosso espaço se dedica inteiramente ao conhecimento filosófico e experimental das Leis da Vida, principalmente aquelas que conduzem o nosso destino.

Acreditamos que somos realmente esta imensa força vital e eterna que anima a tudo, e não queremos ficar parados nos velhos padrões religiosos que pouco ou nada acrescentaram ao progresso da humanidade.

Assim, mudamos nossa atitude para uma posição mais cientificamente metodológica e resolvemos reinvestigar os velhos temas com uma nova cabeça.

O resultado é de fato surpreendente, ousado, instigador e prático.

É necessário querer estar à frente de seu tempo para possuí-lo.

Luiz Antonio Gasparetto

Este livro foi impresso em chenming 75 g/m^2 pela Gráfica Vida & Consciência.
São Paulo, Brasil, 2011.

VIDA & CONSCIÊNCIA
GRÁFICA

Rua Agostinho Gomes, 2.312 – SP
55 11 3577-3200

grafica@vidaeconsciencia.com.br
www.vidaeconsciencia.com.br

VIDA & CONSCIÊNCIA